DNA
MILIONÁRIO

CB038845

ELAINNE
OURIVES

APRENDA A REPROGRAMAR A SUA MENTE, COCRIAR A SUA REALIDADE, MUDAR QUANTICAMENTE O SEU DNA, AUMENTANDO A SUA FREQUÊNCIA VIBRACIONAL PARA ENTRAR EM RESSONÂNCIA E ALINHAMENTO COM O SUCESSO FINANCEIRO

Diretora
Rosely Boschini

Gerente Editorial
Rosângela de Araujo Pinheiro Barbosa

Assistente Editorial
Audrya de Oliveira

Controle de Produção
Fábio Esteves

Capa
Rafael Brum

Imagem de capa
©iStock

Projeto Gráfico e Diagramação
Anna Yue

Ilustrações
HiDesign Estúdio,
Anna Yue,
Kotkoa / Freepik (DNA)

Revisão
Rebeca Michelotti

Impressão
Gráfica Assahi

Rua Natingui, 379, São Paulo, SP

CEP 05435-000

Telefone: (11) 3670-2500

Site: http://www.editoragente.com.br

E-mail: gente@editoragente.com.br

Dados Internacionais de Catalogação na Publicação (CIP)
Angélica Ilacqua CRB-8/7057

Ourives, Elainne
DNA milionário: aprenda a reprogramar a sua mente, cocriar a sua realidade, mudar quanticamente o seu DNA, aumentando a sua frequência vibracional para entrar em ressonância e alinhamento com o sucesso financeiro / Elainne Ourives. - São Paulo: Editora Gente, 2019.

ISBN 978-85-452-0296-7

1. Técnicas de autoajuda 2. Sucesso I. Título

18-2061

CDD 158.1

Índice para catálogo sistemático:
1. Técnicas de autoajuda

DNA MILIONÁRIO

www.dnamilionario.com.br

Ao acessar o QR code ou o site, você poderá baixar os áudios das técnicas do Capítulo 9 e também um documentário gratuito, exibido em seis episódios e descobrir o Código Secreto da Mente e os Segredos Ocultos da Manifestação e Cocriação da Realidade.

Episódio 1: Você como cocriador consciente da sua vida

Entenda que você é 100% responsável por tudo o que acontece em sua vida. Nossos fracassos, emoções negativas, bloqueios, sabotadores foram criados e instalados. Vou ensinar como desprogramar, reprogramar e programar a mente inconsciente.

Episódio 2: Por que não consigo cocriar?

Saiba por que tudo o que você tenta fazer na vida parece dar errado. Quais atitudes inconscientes você tem usado e que obstruem o campo de Pensar e Criar. Crenças limitantes, feridas emocionais e comportamentos automáticos que bloqueiam seus sonhos e produzem o contrário do que desejou.

Episódio 3: Mude sua frequência para mudar sua vida

Aprenda como reprogramar sua mente para criar uma nova assinatura vibracional no Universo. Descubra em que frequência precisa vibrar para sintonizar com a prosperidade, com sua alma gêmea, com a cura e saúde inabalável e com a felicidade plena.

Episódio 4: Holococriar a vida dos sonhos – Como entrar em ressonância vibracional com seus objetivos, sonhos e metas

Descubra o passo a passo para cocriação de uma nova realidade. Acesse exercícios e técnicas de limpeza, desbloqueio, desprogramação e colapso de onda para Holococriar definitivamente seus sonhos.

Episódio 5: Técnica Hertz® – Reprogramação da Frequência Vibracional®

A técnica que limpa, desbloqueia, reprograma e aumenta a Frequência Vibracional® em total conexão com o Eu Supremo. Saiba como criei a Técnica Hertz® e seus resultados cientificamente comprovados (mais de 40 mil relatos reais de cura e transformações).

Episódio Extra: Último segredo revelado – A fábrica de energia quântica

Saiba qual é o sexto segredo oculto da manifestação e cocriação da realidade. O segredo que oferece todas as respostas sobre o processo de cocriação holográfica dos sonhos, nunca antes revelado ao mundo!

Dedicatória

Dedico esta obra à minha amada mãe, Juraci Ourives. Ela devotou sua vida a curar e a ajudar outras pessoas, muitas vezes demonstrando maior preocupação com os outros do que consigo. No fim de 2018, quando ela soube que estava muito doente, optou por não falar para ninguém. Preferiu ficar quieta e poupar todos do sofrimento. Até pouco tempo, eu não entendia a decisão dela naquele momento, mas hoje acolho, aceito e entendo com amor. Compreendo, perfeitamente, que aquele gesto foi uma forma de demonstrar todo seu amor incondicional por mim, meus irmãos e por nossa família. Mãe, eu te amo tanto. Gostaria de voltar no tempo e lhe dizer todos os dias: "Me perdoe", mas eu não consigo. Este livro representa todo o meu amor por você. Como missão, vou dedicar minha vida para que todos os filhos amem seus pais ainda vivos, pois sei que, como treinadora, tenho o poder da persuasão positiva. Dedico este livro também a todas as amigas da minha mãe, pois lembro do orgulho que demonstrava ao falar de mim para elas. Dedico este livro ainda a todos os filhos de outras famílias, que vão prosperar e ajudar seus pais, assim como eu fiz. Mãe, eu me sinto grata e plena por ter realizado os seus sonhos antes de você partir. Queria ter feito mais, amado mais, beijado mais! Tenho certeza de que, em cada pessoa transformada por meio do meu trabalho, você sentirá ainda mais orgulho de mim do que já tinha. Eternamente, vou amar você.

Logo depois de escrever esta dedicatória, chorei muito. Então, fui olhar as mensagens ainda guardadas em meu celular, quando percebi um áudio que ainda não havia notado. Divido aqui com você, leitor ou leitora, a transcrição integral feita pela Jaqueline, pois não consegui sequer terminar de ouvir a mensagem.

ÁUDIO RECEBIDO EM SETEMBRO!

Esta mensagem, recebida em setembro de 2018, ouvi apenas em janeiro... um mês após a partida de minha mãe.

"Quem me dera poder estar do teu lado sempre, sempre, sempre, como as outras mães, mães de quem faz o que você faz... Claro que gostaria de estar sempre contigo. Não é por não querer, é por não aguentar muito tempo em pé. Mas, como eu sempre te disse, teu limite é o céu, eu ia ver teu sucesso e já vi. Você sabe disso. Que Deus te abençoe, pois é muito merecido. Teu merecimento, por todo teu sofrimento, teus tombos, a vida que você levou. E você sabe que, quando a gente cai, é pra aprender a levantar. Você teve muita força, persistiu, insistiu e hoje está onde merece estar. E ainda é pouco, sei que ainda vou te ver decolar, filha. Você está apenas caminhando agora. Já rastejou, engatinhou, agora caminha, mas ainda vai voar. Eu sei disso. Te desejo tudo de melhor, nunca vou ter palavras suficientes pra dizer e agradecer tudo que você já fez por mim e pela Liane. Então só posso dizer que Deus te abençoe sempre, sempre, sempre, por onde você andar, por onde seus filhos estiverem. Eu te amo muito. MUITO."

Agradecimentos

Gostaria de agradecer à minha mãe, Juraci R. da Silva Ourives. Ela partiu antes de ver este livro impresso. Minha mãe sempre acreditou em mim, nas minhas conquistas e vitórias. Sempre demonstrou profundo orgulho de mim, de quem eu sou e me tornei. Desejo que a saudade de você, mãe, se transforme em amor de todos os filhos aos seus pais. Preciso, humildemente, agradecer a Jaqueline Bresolin. A Jaque começou em minhas empresas como estagiária de RH. Sempre ao meu lado, passou pela falência dos meus negócios. Algumas vezes, inclusive, deixou de receber o próprio salário a fim de comprar comida para minha casa. Hoje, com muito orgulho, ela é minha sócia, meu braço direito, família que escolhi nesta vida. Todo o livro passou pelo seu amor, carinho e contribuições significativas, para que sinta nosso carinho e comprometimento com o despertar do planeta, sei que escolhemos esta missão juntas.

Agradeço à minha equipe de trabalho que, carinhosamente, chamo de Equipe de Luz, porque vocês são, sim, a luz da minha vida. Vocês são a base de quem eu sou, em especial Carla Zysko, coordenadora de suporte, e Johann Nagl, gerente geral da Hertz Academy, por tamanha dedicação aos nossos alunos. Agradeço aos nossos mais de 1 milhão de seguidores. Gratidão pelo amor de vocês. Sou grata e honro com todo meu carinho os nossos mais de 200 mil alunos, por confiarem em mim tamanha responsabilidade. Agradeço à Eliane, que cuida da minha casa com tanto amor e que, por várias vezes, enquanto eu trabalhava neste projeto, trazia café passadinho para mim. Gratidão, Pedro Lichtnow, meu *ghost writer* e jornalista, que dá vida as minhas palavras faladas através da escrita, dedicando horas, finais de semana e abdicando de tempo com sua família para me ajudar neste projeto.

Agradeço à minha família, ao meu pai amado, Erevaldo Ourives, meus irmãos, Liane, Leandro, Andreia e Andressa Ourives. Gostaria de honrar, com todo meu amor, e agradecer aos meus filhos, Julia Ourives Libardi, Arthur Ourives Lazzarotto e Laura Ourives Lazzarotto, por me escolherem como mãe. Saibam que este livro existe porque eu quis dar o melhor para vocês, porque eu precisava me curar para curar nossa vida. Agradeço a Deus pela minha história. Foi ela que me levou até você, criador.

Sempre acreditei que o mais importante não são os acontecimentos, sejam eles bons ou ruins, mas como agimos diante deles. Para mudar a minha vida e construir uma nova história de luz, eu precisava agir com amor. Deste amor, nasceu este livro.

Sumário

Introdução

Este livro surgiu depois de eu ter passado por uma profunda transformação em todas as áreas da vida. Ao entrar no caos generalizado, atravessar uma verdadeira morte em vida e uma terrível experiência de depressão suicida, tentei descobrir o que havia acontecido com a minha vida naquele triste período. Ou melhor, como eu havia chegado àquela situação deplorável. Precisei mergulhar profundamente em minha existência para compreender todos aqueles resultados nocivos. Para isso, me aprofundei nos estudos sobre física quântica, neurociência, frequência das emoções humanas, lei da atração e espiritualidade. Eu precisava deixar, com urgência, aquela situação alarmante em que estava: uma profunda depressão, sem fé em Deus nem vontade de viver; dívidas acumuladas que somavam mais de 700 mil reais; e problemas de saúde do meu filho Arthur, na época com apenas 4 anos. Buscava respostas para os meus dilemas e para sair daquele caos profissional, financeiro, afetivo e familiar, que repercutia no meu estado de saúde, físico e psicológico. Em pouco tempo, a ciência trouxe as respostas que eu buscava; mais do que isso, a solução para todos os meus problemas.

Para minha surpresa, as respostas estavam dentro de mim, nas minhas células, no meu DNA e na frequência que eu vibrava naquela época.

Para minha surpresa, as respostas estavam dentro de mim, nas minhas células, no meu DNA e na frequência que eu vibrava naquela época. No entanto, nenhum livro, treinador ou curso explicavam por que havia entrado em colapso total... precisei, então, mergulhar nas profundezas da ciência, do ocultismo, das religiões, das doenças emocionais para compreender o que havia acontecido comigo e como conseguiria sair de lá sozinha.

Como você vai observar, o conteúdo deste livro é baseado na minha própria história. Apresento aqui o caminho que percorri para sair daquela situação, de modo acelerado, por meio da ciência, e como criei, a partir disso, o Modelo Quantum Hertz Ourives, com o qual obtive êxitos extraordinários, superando minha imensa dívida e a depressão suicida para alcançar um verdadeiro *mindset* milionário. O objetivo desse método é a criação, a alteração e a materialização de uma nova realidade, por meio de um processo intenso de alinhamento vibracional com a fonte da vida, o Universo e a consciência do Eu Sou. Os resultados são visíveis em 24 horas e expressivos em 21 dias, com a mudança imediata de Frequência Vibracional® e o despertar para uma nova realidade. Ao mudar sua Frequência Vibracional®, você experienciará uma nova perspectiva em todos os setores que desejar. Entretanto, para promover a acelerada reprogramação mental, em âmbito celular, biológico e genético, é preciso repetir a técnica por 21 dias seguidos, tempo de que a mente precisa para adquirir um novo hábito.

> O objetivo desse método é a criação, a alteração e a materialização de uma nova realidade.

Não se trata, propriamente, de um livro científico, mas minha intenção, como ativista quântica e treinadora mental, é apresentar evidências extraídas da minha experiência, além de técnicas e exercícios, que comprovem como é possível criar a realidade, ser integralmente responsável por sua vida e manifestar seus desejos de riqueza, prosperidade ou abundância por meio desse alinhamento energético com Deus, Universo, Criador ou como preferir chamar.

Atualmente, mais de 200 mil alunos, em 22 países, já concluíram a formação em aulas gratuitas ou avançadas. Somente no curso de Holo Criação® são mais de 90 mil pessoas impactadas.

Este livro, portanto, é um instrumento em que amplio a disseminação desse estudo, demonstro todo o trabalho envolvendo o processo de reprogramação mental e colaboro para desvendar ao mundo o mecanismo universal para a criação da realidade por meio da Frequência Vibracional® das emoções. Assim, você aprenderá passo a passo como estabelecer um novo campo pessoal de energia para concretizar qualquer realidade, ativar o seu DNA Milionário e compor um novo *mindset* próspero, rico e abundante. Espero que, durante a leitura, você compreenda, com base no conhecimento difundido pela física quântica sobre energia e Frequência Vibracional®, os motivos que fazem a prosperidade financeira e a abundância plena permanecerem bloqueadas em sua vida, apesar de tanta dedicação e empenho constante e por que, afinal, dívidas, privações, miséria, escassez e desemprego fazem parte do cotidiano de milhões de pessoas em todo o mundo. Diante disso, minha proposta é ensiná-lo a dominar um método científico para manifestar a realidade desejada e a compreender como funciona o processo para criar a riqueza que tanto deseja, sob a perspectiva de um Universo quântico e holográfico. Ou seja, um Universo de energia que pode ser modificado a todo momento.

A EXPERIÊNCIA QUÂNTICA DA VIDA

A experiência da vida é fantástica, incrível e revolucionária em todos os sentidos e complexidades. A cada dia, a cada amanhecer e pôr do sol, temos valiosos aprendizados, iluminações, *insights* mentais, inspirações emocionais e infinitas possibilidades quânticas para vivenciarmos diretamente da fonte da vida do Universo. Todas as coisas dependem da atenção, do foco, da energia e dos sentimentos que cada indivíduo emana ao campo amorfo da cocriação da realidade. Somos arquitetos da realidade, *designers* dos próprios sonhos e projetistas siderais da existência. Você deve compreender que todas essas possibilidades estão disponíveis no presente, no agora, neste exato momento, porque, como determina a física quântica, o Universo é atemporal. Ou seja, não existe passado ou futuro, mas apenas o presente. O presente, portanto, é construído por você agora, neste momento, a cada novo pensamento ou sentimento lançados no campo das infinitas possibilidades. "Felizes os que creem sem ver" (João 20:29), disse o mestre Jesus, em uma das mais belas passagens bíblicas.

Ao longo de mais de vinte e seis anos, construí um conhecimento a partir das minhas pesquisas nos campos da física quântica, neurociência, frequência das emoções humanas e espiritualidade sagrada. Pretendo, assim, demonstrar e apresentar neste livro que existem possibilidades ilimitadas para a manifestação de qualquer realidade ou desejo em distintas áreas. Desde já, afirmo que isso pode ser garantido com base em experimentos como a dupla fenda* ou o colapso da função de onda, que se tornaram mundialmente conhecidos. Essencialmente, ambos comprovam que o observador da realidade tem o poder para determinar a composição material de qualquer evento. Ou seja, cada um de nós pode escolher e materializar a própria realidade, seja ela qual for, inclusive para produzir riqueza, prosperidade, abundância e muito dinheiro. Dinheiro? Isso mesmo! Sabe por quê? Porque dinheiro também se manifesta em nossa vida como uma forma de energia. Ele também tem uma frequência e vibração, conforme você observará ao longo da leitura. Você vai descobrir como entrar no fluxo ou na mesma corrente da energia da prosperidade. Vou demonstrar como esse processo funciona e o que é preciso fazer para aproveitar toda a abundância do Universo.

Todas essas possibilidades não são mera especulação. Na verdade, são fatos comprovados cientificamente e atestados por grandes mestres, cientistas, físicos quânticos e espiritualistas do

---

* O experimento da dupla fenda foi desenvolvido pelo físico e médico britânico Thomas Young em 1800.

nosso tempo, como Amit Goswami, Deepak Chopra, Joe Dispenza, Joe Vitale e Joseph Murphy. Por isso, a partir de agora, você não precisa mais procurar o mapa do tesouro. O caminho para encontrar riqueza, prosperidade e abundância já existe. Ele vibra no núcleo do seu DNA, na sua centelha divina, no Deus que habita em sua alma, especialmente no campo de vibração que você emite ao Universo. Toda essa perspectiva é apoiada em mais de duas décadas de estudos e de experiências práticas em minha vida.

Aprendi como conquistar todos os meus sonhos. Aprendi que para mudar, alterar e cocriar a vida que eu desejava, era necessário assumir um compromisso comigo e tomar as rédeas da minha vida. Entendi que eu era responsável pelo meu sucesso, e também pelo meu fracasso, por isso precisava abandonar o passado e o futuro para viver no momento presente, aceitando e assumindo a minha realidade. Precisava me amar, me aceitar e me perdoar. Aprendi a me libertar e a permitir que os outros também fossem livres, por intermédio do perdão. Aprendi, sobretudo por meio da física quântica e da neurociência, a "fabricar" meus desejos mais intensos e a atrair toda forma de prosperidade, independentemente da área, seja ela financeira, profissional, afetiva ou familiar. E tudo isso é possível justamente porque nada no Universo é material ou sólido. Esta é a essência da física quântica e a proposta desse verdadeiro manual para reprogramar a vibração do seu DNA, elevando-a ao nível de energia da abundância essencial do Universo. Nesse ponto, você pode se perguntar: "Mas se o mundo não é material, como a física clássica sempre defendeu, de que forma o Universo opera?".

Aprendi a me libertar e a permitir que os outros também fossem livres, por intermédio do perdão.

Pelas leis da física quântica, o Universo é um imenso oceano infinito de energia, frequência e vibração. Por isso, nada é estático na vida, muito menos você, eu, sua molécula ou seu DNA. Tudo é regido por frequências e padrões vibratórios de energia. Em decorrência disso, tudo pode ser modificado e alterado a todo instante. Essencialmente, o que isso quer dizer, então? Ao mudar o padrão da sua energia, você altera os resultados de sua vida, sobretudo no que se refere a riqueza, prosperidade e abundância.

Então, é exatamente essa a essência e a abordagem que vamos apresentar nesta obra que vai, com certeza, mudar todos os seus paradigmas sobre a realidade e o mundo. Você pode tudo, projetar qualquer realidade, inclusive modificar a configuração interna do seu DNA e reprogramar a sua própria existência.

No decorrer do livro, explicarei como o DNA atua em termos vibracionais e como modificar a frequência pessoal de energia. Posso adiantar que é mais simples do que parece. Mais do que isso, todo mundo é capaz de produzir novos efeitos no seu Universo interior, a partir da mudança estrutural das próprias células e moléculas. De antemão, posso adiantar também que é possível recodificar as informações do DNA e promover uma profunda reprogramação mental para abundância e para a prosperidade. Vou demonstrar, em diferentes trechos, como aplicar essa incrível mudança biológica, quântica e vibracional diretamente no núcleo do DNA. Além disso, serão apresentados termos específicos da física quântica e da ciência da mente, como cérebro quântico, colapso da função de onda e o conceito do observador da realidade. Tudo será esmiuçado com transparência para a compreensão de qualquer leitor. Em cima de todo esse conhecimento, também serão apresentados os efeitos práticos da não localidade e da superposição quântica no chamado domínio da potencialidade pura, reconhecido pela física quântica como vácuo quântico ou matriz energética. Isto é, trata-se de como a realidade pode ser alterada diretamente no Universo, apenas com o seu padrão de energia.

Você é uma máquina mental capaz de produzir e arquitetar qualquer realidade no Universo. No entanto, para ativar todo esse poder e um novo DNA Milionário, existe uma metodologia exclusiva, que consiste no Modelo Quantum Hertz Ourives. Esse processo, difundido por mim em meus cursos e treinamentos, apresenta resultado logo nos primeiros 21 dias, com a mudança acelerada da sua frequência para a criação de uma realidade mais produtiva. No treinamento on-line Holo Cocriação de Objetivos, Sonhos e Metas, trabalhamos a reprogramação total da mente, de forma detalhada, em um período de 63 dias. Essa será a fórmula apresentada aqui, para você conquistar todos os seus desejos de prosperidade em tempo recorde, alterando a frequência da sua energia para entrar no fluxo incessante de abundância do Universo, do Todo, de Deus, ou O Absoluto Infinito. Assim, desejo a você uma ótima leitura, aprendizados fantásticos e que sua vida seja impactada positivamente em todos os setores, sobretudo na prosperidade financeira.

Um beijo de luz!

Elainne Ourives

CAPÍTULO I

Por que não consigo prosperar?

Há alguns anos, enfrentei uma morte em vida. As lágrimas vinham todos os dias, todos os meus pilares estavam afetados, eu me sentia mal e acreditava ser uma grande vítima de um mundo cruel. Para piorar, eu estava emocionalmente doente. Estava sozinha, sem rumo, falida, com dívidas que somavam mais de 700 mil reais. Naquele período, eu entendia que só a morte aliviaria a minha dor. E foi a isso que recorri: foram cinco tentativas de suicídio. Na época, eu não tinha referências em que me espelhar, nem sequer conhecia alguém que tivesse dívidas e houvesse conseguido dar a volta por cima ou pessoas que tivessem atravessado os mesmos problemas que eu. Até que conheci pessoas que me inspiraram, em especial, entrei em contato com o professor espiritual Joe Vitale, mais conhecido por sua participação no documentário *O segredo*, escritor de importantes obras como *Limite zero**. Ele perdeu tudo, chegou a morar na rua, mas conseguiu se reerguer.

> O corpo é inteligente, responde com vibrações às emoções e ao conteúdo da consciência de cada um.

Hoje entendo que é preciso destruir dentro de si os sentimentos de culpa e vergonha, o ódio de viver e a sensação de não merecimento para sair do caos e avançar a passos largos na vida. Entenda uma coisa importante sobre todo esse movimento interno: o corpo é inteligente, responde com vibrações às emoções e ao conteúdo da consciência de cada um. Os sentimentos reverberam no estado físico, psicológico e energético, ou seja, em todos os corpos de manifestação da consciência.

---

* VITALE, Joel. *Limite zero*. Rio de Janeiro: Rocco, 2009.

O QUE É UM CAMPO ELETROMAGNÉTICO?

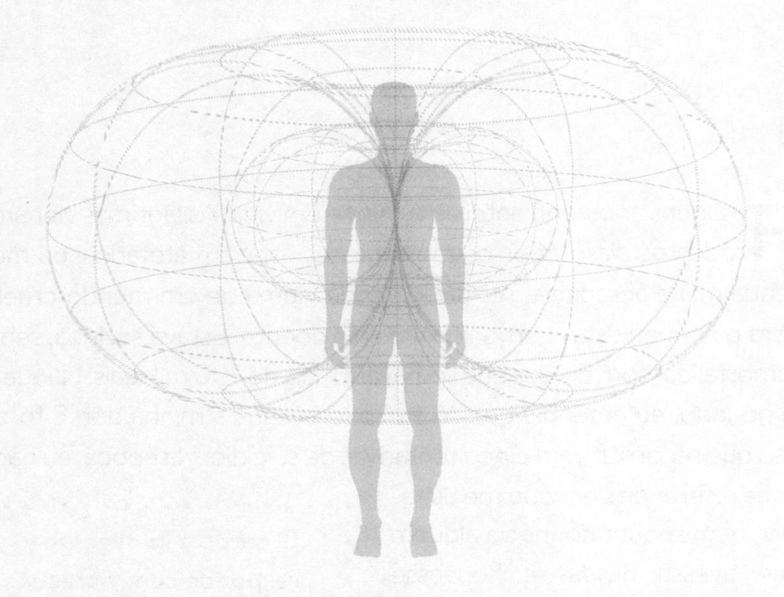

A física quântica mostra que a soma de todas as nossas emoções, pensamentos e ações forma, em torno de cada pessoa, um campo eletromagnético, uma frequência medida em hertz. Mas o que isso significa e como funciona? Basicamente, significa que existe um campo de energia e vibração em torno de você que, segundo a ciência, tem cerca de 3 metros de diâmetro. Alguns pensadores o chamam de aura, corpo de luz ou corpo luminoso, psicosfera de energia ou atmosfera vibracional, e ele representa tudo o que emanamos em termos de energia e vibração para o Universo e que recebemos de volta na mesma frequência.

Para ilustrar esse conceito, vamos recorrer a um exemplo. Imagine que, em dado momento, você começa a sentir um medo constante de traição, ou seja, seu campo de energia (vibracional) passa a emanar uma frequência desse sentimento. Automaticamente, como você estará jogando para o Universo essa energia, pode acabar recebendo mais disso, sendo de fato traído por pessoas que fazem parte do seu círculo de relacionamento, como sócios, irmãos, amigos ou parceiros amorosos. Em outras palavras, aquilo que você emite volta para o seu campo eletromagnético. O seu campo é "eletro" (elétrico) porque envia uma energia, uma frequência e uma vibração ao Universo, e é "magnético" porque atrai para si a situação com a mesma frequência e correspondência vibracional. Ao sentir e pensar em amor, felicidade, harmonia, você também se retroalimenta desses sentimentos, e são eles que voltam para sua vida e se manifestam no ambiente. Mais amor, mais felicidade e mais harmonia.

Tudo que vai volta, sempre. Por isso, se quiser mudar os resultados, mude a frequência, a onda de vibração que emana para o Universo, afinal vivemos cercados de energia, frequência e vibração. Eu chamo de Universo holográfico ou Matriz Holográfica®, outros pesquisadores, como Gregg Braden, de *A matriz divina**. Há ainda nomes como substância amorfa ou éter divino. O importante é entender que a vida é sustentada por diferentes níveis de vibração e que você tem um campo vibracional ou campo eletromagnético. Além disso, a vibração que você emite ao Universo influencia e manifesta todos os resultados de sua vida, assim como as emoções possuem frequências específicas, de acordo com a escala da consciência, que formam a base vibracional do seu campo eletromagnético e, consequentemente, os eventos da sua vida.

OCEANO DE ENERGIA

Todo mundo tem um campo eletromagnético. Todos os objetos, seres e até mesmo uma cadeira na sala de estar. Mais do que isso, estamos imersos em um enorme campo eletromagnético, que é a própria Matriz Holográfica®, o Universo. Segundo pesquisas de Max Planck, físico alemão considerado o pai da física quântica,

---

* BRADEN, Gregg. *A matriz divina:* uma jornada através do tempo, do espaço, dos milagres e da fé. São Paulo: Cultrix, 2008.

tudo é feito de átomos, as menores partículas constitutivas da matéria. Os átomos têm seu campo formado por prótons, nêutrons e *quarks*, a chamada partícula de Deus. Só que o núcleo da partícula de Deus, o bóson de Higgs,* é apenas energia, frequência e vibração. Assim, nada, nem mesmo um corpo, é material. Tudo se trata de energia, em diferentes estados vibracionais de condensação, como a água que se torna gelo ou vapor, um exemplo simples de estados diferentes de matéria e de energia. Você deve compreender isso para começar a manifestar e a criar a sua própria realidade.

Ao compreender que você é energia e está imerso em um oceano infinito de energia e vibração, vai ter a certeza de que só precisa alterar a frequência e a vibração para colher os resultados que deseja. Ou seja, tudo depende do que você semeia em termos vibracionais no solo fértil do Universo, na própria mente superior, a mente de Deus. Essa é a solução para todos os problemas. Compreender o que é o campo vibracional e saber qual frequência você está emitindo para o Universo vai possibilitar a colheita dos mais saborosos frutos em sua vida.

O QUE É A FREQUÊNCIA?

Você precisa saber em qual velocidade transita pelo mundo, no Universo, por sua vida. Ou seja, qual é o ritmo da sua existência. Essencialmente, esse é o sentido da frequência e o seu significado prático. Ao longo do livro, você observará que vou falar muitas vezes sobre frequência e sua real compreensão no dia a dia. A lógica é muito simples. O Universo está em uma frequência elevada, em uma permanente constância, no pleno movimento de expansão quântica. Ele vibra entre 540 e 600 hertz. Cada hertz equivale a um ciclo de movimento por segundo. Ou seja,

* Estudo de Peter Higgs, que teoriza a composição material do Universo.

a velocidade da Matriz Holográfica® é perfeita, sublime e tem um passo estrondoso. Você só consegue acessá-la, diretamente, através do impulso dos sentimentos. Vou falar disso também nas próximas páginas.

O movimento de frequência foi medido por meio das nossas emoções pelo dr. David Hawkins que, magistralmente, conseguiu correlacionar frequências às emoções. Em sua Tabela Hawkins, estabeleceu um parâmetro para metrificar isso. Estabeleceu, portanto, uma variação de 20 hertz a 1.000 hertz para cada emoção. Nessa escala, emoções inferiores, como medo, culpa e tristeza, estão situadas em vibrações baixas. Já emoções elevadas como amor, alegria e gratidão, aparecem em patamares superiores, acima de 500 hertz. A análise foi feita por experimentos realizados por meio da Cinesiologia. A relação entre emoção e frequência foi medida a partir da reação muscular de pacientes em resposta a sentimentos provocados nos testes realizados por Hawkins. O meio em si talvez não seja o mais importante. Você vai ler em outros trechos deste livro sobre o funcionamento da Tabela Hawkins e sobre o trabalho desse grande cientista.

O mais importante é saber em qual frequência você está. Porque isso fará você compreender, com maior profundidade, qual o nível das suas emoções, o que precisa limpar dentro de você, em termos emocionais, qual o patamar de expansão da sua consciência e, sem dúvida, o que precisa fazer para se elevar vibracionalmente. Por exemplo, se você se mantém em uma tristeza profunda, num quadro de depressão ou melancolia, certamente, a sua frequência será inferior a 100 hertz. E o que isso significa? Letargia, paralisia, problemas, dificuldades, desamor, falta de esperança, falta e escassez em todos os setores. Por quê? Porque você, energeticamente falando, nesse caso, é como uma pedra imóvel ou um bloco de gelo que navega em um oceano sem rumo ou direção.

Como um iceberg gigante atracado em alguma geleira inóspita. E por que isso? O Universo é rápido, veloz, dinâmico e expansivo. Ele nunca para. Sua frequência, como mencionei, começa na casa dos 540, 600 hertz. Quando você está, propriamente, imerso no Vácuo Quântico, na Mente de Deus, essa velocidade é ainda superior, chegando a 1.000 hertz ou mais. Nesse estágio, você, literalmente, vira luz, transcende tudo e volta, de fato, ao seu estado original de energia cristalina, transparente, indissolúvel e integra ao próprio Universo, como uma Consciência Iluminada. O Universo também é regido por energia, frequência e vibração. Ele existe como uma imensa e infinita rede de energia e opera através do que a ciência moderna chama de emaranhamento quântico. Ou seja, nada no Universo está separado ou sozinho. Ao contrário disso, tudo está conectado através de um campo único, quântico e essencial de energia primária. Ou melhor, um campo eletromagnético. "Mas, Elainne, qual a relação da minha energia com a energia essencial do Universo?" Total! Porque existe uma conexão profunda e íntima entre esses dois elementos.

> Nesse estágio, você, literalmente, vira luz, transcende tudo e volta, de fato, ao seu estado original de energia cristalina, transparente, indissolúvel e íntegra ao próprio Universo, como uma Consciência Iluminada.

Você emite, a todo momento, um padrão vibracional ao Universo. Ele é enviado como uma onda de energia e potência eletromagnética, e é formado por determinada frequência medida em hertz (daí a importância de saber o que é frequência e reconhecer qual é o seu padrão). Esse padrão entra em fase com energias similares contidas no Universo. A junção dessas energias e frequências, tanto a sua como a do Universo, dá a forma e a composição material aos eventos do seu dia a dia. A física quântica chama esse fenômeno de colapso da função de onda, termo que também será abordado várias vezes, porque o meu método de ensino é acelerado e por repetição, para você gravar essas importantes informações. Esse fenômeno acontece justamente quando a onda eletromagnética emitida pelo seu campo vibracional se encontra e se funde com outra onda correspondente de energia do Universo, de mesma frequência, sintonia e vibração. Lembre-se de uma coisa importante para compreender, definitivamente, todo esse fundamento e explicação científica: você tem um campo de energia eletromagnética. O Universo mantém energias similares. Então, quando você emite determinado padrão vibracional, o Universo devolverá acontecimentos, eventos e episódios com o mesmo teor energético. O Universo é um espelho gigantesco e ele vai refletir de volta apenas o que você enviar. Portanto, se o seu padrão vibracional está sustentado em sentimentos elevados de amor, gratidão, paz e alegria, será mais disso que você experimentará. O fato é que você tem uma assinatura vibracional, um valor energético e uma frequência determinada. É como se houvesse um código de barras e isso é o que vai representá-lo mediante as leis do Universo.

EU DUVIDEI DE DEUS!

Naquela fase de incoerência pessoal, eu havia deixado de acreditar em Deus e sempre me questionava: "Como pode haver um ser superior que permite tanto sofrimento? E por que estou revelando essa história?". Porque, assim como eu, muitas pessoas passam por dificuldades. Nem todas, infelizmente, se dão conta de que são responsáveis por criar ou cocriar, como vou explicar a seguir, a própria realidade, alterando o seu campo vibracional e, assim, todos os resultados de sua vida. Por esse desconhecimento, se vitimizam e se consideram azarados. E quantos não passam por dificuldades semelhantes? Quantas mães precisam cuidar sozinhas de seus filhos? Quantas pessoas precisam enfrentar problemas de saúde na família, acumulando débitos e carregando o peso do mundo nas costas? O Universo, entretanto, me dava sinais evidentes para assumir a responsabilidade e mudar completamente o panorama da minha vida. Como aquela velha máxima: ou você aprende no caos ou na ordem. No meu caso, precisei passar por uma morte em vida para despertar para o meu papel e iniciar a jornada para assumir minha missão no mundo.

Porém, a dor ainda era tão grande que se tornava impossível viver, eu só queria que ela cessasse. E nesse processo de vitimização e sofrimento, não enxergava os sinais. Até o momento que recebi o mais claro de todos eles, através do meu filho Arthur, que estava muito doente. Na ocasião, ele já havia passado por uma cirurgia, que não apresentou bons resultados. A orientação médica era de que ele precisaria de uma transfusão de sangue. Exatamente nesse momento percebi que meu filho, que havia um ano estava entre idas e vindas em hospitais, poderia morrer. Diante desse cenário, entendi que, se não fosse para mudar por mim, que fosse por ele. Em busca de um novo caminho de luz, decidi estudar, pesquisar, procurar recursos científicos para entender como eu havia destruído a minha vida. Por estudar a mente humana desde os 16 anos, sabia que de alguma forma eu estava atraindo todas aquelas situações difíceis. No entanto, precisava entender o que me fazia permanecer naquele *looping* mental, um caos absoluto que já durava anos, subindo um degrau e voltando dez. Precisava descobrir como eu havia criado aquela realidade e por que estava vivendo aquilo.

Durante 48 horas estudei sem parar, buscando respostas, no intuito de me curar, de curar as memórias que eu compartilhava com meu filho. Decidi fazer isso porque, enquanto estava grávida, eu havia tido sentimentos de rejeição por Arthur, motivados por uma dificuldade de entender e aceitar a gravidez naquele momento da minha vida. Por causa disso, eu me sentia culpada pela doença dele e, por consequência, me destruía cada vez mais, pois, quanto pior estivesse a minha vida, mais conformada eu ficava. Considerava que não merecia viver, não merecia ser feliz, não merecia meus filhos e as pessoas que estavam ao meu lado. A culpa e a vergonha provocavam esse movimento interno autodestrutivo. Eu me detestava, me maltratava, não me aceitava e a vida ficava cada dia pior. Por esses fatores todos, precisava me curar, eliminar a culpa que carregava por ele estar doente, para que o Arthur também superasse aquela situação. Se eu me curasse da depressão e me livrasse das memórias fatais e doentias que me atormentavam, conseguiria criar uma nova realidade e a vida próspera que sempre desejei.

Atravessei, naquela fase, um processo muito dolorido. Não conseguia me concentrar, não conseguia trabalhar. As dívidas aumentavam dia após dia. Cheguei a passar fome. Chorava desesperadamente todos os dias. Não tinha dinheiro para comer nem para comprar os remédios para o meu filho. Algumas vezes, quando Arthur tinha febre, eu rezava para que a temperatura dele baixasse, porque não dispunha de recursos para comprar remédio ou levá-lo ao hospital. Então, colocava-o no banho, fazia a oração Ho'oponopono* no Japamala (cordão sagrado), rezava, meditava e pedia que os meus mentores e Deus me ajudassem. Foi nesse período que adquiri o hábito de meditar. Meditava de desespero, medo e insegurança. Cansava de tanto chorar e, então, silenciava. E, quando silenciava, entrava em processo meditativo. Na meditação, quando você silencia, entra em contato com sua essência divina, e a partir daí, as mudanças começam a acontecer. Eu ainda não conseguia compreender as mudanças, mas entendi que precisava me curar, libertar a culpa que carregava dentro de mim, para conseguir ajudar meu filho e iniciar a criação de uma nova realidade e da vida milionária e próspera que sempre desejei.

---

* O Ho'oponopono é uma oração de origem havaiana, escrita por Morrnah Simeona. É uma técnica de libertação de memórias, oração do perdão.

SILÊNCIO LIBERTADOR

Aprendi a meditar quando estava absorta pela tristeza, estava inerte, pois a culpa nos paralisa. O caos nos paralisa. Hoje, entendo que isso gera uma frequência densa e trava todo o progresso na jornada da vida. Mas foi nessa situação, quando passei a meditar e silenciei de tanto cansaço, que minha comunicação com Deus e com o Universo começou efetivamente. Por meio da meditação do silêncio e de minha conexão com a fonte, consegui acessar o que estava dentro de mim. Percebi que o silêncio e a meditação são necessários para nos conectarmos com Deus. Compreendi, naquele instante, que a resposta para superar todo o caos estava internamente, e não do lado de fora. O processo de transformação não foi rápido nem simples. Meus estudos sobre PNL (Programação Neurolinguística) me guiaram até a física quântica. Foram cinco anos aprendendo sozinha. Durante esse período, não encontrei nenhum guia específico, mas me alimentei de livros, cursos, palestras. Passava vinte horas estudando gratuitamente na internet e dormia apenas duas a três horas por dia.

EU COCRIEI TUDO!

Você deve estar se perguntando o que é cocriar e o que significa o termo cocriação da realidade. Compreender o que é e o que representa o campo eletromagnético no Universo é a chave para abertura de muitas portas na vida. Eu compreendi o que isso significa durante minha jornada de dor, sofrimento, autodestruição e morte em vida. Essa experiência me trouxe a luz de que precisava para encontrar todas as respostas. A cocriação tem por base a Lei da Atração, que poderia se chamar Lei da Vibração, porque uma pessoa não depende de forças externas para conseguir aquilo que deseja. Ou seja, alguém pode manifestar ou cocriar a partir da vibração ou da Frequência Vibracional® que envia ao Universo. E por que o termo cocriar? Porque para criar os resultados desejados, seja dinheiro, sucesso ou riqueza, é preciso criar em conjunto ou coparticipação com o Universo, com Deus e o Todo. Para a física quântica, Deus é o próprio Universo, ou, então, o vácuo quântico. Como já mencionei, o chamo de Matriz Holográfica®.

E como funciona a cocriação? Bem, todos temos um campo eletromagnético que emite uma frequência ou padrão vibracional específico de energia enviado ao Universo, isto é, que ressoa no Universo. Por sua vez, o Universo é formado por uma única onda de energia e vibração. Então, para cocriar ou manifestar a realidade que se deseja, é necessário enviar uma onda de vibração que entre em correspondência ou ressonância energética e vibracional com frequências similares no Universo, no vácuo quântico, na própria Matriz Holográfica®. Por isso também, tudo é possível, conforme apresentarei mais adiante o termo infinitas possibilidades. Isso significa que você só precisa encontrar a frequência correta do seu desejo, tudo é uma questão de vibração compatível no Universo. No processo da cocriação, quando é enviada uma onda de prosperidade, por exemplo, ancorada em sentimentos de amor, alegria ou gratidão, posicionados em uma faixa vibracional considerada elevada, ela se funde a outra onda de mesma vibração no Universo, formando o colapso da função de onda. É assim, segundo a física quântica, que se forma a realidade, os eventos e qualquer coisa material em nosso mundo. Por isso, em parceria e de mãos dadas com Deus, com o Universo, direto no vácuo quântico, de fato, você pode criar, ou melhor, cocriar a realidade desejada. Nos próximos capítulos serão apresentados outros conceitos que amparam esse fenômeno, como reprogramação vibracional das células, do DNA e, consequentemente, do campo quântico e vibracional de energia.

FUI MEU PRÓPRIO LABORATÓRIO!

Retomando minha história, por que estou apresentando todos esses fatos passados? Porque, como já mencionei, o conteúdo deste livro remete às técnicas que passei anos estudando e aplicando em minha própria vida. Fui e sou, acima de tudo, meu próprio laboratório existencial. Efetivamente, eu tinha tantos sonhos, mas trabalhava contra todos eles! Isso, de fato, impedia que se realizassem, porque eu mandava para o Universo uma frequência muito baixa, apoiada em sentimentos inferiores e de baixa autoestima. Adotar um comportamento de vítima, de culpa ou de revolta talvez também esteja comprometendo a realização dos seus sonhos de riqueza e prosperidade. Há uma profunda relação entre as emoções e o padrão de energia predominante de uma pessoa. Isso, consequentemente, afeta nossos resultados em todos os aspectos.

Ao longo do livro, explicarei melhor por que emoções como tristeza, culpa, depressão, vitimização ou raiva podem impedir a manifestação de qualquer desejo. Elas geram um padrão de energia que pode ser alto ou baixo. Além disso, falarei da Escala das Emoções Humanas, que demonstra a relação entre emoções e frequência. As ações, atitudes e emoções que eu sentia interferiram diretamente na minha realidade. Em meio ao caos, uma morte em vida, vibravam dentro de mim sentimentos como frustração, angústia e falta.

Com essa experiência, percebi que, em situações caóticas, permanecemos em um círculo vicioso. Por exemplo, se você tem uma crença, percepção e mentalidade de escassez, os desejos e anseios aprovados dentro de você serão voltados para a escassez. Assim, forma-se uma mentalidade pobre. Para sair desse desequilíbrio, você precisa acreditar em novas possibilidades e abrir a mente para um novo comportamento. É necessário adquirir a consciência para uma mudança interior, atentando para o que existe e vibra dentro de você.

Em primeiro lugar, você deve deixar a posição de vítima e assumir a responsabilidade por todos os acontecimentos de sua vida. Liberte-se dos medos, da falta de coragem e da insegurança que ainda ancoram o caos em sua vida. Todas essas atitudes remetem à mudança de postura interior. Algumas pessoas ainda se comportam na frequência do julgamento, apontando o dedo para o outro. Outras são indiferentes à própria vida e, por isso, vibram na apatia, na total distração, ainda sem um propósito claro no mundo. É preciso despertar para o que existe dentro de si. Tomar a decisão de transformar o medo em coragem, em ação. No treinamento Holo Cocriação de objetivos, sonhos e metas, ensino como transformar todas essas emoções negativas, a fim de construir um novo *mindset* de riqueza e prosperidade, alterando a frequência que vibra dentro de você. Você deve, portanto, ancorar-se no primeiro pilar da criação da realidade, na fonte Eu Sou, no merecimento, na conexão com Deus, para sair do *looping* mental dos problemas.

No meu processo de transformação, no ponto em que fui capaz de “virar a chave” mental, aprendi que não existem limites para o tamanho dos seus sonhos. Todos podem virar realidade. Eu sou a prova disso. Concretizei todos os meus desejos e, hoje, ensino como fazer isso ao contar a minha própria história. Muitas vezes, permanecemos em determinada situação de crise por longos períodos. Repetimos o ciclo já conhecido de subir um degrau e retroceder dez, logo em seguida. É frustrante, eu sei! Você trabalha, luta, se dedica e a impressão é a de que nada avança. Os mesmos processos se repetem, tudo parece igual, inerte.

Aparentemente, os cenários e os personagens da sua vida mudam, mas os resultados se mostram demasiadamente parecidos. Tudo se repete até virar uma bola de neve. Por exemplo, quando você tem uma dívida e faz um empréstimo. A situação não se resolve e é preciso pegar outro financiamento para pagar o primeiro. A dívida, então, se acumula, e você passa noites em claro pensando em como pagá-la.

O que desejo reforçar com essa ideia é que as ferramentas para virar o jogo já estão guardadas em você, embora talvez ainda não acredite nisso, porque enfrenta o cansaço diário, sente com toda a força o desamor a cada rejeição ou experimenta a perda da esperança a cada tentativa frustrada de iniciar algo novo. Posso, desde já, assegurar algo: existe um paraíso de infinitas possibilidades ainda desconhecido por você.

No momento, você não consegue acessar as ferramentas para quebrar o ciclo de dificuldades que se repete em sua vida, sobretudo porque ainda nutre crenças equivocadas, medos e os piores sentimentos com relação a si. A maioria dessas emoções negativas assustadoras, como a vitimização, a insegurança, a rejeição, o fracasso e o não merecimento, ganha força inconscientemente, bloqueia sonhos e o movimento contínuo da vida. Então, alerto para o fato de que as respostas para solucionar os problemas e carências não estão do lado de fora, mas, sim, dentro de si.

Tudo responde apenas à energia que existe dentro de você, aos sentimentos, pensamentos e às atitudes diárias. A conjunção de todos esses fatores vai corresponder à sua vibração e, consequentemente, a todos os eventos do seu dia a dia. Ninguém será o seu salvador, a não ser você mesmo. É preciso crer, experimentar essa nova realidade e condicionar o seu novo EU para esse fato. Você não é mais vítima de nada, mas o único responsável por seu destino.

A realidade que precisa mudar é a realidade da alma e da consciência. Vejo pessoas vivendo uma realidade triste, infeliz, distantes de seus sonhos mais secretos, porque ainda estão presas ao ego, à matriz da realidade física, e não compreenderam que o primeiro passo é mudar as próprias emoções e seu mundo interior. Em geral, são pessoas maravilhosas, porém seguem sem perspectiva ou aparente solução para os mais variados problemas: dívidas, insatisfação, sensação de que algo lhe falta, miséria, baixa autoestima, insegurança, angústia, depressão e atitudes suicidas, desemprego, problemas de relacionamento e doenças. A partir desse momento, desperte para um novo mundo regido, unicamente, por padrões vibracionais de energia e compreenda definitivamente, que seus resultados correspondem à frequência enviada por você ao Universo.

Esse fenômeno é comprovado pela Lei da Atração, ou Lei da Vibração, a qual demonstra que o Universo e a nossa vida agem por um fator determinante em comum chamado ressonância vibracional. Isso significa que você não atrai os eventos da sua vida, conforme o pressuposto do livro *O segredo*, escrito por Rhonda Byrne*, mas, sim, cocria aquilo que vibra. As pessoas, portanto, criam sua realidade de acordo com a energia que vibram para o Universo. Em outras palavras, somos o que vibramos, bem como os eventos à nossa volta correspondem a esse mesmo fator. Compreender isso representa um passo fundamental para entender as leis universais e o modo como opera o magnetismo energético, capaz de atrair dinheiro, riqueza e prosperidade, e assim ativar, definitivamente, as propriedades mágicas e poderosas do seu DNA Milionário.

BARREIRAS CONTRA A PROSPERIDADE

Se você ainda não alcançou a prosperidade desejada, certamente ainda existe dentro de você a "Barreira do Terror", que é quando

* BYRNE, Rhonda. *O segredo*. Rio de Janeiro: Sextante, 2015.

seu inconsciente tenta lhe proteger de algo, conceito fundamentado por Bob Proctor. Eu chamo isso de véu, que nada mais é do que suas crenças, seus medos, os piores sentimentos que você nutre. E se você ainda está procurando respostas para os problemas ou carências na realidade externa, preciso alertá-lo que nunca as encontrará, porque fora de você nada acontece. Foi assim comigo também. Já acreditei que uma pessoa, ou um emprego, ou a empresa ideal, poderia me salvar. Para mim, o milagre viria de fora como uma bomba. E o tempo todo a dinamite estava em mim, esperando a minha faísca de luz, a mesma que ainda não se apagou dentro de você que me lê. Eu vejo muitas pessoas vivendo a realidade que eu vivia enquanto estava envolta pelo véu. Enxergo pessoas que estão cansadas da vida: a mulher que não se dá bem com o marido (ou vice-versa), o empresário que teme o dia de amanhã por causa das dívidas, alguém com problemas de saúde, outro que já tentou de tudo e acha que não tem mais saída. São pessoas que, muitas vezes, já incutiram a crença de que a vida é assim mesmo, difícil para todos, e que a felicidade apenas consiste em momentos seguidos de muito esforço e muita luta. Vivem com uma bola de chumbo amarrada ao pé, que elas mesmas colocaram lá.

Se você leu este livro até aqui, sei que se encaixa em algum desses perfis citados e que deseja uma mudança em sua vida. Quando se está frustrado, cria-se uma bola de neve de dúvidas e desesperanças, porém, se você está aqui, é porque deseja mudar e ainda quer lutar. Entender isso vai fazer com que algo muito precioso dentro de você comece a se abrir. Aquele atalho para a luz que se recusa a se apagar e a prosperidade que tanto deseja alcançar. Olhe de frente e pense em todo o sofrimento que propaga quando faz esse tipo de declaração para si: "Nada dá certo para mim", "Não sou boa o suficiente para estar nesse cargo", "Do jeito que ela é livre, com certeza ainda vai me trair", "Não vou ter dinheiro para manter essa casa, vou me tornar um miserável", "Tenho medo do que vai acontecer no ano que vem, não vou dar conta". Repare que nem o seu pior inimigo lhe diria essas coisas, e você fica sussurrando aberrações sobre si no escuro da noite, enquanto se revira na cama. Entender que eu me tratava pior do que trataria meu inimigo foi revelador para mim, pois me ajudou a solucionar muitos dos problemas. Além disso, com o auxílio dos princípios da física quântica e da ressonância vibracional, consegui aprender a localizar a minha autossabotagem mais bem guardada.

Entender que eu me tratava pior do que trataria meu inimigo foi revelador para mim, pois me ajudou a solucionar muitos dos problemas.

Toda vez que você tirar o foco do problema pelo qual está passando, as partículas que estão ali voltam ao seu estado original, à natureza pura. Quando você volta a observar aquele problema com seus sentimentos de medo e angústia, aumenta o que está acontecendo. Sabe quando isso acontece? Quando você pensa obsessivamente sobre um confronto com seu chefe, sobre uma fatura cuja data de vencimento se aproxima, mas não há recursos para quitá-la. Nunca na história do mundo pensar sobre uma dívida fez dinheiro aparecer na conta, mas é o que você faz. Pensar o tempo todo sobre os problemas, ao contrário do que nos é ensinado na infância, não ajuda a encontrar uma saída para eles! Sem focar no problema, você começa a escolher as novas realidades para aquela situação. É como sair da ilha para poder enxergar o tamanho dela.

A atenção é o fermento de tudo o que você vive; quanto mais você coloca, mais a situação cresce. Logo, numa situação hipotética de uma briga com sua mãe, se for capaz de se desconectar do conflito vivido, você o esquece e começa a "limpá-lo" com sentimentos de amor, perdão, compaixão, e passa até a pensar "Nossa, mas nem é tão sério assim". Isso é despertar. Você insere uma nova informação, adotando outro tipo de postura frente a um confronto. É assim que mudamos as realidades que estão em andamento, abrindo caminho para que um novo contexto seja criado. Acima de tudo, ali existe uma nova pessoa, portanto aquela situação voltou ao potencial infinito do que deveria ser. Ao limpar da mente e do coração aquele "lixo emocional", você consegue superar a mágoa e abraçar sua mãe sem precisar de revanche sobre o que ela o desagradou.

Conclui-se, então, que a solução simples é não olhar mais para o problema, limpar seus sentimentos e se curar, mas isso exige muita técnica, porque em geral nós nos apegamos aos sentimentos ruins. Queremos mostrar que estamos certos, queremos vingança, queremos provar ao outro nosso ponto de vista. Damos continuidade a guerras internas inúteis, nas quais a única terra devastada é a nossa alma. A maioria das pessoas ainda não tem a consciência desperta para compreender esse ensinamento, mas tenho certeza de que você tem, porque escolheu dar uma chance ao livro que vai lhe ensinar a ligar essa chave de prosperidade que, para tanta gente, parece natural.

Não importa a sua religião, nós vamos falar de Deus, então denomine como quiser. Deus é o Criador, e você pode chamá-lo até de "natureza", caso não acredite em um ser divino. Ele é a força que organiza o Universo de acordo com leis muito claras, por isso nós somos cocriadores, assim como ele, pois fazemos parte dessa energia de criação, somos parte da natureza, somos perfeitos e fomos criados com precisão nanométrica.

É fato que vivemos em um mundo em que a maioria das pessoas está assolada por enfermidades psíquicas de todas as ordens, derivadas do modo desnorteado, desenfreado, perdido e sem real propósito com que transitam por este planeta. Você alguma vez já se perguntou qual sua missão? Qual o sentido de nascer, crescer, estudar, se formar etc.? Por que desenvolveu tanto a mente, foi testado tantas vezes por relacionamentos difíceis? Por que, às vezes, parece que aprendeu tanto, mas não sabe nada? Por que você não consegue sentir a conexão profunda com a criação, mesmo tendo nascido com ela? A verdade é que nós somos deuses, feitos à imagem e semelhança do Criador, perfeitos em cada célula, em cada partícula de Deus, pois somos natureza e ciência e o encaixe perfeito entre átomos e moléculas. Quando estamos conectados à fonte criadora tudo flui, tudo acontece como queremos, bondade, amor, prosperidade, abundância, gratidão, perdão, bem-estar...

E para sair desse *looping* de infelicidade, de sonhos não realizados, que impedem a prosperidade, a reconexão é necessária. Ao nos desconectarmos da nossa essência, que é Deus, passamos a guiar nossa vida pelo ego. Movidos por sentimentos falsos, cocriamos e recriamos ainda mais aquilo que não desejamos: medo, angústia, ansiedade, inveja, doença, tristeza, depressão, mágoas, desemprego, escassez e tantas outras dores, que não valem a pena listar. É essa a raiz dos seus problemas, e o objetivo deste livro é ensiná-lo a limpar e a compreender tudo isso. A curar as feridas que já está cansado de carregar, de sentir doer. A ter uma vida próspera e fácil na qual você ainda não consegue acreditar. Neste momento, quero que você persiga aquela luz que ainda não se apagou e seja capaz de iluminar a sua responsabilidade sobre a vida maravilhosa que ainda pode conquistar.

Quero que você persiga aquela luz que ainda não se apagou e seja capaz de iluminar a sua responsabilidade sobre a vida maravilhosa que ainda pode conquistar.

Deixe para trás o que sentiu até chegar a este livro, não resista a essas novas informações que, amorosamente, quero que você aprenda. Vamos, juntos, reprogramar sua história. Você pode ativar um DNA Milionário dentro de si, e não existe nenhuma loucura nisso. Pare de confiar em dúvidas, isso não faz sentido. Segure firmemente na luz da sua essência e vire a página. Você não está mais sozinho, está acompanhado de sua consciência desperta.

CAPÍTULO II

Quais atitudes podem bloquear o acesso à energia da riqueza?

Você é responsável por produzir seus desejos, assim como tem o poder de destruí-los. Para começar, vou falar sobre quais atitudes e comportamentos negativos podem anular seus propósitos e fazê-lo navegar em um mar de ilusões, sem perspectiva prática para conquistá-los na vida. Também vou mostrar que existe uma frequência negativa, uma vibração vaga, nula e instável, responsável por congelar e impedir o acesso ao sucesso, à riqueza, a uma vida milionária, de puro ouro e encanto, como você sempre imaginou experimentar.

Você é responsável por produzir seus desejos, assim como tem o poder de destruí-los.

Por desconhecer o poder da vibração e a força dos sentimentos, a maioria das pessoas ainda vive sob o domínio do sofrimento, da ignorância, do ressentimento, da culpa, da angústia, da autossabotagem, da procrastinação, do desamor, do não merecimento, dos sentimentos de luto e de paralisação. Esses fatores podem passar a controlar as suas decisões mais importantes, sobretudo se você anda insatisfeito consigo, com a própria vida, com as demais pessoas ou com o mundo.

Apesar da boa intenção, muitas pessoas não conseguem transpor esses sentimentos sabotadores. Quanta gente deseja mudar os rumos da vida, mas não consegue resultados diferentes? Vivem sempre na letargia, estagnados, enxergam dificuldades e escassez em tudo. Tais comportamentos, sem dúvida, multiplicam os problemas, as faz permanecer endividadas, em empregos que odeiam ou em relacionamentos indignos. Por medo, encontram desculpas para não fazer novas escolhas nem assumir a responsabilidade no direcionamento da própria vida.

A verdade é a seguinte: a vida continuará exatamente do mesmo jeito, com os mesmos problemas e os mesmos resultados, para quem não se dispuser a tomar uma atitude e agir. Eu fui uma dessas pessoas, escrava das minhas crenças sabotadoras. As crenças, compreenda, são os dogmas, os paradigmas e tudo aquilo que nos foi imposto, desde o momento em que nascemos, pelos pais, a sociedade, a mídia ou as religiões, como verdades absolutas. Muitas vezes, elas impedem nossa evolução e a possibilidade de encontrarmos um novo horizonte de acontecimentos positivos.

Você conhecerá, ao longo deste livro, alguns detalhes da minha história e o passo a passo que trilhei para me libertar dessas crenças e sabotadores a fim de prosperar em todas as áreas ou, conforme explica a física quântica, dar um salto quântico no processo de despertar para uma nova vida de abundância. Salto quântico significa progredir acelerada ou espontaneamente na vida, seja a área que for. Isso acontece, especificamente, quando um átomo avança de um ponto a outro no Universo, de maneira repentina, mudando sua polaridade do estado negativo para o positivo, através da Matriz Holográfica® ou do que alguns físicos chamam de vácuo quântico, matriz divina ou substância amorfa. De fato, não é algo repentino, pois esse progresso acontece depois de muitas mudanças na personalidade, sobretudo quando se compreende que o mundo é feito apenas de energia, frequência e vibração e que tudo deriva dos átomos, considerados as menores partículas do Universo. E não importa o quê. Pode ser uma cadeira ou o corpo humano.

De acordo com a física quântica, tudo é constituído por átomos que, por sua vez, são formados, essencialmente, por energia. Portanto, se tudo é composto por átomos, inclusive você, e os átomos são compostos por padrões de energia, então todas as formas de vida, seres e coisas também são assim. Ou seja, somos todos luz e pura energia divina. Entretanto, não basta apenas compreender isso para dar o salto quântico e conquistar todos os desejos de abundância, prosperidade e riqueza, ativando o poder supremo do seu DNA Milionário. Antes de tudo, é preciso limpar a energia de todas as crenças que vibram no interior de suas células e se livrar de comportamentos negativos e emoções paralisadoras.

A física quântica ensina que existem infinitas possibilidades no Universo. Ou seja, existe um campo de energia pura, sem forma ou qualquer composição material, que pode ser alterado por meio do olhar como observador da realidade. Amit Goswami chama esse espaço de domínio da potencialidade pura ou, propriamente, a mente de Deus. Para acessar esse campo, é preciso elevar a vibração ou a Frequência Vibracional® do campo eletromagnético, que também podemos chamar de campo pessoal de energia. Esse campo vibra em uma assinatura energética através de um campo eletromagnético.

David Hawkins* conseguiu mensurar a frequência dessa energia em hertz relacionada a uma variedade de emoções, compondo a inovadora Escala da Consciência Humana. A escala nos mostra a correlação entre nossas emoções e o nível de energia que emitimos ao Universo. Ela tem uma variação precisa de 20 a 1.000 hertz de potência. Quanto mais elevados os sentimentos, como amor, gratidão ou alegria, mais alta será sua vibração, conforme a tabela, possivelmente numa métrica superior a 500 hertz. Em contrapartida, quanto mais negativas as emoções, como culpa, raiva, apatia ou vitimização, menor a frequência.

Por que é importante saber isso? Porque se você se mantiver em processo de autossabotagem ou procrastinação, naturalmente mandará uma energia inferior para o Universo através de seu campo eletromagnético. O Universo funciona como um

---

* HAWKINS, David R. *Power vs. Force:* The Hidden Determinants of Human Behavior. Carlsbad: Hay House, 2012.

grande espelho magnético através da ressonância vibracional. Como você observou, tudo é composto por energia, portanto tudo responde à nossa vibração. A vida se constitui dessa forma, através de campos vibracionais, assim como todos os acontecimentos que presenciamos.

O essencial aqui é entender que os comportamentos de procrastinação ou autossabotagem geram uma energia baixa. Essa energia, por conseguinte, tem uma vibração muito lenta e não entra em convergência ou sintonia com a frequência do Universo, que está em uma vibração elevada, de 432 a 540 hertz de frequência, portanto situado nas faixas do amor e da alegria. Ao alcançar essa sintonia, você entra no campo quântico dos sonhos, dentro do espaço amorfo da realidade ou no espaço das infinitas possibilidades. Isso significa que poderá escolher uma realidade mais compatível com você energeticamente. Ao longo do livro, falarei sobre experimentos como a dupla fenda ou o colapso da função de onda, apresentados pelo cientista Thomas Young, que permitem a qualquer pessoa produzir a própria realidade, materializar os sonhos e conquistar toda a riqueza latente do próprio Universo, oferecida por Deus, a cada um dos seres.

Já no contrafluxo da própria natureza vibracional do Universo, quando você mantém um padrão de comportamentos de procrastinação ou autossabotagem, automaticamente, permanece em uma frequência baixa e densa, distante desse campo quântico dos sonhos. Por isso, não realiza nada, não consegue ter prosperidade e vive uma realidade que mais parece um pesadelo.

No Universo, existem infinitos futuros e possibilidades. Essas escolhas estão soltas no ar, no espaço, até que você selecione uma delas como observador da realidade. Segundo a física quântica, existe um oceano inteiro de energia infinita que conecta todas as coisas, seres e objetos, atomicamente. Essa conexão é chamada também de princípio da complementaridade e demonstra a comunicação instantânea e a relação entre todos os átomos do Universo. A associação de tudo e todos acontece dentro de um campo eletromagnético, vácuo quântico, substância sem forma ou substância amorfa.

Essa matriz é a mente do Todo, de Deus. Sua energia está contida em cada célula, no núcleo do DNA e de todos os seres do Universo. Gregg Braden a denomina como matriz divina e provou sua existência por meio de vários experimentos científicos. A matriz divina não tem forma nem substância material precisa ou específica. Todos nós, também constituídos por essa mesma energia, temos, de acordo com a física quântica, o poder para dar forma e consistência material a qualquer objeto ou realidade.

O experimento da dupla fenda comprova esse poder ao demonstrar que o átomo se comporta de maneira diferente ao perceber o olhar do observador, que pode ser qualquer um de nós. A partir dessa perspectiva, uma pessoa pode produzir qualquer coisa no Universo porque tudo é constituído por energia, frequência e vibração. É possível escolher, por exemplo, vibrar na mesma frequência da energia da prosperidade financeira e da abundância ou, então, da crise, da culpa, da escassez. Tudo tem sua respectiva frequência. Deve-se apenas sintonizar a estação certa, o que depende do seu estado de espírito, das emoções que carrega dentro de si, da qualidade dos pensamentos e das atitudes diárias. Essa conjunção de fatores gera um padrão específico, que entra em sintonia com frequências similares no Universo. É como escolher assistir ao seu canal de TV favorito. A decisão é sempre sua. Se permanecer alimentando comportamentos autodestrutivos, sentimentos e emoções negativas como desamor, culpa, insegurança ou incapacidade e crenças limitantes como a de que você não merece o melhor, certamente a prosperidade e a riqueza vão passar bem distantes da sua vida. Para alcançar a vibração do dinheiro, você deve manter sentimentos congruentes com a abundância, ou seja, deve alinhar pensamentos, ações e sentimentos com seus objetivos e sonhos.

É preciso promover a harmonia entre o pensamento – a imagem que você mantém na mente –, o sentimento em relação a essa imagem e as ações concretas. Ou seja, ter um pensamento de riqueza e prosperidade, sentir-se próspero e rico e adotar atitudes alinhadas com isso. Por exemplo, você quer comprar um carro de uma marca de luxo. Então, deve imaginar os detalhes desse carro, sentir e ter a certeza de que esse carro já é seu, já lhe pertence, está na sua garagem, do jeito que sempre sonhou. E ainda, com tudo isso, deve trabalhar, se dedicar, se organizar financeiramente e economizar, se preciso for, para adquiri-lo à vista ou assumir um financiamento. Isso é alinhar o pensamento com o desejo e a ação rumo à criação material e holográfica do seu sonho. Essa é a essência do alinhamento vibracional para você materializar o seu sonho.

Não adianta pensar o dia inteiro no seu desejo, mas não sentir que já é real, que ele já existe. Eu passei por isso. Antes do meu despertar, eu pensava de um jeito, mas sentia de outro, e as coisas pioravam cada vez mais. Eu pensava de maneira positiva: "sou próspera", "sou rica", mas o meu sentimento era de escassez, pobreza, medo, autodestruição, culpa. Eu carregava vingança e tristeza dentro de mim. Pensar positivo, mas sentir errado e agir de maneira incongruente foi meu erro, me impedia de prosperar. Se você enveredar por esse caminho, alinhando os pensamentos às emoções, também não vai concretizar a realidade que tanto quer, por isso é importante avaliar se está agindo dessa forma também.

Você pode querer ser próspero, mas sente medo de não conseguir pagar as contas, o aluguel e prover o básico para sua sobrevivência. Esse tipo de postura caracteriza a falta de alinhamento vibracional. Se você quer ser rico, próspero e abundante, então deve se sentir assim, acreditar nisso, ter fé em Deus, no Todo e adquirir segurança em si, bem como precisa agir na direção dos seus sonhos, manter atitudes firmes e convictas para alcançar o que deseja. É essencial ter disciplina, planejamento pessoal e financeiro e clareza acerca dos objetivos e propósitos que quer alcançar. Essas são as ações verdadeiras para encontrar o alinhamento vibracional entre o ser, o sentir e o agir, e assim concretizar seus desejos. Talvez esse também seja o seu ponto de escolha, o seu ponto de mudança e a chave da riqueza para abrir o que está faltando. Ou seja, passar a sentir o que você pensa, realmente. Acreditar nisso e viver como deseja viver. Para isso, é preciso sair do racional e se concentrar também no aspecto emocional, sobretudo em novas atitudes, comportamentos e ações, moldando assim o alinhamento vibracional necessário para prosperar e conseguir a riqueza que tanto deseja. É ser para ter, sempre. O seu interior vai refletir a sua vida exterior.

Tire o foco dos problemas e se atenha aos sentimentos, pensamentos e atitudes relacionados ao que deseja, seja amor ou paz familiar, seja prosperidade material ou sucesso profissional. Só assim será capaz de gerar a energia necessária para a materialização de seus sonhos, afastando o perigo da autodestruição, do medo, da tristeza, da angústia, da falta de esperança, da insegurança, do ódio ou da falta de perdão. Lembre-se de que os nossos desejos vibram na mesma sintonia do Universo e estão em instâncias elevadas. Caso contrário, se permanecer resmungando, reclamando da vida, refém dos próprios sentimentos negativos e das mágoas, impedirá a materialização atômica de seus objetivos.

Ao se concentrar na crise, o Universo a compreende como o seu desejo iminente. É como se, para o Universo, você fosse um código de barras que é decodificado automaticamente. Portanto, se o seu foco for crise e reclamação, vibrações baixas, essa será a frequência interpretada. E, assim, como um gigantesco espelho eletromagnético, o Universo vai providenciar acontecimentos em sua vida com o mesmo teor vibracional e quântico. Lembra que somos energia e vivemos em um oceano infinito de natureza energética? É isso e nada mais. Por isso, cuide das suas emoções, dos pensamentos e das ações. São eles que determinam a sua energia e, consequentemente, a sua realidade cósmica.

Outro ponto importante para entender as causas de uma vida "que não dá certo" é que o corpo funciona como uma máquina, um instrumento para a realização de propósitos de vida. Neste caso, podemos usar a seguinte analogia: cada pessoa é um computador. Seu corpo físico equivaleria ao hardware; o cérebro, ao sistema operacional, que, conforme o operamos, pode deixar um processo mais rápido ou mais lento, serve para trabalhar com os programas instalados, desinstalar uns, reprogramar outros. E a informação genética presente no DNA – que designa como cada célula deve se comportar – seria o software, ou seja, o conjunto de programas instalados para que as diversas áreas da vida funcionem e se articulem. Assim, o indivíduo precisaria ter a programação certa para executar suas ações e alcançar o que deseja. O que ocorre é que você pode até ter um hardware perfeito, mas ainda não tem um software de prosperidade, por exemplo.

Você deve, portanto, atualizar seu software, ou seja, mudar o modo como pensa para mudar o mundo. Assim, sugiro as seguintes perguntas para reflexão: O que você pensa sobre dinheiro, relacionamento afetivo e saúde? Qual a sensação que você tem no seu corpo a respeito disso? Qual sua reação imediata a cada um desses temas? As respostas a essas perguntas o fazem compreender de fato aquilo que você sente.

A lógica é prática e simples. O que você interpreta como verdade, a partir dos seus sentimentos, pensamentos, ações e crenças, invariavelmente, vai determinar o seu futuro imediato. O que isso quer dizer? Se você tem crenças limitantes sobre dinheiro, riqueza, relacionamentos ou trabalho, certamente, não vai experimentar a plenitude do Universo. É preciso mudar o que vibra dentro de você para alcançar os melhores resultados, seja para ser rico ou para aproveitar a prosperidade ilimitada garantida pelo Todo.

A seguir, listo os elementos que bloqueiam o acesso à energia sublime do dinheiro e que devem ser combatidos para você viver, definitivamente, uma vida completa e plena, com o poder e a força da ativação vibracional do seu DNA Milionário.

VINTE SABOTADORES DA PROSPERIDADE

1. **MEDO** Considero o medo um sabotador natural da prosperidade. Na tabela da Expansão da Consciência, a vibração do medo está situada na faixa de 100 hertz.

2. ANSIEDADE Ela paralisa qualquer reação do átomo e, portanto, a materialização dos sonhos.

3. INSEGURANÇA Na insegurança, projeta-se uma vibração confusa e oscilatória dos átomos, não é à toa que está no topo da lista dos piores sabotadores.

4 e 5. TRISTEZA E NEGATIVIDADE Dominados por essas emoções, vibramos devagar, em torno de 100 hertz. Nenhuma atividade ou negócio será materializado.

6. CONFORMIDADE Ela rejeita as próprias leis da física e opera pela inércia das coisas.

7. ROTINA Nela, há o risco de entrar em um estágio de conformidade e reduzir a Frequência Vibracional®.

8. FALTA DE PLANEJAMENTO Sem planejamento, não há execução de metas. Então, nada vira matéria.

9. INDEFINIÇÃO DE METAS Essa vibração, sustentada pela ansiedade, distancia a pessoa de qualquer desejo ou realização.

10. ÓDIO Tem uma vibração lenta, menor do que 150 hertz, e induz à perda de átomos. Nada se materializa nele.

11. INDECISÃO Provoca distanciamento do sentido de direção no Universo.

12. PROCRASTINAÇÃO OU ADIAMENTO São elementos que retardam o andamento da vida. Você deixa oportunidades e momentos passarem à sua frente e perde a chance de conquistar.

13. COMPANHIA LIMITADA Estar próximo de pessoas com vibrações negativas afasta a riqueza.

14. CRENÇAS Quando você não acredita na riqueza, bloqueia a prosperidade.

15. MAUS HÁBITOS Para alcançar a riqueza, precisamos eliminar comportamentos inapropriados e maus hábitos, como preguiça, desânimo ou procrastinação.

16. EMOÇÕES RUINS Atuam como escudos energéticos contra a prosperidade.

17. INVEJA Segundo a física quântica, esse sentimento provoca a decaída dos átomos, o que impede a materialização dos sonhos.

18. INGRATIDÃO A consciência primária vibra na frequência do amor, da gratidão e da prosperidade, todas situadas acima de 500 hertz. Então, para alcançarmos as maravilhas de Deus, devemos agradecer sob todas as circunstâncias.
19. NÃO SOLTA, NEM LIBERA Não soltar remete aos sentimentos de medo, insegurança e culpa, todos sustentados em um subnível atômico, com uma força vibracional abaixo de 100 hertz, o que paralisa a criação da realidade.
20. DESMERECIMENTO É um dos piores bloqueadores da prosperidade, pois paralisa qualquer ação no Universo, impedindo seus movimentos em direção aos objetivos.

DEZ INIMIGOS OCULTOS QUE O IMPEDEM DE CRIAR A VERDADEIRA ABUNDÂNCIA

1. PENSAMENTOS Sem dominá-los, permanecemos à mercê das emoções e no piloto automático do inconsciente.
2. FUGIR DE RESPONSABILIDADES Quando não assumimos uma responsabilidade, forma-se um campo de obstrução energética à abundância e qualquer forma de prosperidade.
3. FALTA DE PERDÃO Quando não perdoamos, seguimos na contramão do cosmos. O Universo vibra no amor, acima de 500 hertz.
4. CULPA Uma das piores sensações íntimas do ser humano e um grande inimigo oculto da abundância.
5. FALTA DE AMOR Sem emanar amor, a vida é apenas um rabisco torto dos desejos. Amor é a ausência de medo. Quando não há amor, o medo toma conta e tudo fica mais difícil e árduo.
6. INCOERÊNCIA No descompasso vibracional nada vira matéria no plano físico.
7. SENTIR-SE INJUSTIÇADO Sentir-se injustiçado remete à vitimização, o que impede o acesso à abundância.

8. FALTA DE FÉ Pode anular a materialização dos sonhos, à medida que se interliga com o sentimento de não merecimento e a separação existencial de Deus.
9. ESTAR NA ZONA DE CONFORTO Quando permanecemos na zona de conforto, criamos o próprio inimigo oculto da abundância.
10. PRESO NO FUTURO Quando se deposita expectativas demais no futuro, você inibe a materialização da abundância.

DEZ COMPORTAMENTOS TÓXICOS QUE DESTROEM QUALQUER POSSIBILIDADE DE PROSPERIDADE

1. JULGAMENTO Quando julgamos, provocamos, automaticamente, o desalinhamento das três mentes: a consciente, a inconsciente e a mente superior (Deus).
2. RECLAMAÇÃO Reclamar gera o magnetismo oposto à prosperidade ou abundância.
3. PENSAMENTO OBSESSIVO Quando damos atenção aos problemas, o Universo responde com mais problemas, e sem dúvida isso nos distancia da prosperidade.
4. VITIMIZAÇÃO É um comportamento tóxico incompatível com a prosperidade que se deseja.
5. VERGONHA Assim como a vitimização, a vergonha ou a timidez exacerbada vibram em 20 hertz. Vibrar na vergonha significa oferecer resistência à realidade. Quanto maior for o grau de resistência, maior será o sofrimento e distanciamento de seus sonhos.
6. APATIA Vibra em 50 hertz, e nessa vibração materializa a pobreza.
7. APEGO Afasta ou destrói as possibilidades de prosperidade.
8. VINGANÇA Nenhum sonho verdadeiro sobrevive no mar da vingança.

9. POBREZA INTERIOR Gera o medo de faltar. Como consequência, cria problemas de escassez, doenças físicas, mentais e espirituais.
10. PREGUIÇA · Nessa condição, os átomos não têm força para densificar e virar matéria.

Sugiro que releia sempre que necessário essas listas com muita atenção. Com certeza, elas vão colaborar para que identifique muitos padrões, comportamentos e emoções que ainda o impedem de elevar sua vibração e alcançar a faixa energética e vibratória da prosperidade, situada em uma frequência superior a 500 hertz, a mesma do Universo. A partir desse momento, saberá o que ainda lhe impede de conquistar a casa dos sonhos, o carro que tanto deseja ou a liberdade econômica que busca há tanto tempo.

A TÉCNICA MAIS RÁPIDA DO MUNDO PARA A COCRIAÇÃO DA REALIDADE

Quero que você faça uma pequena experiência comigo. Pense em algo que deseja concretizar nas próximas 24 horas, pode ser tomar um café, receber uma ligação, ou até já pode tentar imaginar aquele sonho, objetivo ou meta.

Confio tanto nessa ferramenta que garanto quanto ela é poderosa. Nos próximos capítulos, apresentarei os estudos que me ajudaram a criar meu método. Aprendi que bastam apenas 68 segundos de concentração extrema e meditação profunda para potencializar a capacidade de manifestar seus desejos, o que faz desse método, ao menos, dois milhões de horas mais veloz do que qualquer outro no planeta. Ou seja, mais rápido do que a própria velocidade da luz, ao transcender o fluxo da expansão de sua consciência, atravessando a hiperlocalidade e todas as demais fronteiras do Universo.

Criei a Técnica ACR Samadhi® – Atenção Consciente e Concentrada da Realidade – Ancorada pela Física Quântica e Neurociência, na qual, através de movimento, som e repetição para reprogramação mental, profunda e acelerada, você economiza, no mínimo, um ano inteiro de terapia paga em consultório ou, pelo menos, oito horas dedicadas diariamente a meditações, decretos e afirmações positivas declamadas em prol de seus desejos.

Meu objetivo com a técnica é conduzir qualquer pessoa para o alinhamento entre as mentes inconsciente, consciente e supraconsciente. A mente supraconsciente é a consciência superior, ou crística, a conexão com Eu Sou, o estado máximo de consciência cósmica, a própria unificação com o Todo. Por isso, o Samadhi permite a unificação e a reconexão com seu eu interior, ou seja, com o divino que existe dentro de cada um. Isso é possível, essencialmente, porque a realidade é criada a cada dezessete segundos. Entretanto, se você deseja, realmente, produzir seu sonho e torná-lo material, cientificamente falando, é necessário manter esse pensamento por 68 segundos ou mais, para vibrar na mesma frequência.

Ponto de fusão

A fusão se dá ao manter qualquer pensamento, positivo ou negativo, de maneira pura (o que significa não o contradizer, nem duvidar) por dezessete segundos. Ao final desse tempo, outro pensamento se junta a ele. Com isso, cria-se uma verdadeira combustão, o que os cientistas e a física quântica chamam de colapso da função de onda. Esse ponto de fusão ocorre quando acontece a união de dois pensamentos em um movimento de expansão. Por isso, um novo ou terceiro pensamento se expande até o núcleo do vácuo quântico, vibra em uma velocidade estrondosa e provoca, como consequência, a reprogramação da mente. Essa é a fórmula para criar uma nova realidade de maneira totalmente acelerada.

Pensamento + vibração. Como aplicar a ferramenta?

Peço que você escreva 68 vezes, durante 24 horas, esta mensagem: "Presença divina, Consciência de luz, a cada minuto, a cada segundo, cada vez mais e mais e mais minha vida melhora. Eu sou riqueza, eu sou abundância, eu sou prosperidade, Eu sou milionário, eu sou alegria".

Crie um holograma mental, uma imagem em movimento do seu sonho, como se ele estivesse acontecendo agora. Exatamente o que você leu. Faça as perguntas que facilitam a prática dessa técnica:

- Como seria se meu sonho (_______________) já fosse realidade?
- Como estaria a minha vida agora?

Assim, você se transporta para essa realidade! Tire uma foto mental da imagem que representa seu sonho realizado e a arraste para o lado esquerdo do cérebro. Olhe para essa imagem com um sorriso interior, um sorriso de vitória, de orgulho e gratidão. A dica é ouvir o barulho da câmera fotográfica quando tirar a foto mental, clareie a cena e ative os cinco sentidos, pensando no som, na imagem, na cor, na sensação tátil, no sentimento, no sabor, no aroma daquele sonho.

A mente não distingue realidade de imaginação, as mesmas redes neurais são ativadas, então quanto mais sentidos em ação, mais vibração, mais emoção, maior é a Frequência Vibracional®. Faça essa mentalização com foco em resultados, por isso nas próximas 24 horas comporte-se e sinta verdadeiramente como se seu sonho fosse realidade. Contemple a natureza, aprecie, seja grato e reconheça tudo que há de incrível em sua vida. Essas 24 horas são determinantes para a materialização, uma vez que a cocriação da realidade acontece através do soltar. Ou seja, você deseja, pede e depois solta (libera) para o Universo reverter a polarização dos átomos da energia na direção da execução dos seus sonhos.

Reprogramação interior

Para compreender o poder da técnica, é preciso entender que ela consiste, essencialmente, na reprogramação mental, em modificar e melhorar padrões de funcionamento cerebral. O método altera rapidamente os mapas mentais, sistema de crenças, bloqueios, impedimentos, paradigmas conscientes ou inconscientes, gravados desde a infância no cérebro.

A ferramenta reorganiza as experiências conscientes, com intenção clara de CANCELAR tudo o que prejudica o poder de cocriação da realidade. Ela reorganiza todos esses processos internos, tanto o conteúdo consciente, quanto o que não se pode identificar. A prática da Técnica Samadhi acontece, sobretudo, por meio do autoimpacto emocional. A ideia é extrair todas as emoções negativas e toda a energia que fica, inclusive, plasmada na pele. Parece estranho, mas é um fato científico. De fato, as emoções ficam alojadas na pele. Por isso, é necessário obedecer às repetições e afirmações em movimento, como forma de liberar essa energia do corpo, agitar as células, as moléculas e os átomos.

CAPÍTULO III

Como ativar o DNA Milionário em um Universo vibracional

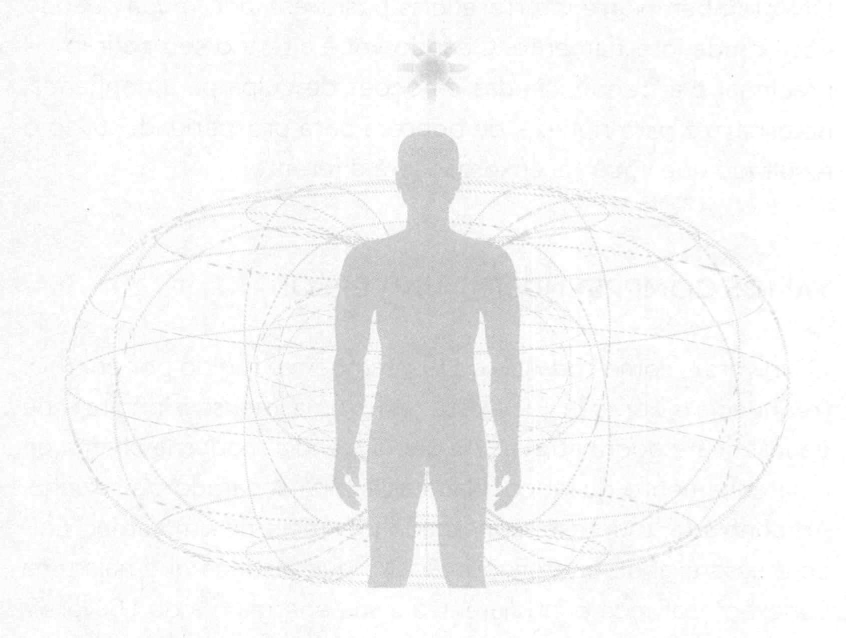

Ao longo deste capítulo, abordarei como entrar em contato com as suas células, moléculas e a natureza divina do seu DNA Milionário e também como manter um diálogo profundo consigo, modificar a energia primordial dentro de si e, com isso, obter resultados em todas as áreas da vida. Tudo parte, inicialmente, da mudança de *mindset*, para uma mentalidade próspera e rica. Ou seja, você deve alimentar, dentro de si, sentimentos e pensamentos de abundância, antes mesmo de essa realidade se materializar em sua vida. A física quântica e as próprias leis que regem o Universo demonstram isso.

Ao mudar o padrão de pensamentos e sentimentos, também modifica-se o padrão da sua energia. Ou seja, altera-se a polaridade dos átomos que constituem o campo vibracional e, com isso, a frequência que enviamos ao Universo. Os átomos passam, certamente, da polaridade negativa para a positiva. E, quando isso acontece, a realidade muda. Você entra no fluxo do Universo, respira e vive a abundância natural que existe em você, e o seu DNA também sofre interferências positivas. Tudo muda quando você muda internamente. Quando você altera o seu padrão vibracional e a frequência das emoções de culpa para confiança, de escassez para riqueza, de pobreza para prosperidade, todo o resultado que você vai enxergar será diferente.

VAMOS COMPREENDER O UNIVERSO!

O Universo, como todas as coisas, também é regido por energia, frequência e vibração. Ele existe como uma imensa e infinita rede energética e opera através do que a ciência moderna chama de emaranhamento quântico. Nada aqui está separado ou sozinho. Ao contrário, tudo está conectado por meio de um campo único e essencial de energia primária, o que justifica que haja uma conexão profunda e íntima entre a sua energia e a do Universo. Você emite, a todo momento, um padrão vibracional ao Universo, enviado como uma onda de energia e potência eletromagnética. Formado por determinada frequência medida em hertz, esse padrão entra em fase com energias similares contidas no Universo. A junção dessas energias e frequências dá a forma e a composição material aos eventos do dia a dia.

Todos nós temos um campo eletromagnético lançado como um raio ultraveloz ao Universo. Ele é definido, essencialmente, por três elementos, gerados de dez diferentes formas:

1. ENERGIA EMOCIONAL Vibrações dos sentimentos.
2. ENERGIA COGNITIVA Vibrações dos pensamentos.
3. ENERGIA FÍSICA Vibrações do corpo – ações e comportamento.
4. ENERGIA SUTIL Vibrações dos demais corpos espirituais.

5. ENERGIA QUÂNTICA Vibrações do Universo.
6. ENERGIA DIVINA Vibrações amorosas do Criador: Deus, o Todo, Universo.
7. ENERGIA ESPIRITUAL Vibrações do espírito, alma.
8. ENERGIA CÓSMICA Vibrações da consciência.
9. ENERGIA COLETIVA Vibrações de todas as pessoas.
10. ENERGIA VIBRACIONAL Vibrações da soma de todas as nossas energias.

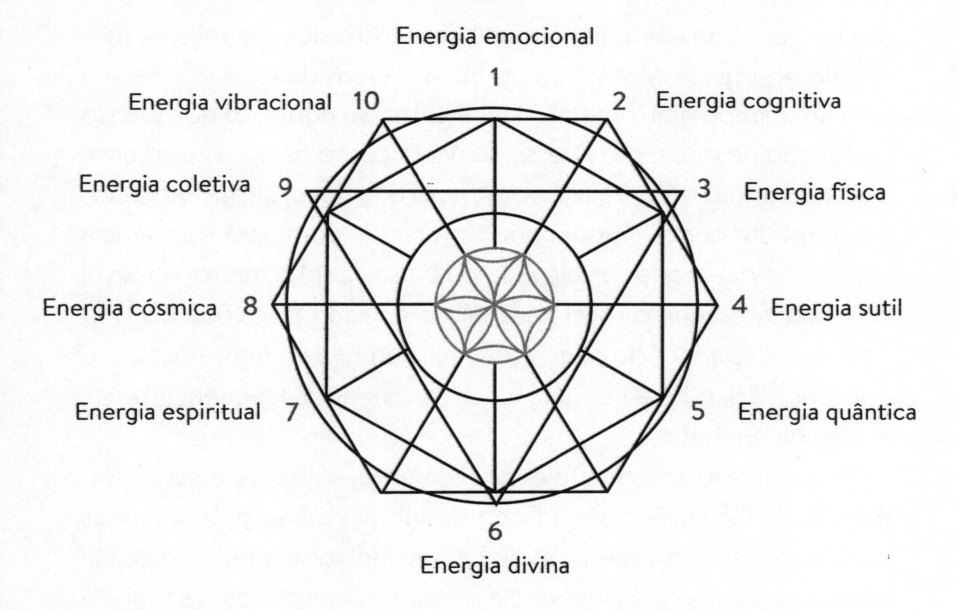

Vivemos dentro de uma espécie de redoma de energia. Essa redoma, chamada de campo quântico ou Matriz Holográfica®, é o próprio Universo ou o vácuo quântico, segundo a física quântica sugere. Ou seja, uma infinita matriz de energia que conecta tudo e todos quanticamente. Além disso, cada pessoa tem uma aura específica. Ou melhor, uma atmosfera vibracional ou campo eletromagnético. Esse campo contém três vibrações distintas, que são nutridas pela força da energia emocional, da energia cognitiva (pensamentos) e da energia física. A junção dessas três fontes essenciais forma o padrão do campo eletromagnético de cada pessoa, ou seja, a frequência de cada ser no Universo. Esse padrão interfere diretamente na materialização e na criação dos eventos do cotidiano. Mais do que isso, determina a própria realidade e pode influenciar a configuração do DNA.

FUNÇÃO DE ONDA

Essencialmente, como vem sendo dito, todos vivemos dentro de um Universo de vibração, ou melhor, dentro de uma mesma matriz de energia, a Matriz Holográfica®. Além disso, cada pessoa tem um campo eletromagnético. Dentro do conceito do colapso da função de onda, o Universo se porta como uma única, imensa e infinita onda de energia. E você, a partir do seu campo vibracional, também contém uma onda vibracional com uma frequência específica que pode ser elevada ou baixa. Conforme foi possível observar até aqui, o nível da energia enviado por você ao Universo vai depender do padrão das suas emoções, pensamentos e atitudes diárias. Essa conjunção vai formar a sua frequência, e ela é medida em hertz.

No capítulo anterior, falei, brevemente, sobre a tabela da Expansão da Consciência e a Roda da Vibração (ver p. 87), ambas escalas que fazem a medição do campo eletromagnético de cada pessoa. A Escala da Consciência mostra a variação da frequência de cada ser humano, entre 20 e 1.000 hertz de potência. Quanto mais elevados os sentimentos, como amor, gratidão, alegria e paz, maior potência de energia. Na polaridade inversa, quanto mais sentimentos negativos a pessoa nutre, como medo, culpa, tristeza ou raiva, menor a vibração da energia. Por isso, quanto mais elevada sua frequência, mais rápido e leve você vibra no Universo. No caso das emoções elevadas, elas vibram acima de 500 hertz e, segundo a física quântica, o Universo também está nessa sintonia. Assim, quem preserva sentimentos positivos dentro de si está na mesma dimensão e frequência do Universo.

Quanto ao colapso da função de onda, ele acontece quando a onda de energia emitida por você entra em fase com a onda primordial do Universo. Ou seja, a frequência emitida por você, pelo seu campo eletromagnético, se funde a alguma vibração semelhante e correspondente encontrada no Universo.

De acordo com a física quântica, o processo de criação e manifestação da realidade ocorre quando uma pessoa cujo campo de energia eletromagnética está alinhado ao do Universo emite determinado padrão vibracional e recebe de volta acontecimentos, eventos e episódios com o mesmo teor energético. Sendo o Universo um espelho gigantesco que reflete apenas o que recebe, se o padrão vibracional emitido pelo emissor estiver ancorado em sentimentos elevados de amor, gratidão, paz e alegria, será mais disso que ele experimentará.

Em contrapartida, se o emissor se mantiver em uma polaridade baixa, sustentado em sentimentos negativos como tristeza, medo ou raiva, situados em uma faixa menor que 200 hertz, produzirá efeitos nocivos a si mesmo, como desemprego, doenças, escassez ou transtornos afetivos.

A junção do que você sente, do que pensa e de como age define os resultados de sua vida e determina seu destino, justamente porque é capaz de modificar a vibração contida em suas células, moléculas e no seu DNA. O que vai definir a direção de sua vida é determinado pela energia das emoções e a qualidade dos pensamentos. Por isso, pergunto: **Em qual onda você prefere surfar?** Na onda da prosperidade e de uma vida plena, realizada em todos os aspectos, em uma vibração superior a 500 hertz de potência, na mesma sintonia quântica do Universo, da Matriz Holográfica®, ancorada por sentimentos elevados como amor, gratidão, alegria e paz? Ou prefere se manter na onda de vibração do

> O seu destino está, e sempre esteve, unicamente, em suas mãos e de mais ninguém.

caos, da crise, da falta de esperança e de recursos, em emoções de medo, angústia, aflição, ansiedade, tristeza e melancolia, em uma frequência lenta, densa e pesada, com pouco foco de luz em sua consciência?

A escolha é sua e a responsabilidade por suas conquistas também. O seu destino está, e sempre esteve, unicamente, em suas mãos e de mais ninguém. Lembre-se disso!

REALIDADE *VERSUS* DNA

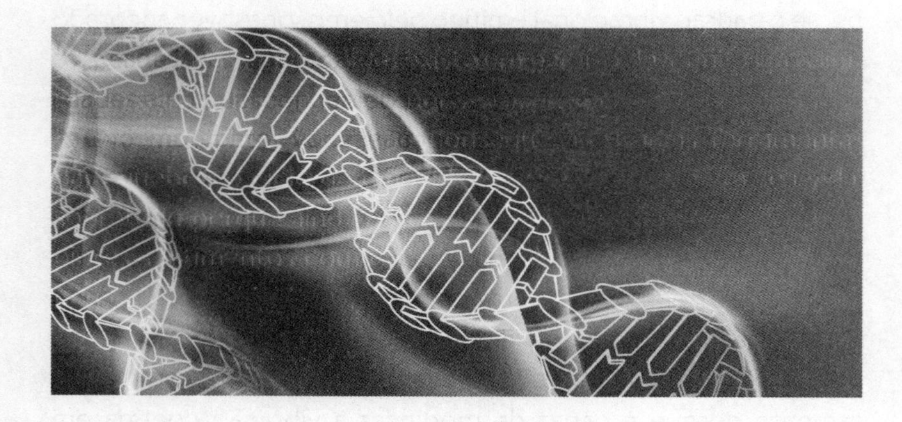

O DNA (sigla em inglês para *deoxyribonucleic acid*, ou em português ácido desoxirribonucleico) é um composto orgânico cujas moléculas formam o material genético de todos os organismos celulares e de grande parte dos vírus; é encontrado no núcleo e nas mitocôndrias das células dos tecidos e é constituído por duas longas cadeias de moléculas de ácido nucleico trançadas entre si, na forma de dupla hélice. Esse material genético transporta a informação necessária para dirigir a síntese de proteínas e sua replicação. Por sua vez, um gene é um segmento de uma molécula de DNA. Cada sequência contém a informação genética. Ou seja, eles determinam o sexo biológico de uma pessoa, a cor dos olhos, da pele e do cabelo, as características físicas e assim por diante. Sabemos também que, além das informações genéticas, todas as nossas experiências, memórias e emoções estão gravadas no DNA.

Em 2003, os cientistas conseguiram decodificar a sequência do DNA, dentro do projeto Genoma Humano que envolveu laboratórios e pesquisadores de várias partes do mundo. Isso significa que a ciência compreendeu, essencialmente, os registros da identidade existencial do ser humano.

Se o DNA de uma única célula for desenrolado, ele pode se estender por dois metros de comprimento. A estimativa é que o corpo humano tenha 100 trilhões de células. Assim, o seu DNA é capaz de armazenar uma quantidade de informações 1 trilhão de vezes maior do que o mais sofisticado dispositivo já inventado pelo homem. Consegue imaginar?

Nos últimos anos, os cientistas têm concentrado sua análise numa parcela mínima do DNA, ou seja, apenas nos genes que codificam e regulam a produção de proteínas dentro das células. Essa ínfima parcela corresponde a cerca de 1% dos 22 mil genes existentes no genoma. A ciência denominou a maior parte da molécula de "DNA lixo". Os pesquisadores, então, determinaram que parcela substancial do DNA não servia para, absolutamente, nada.

Se o DNA de uma única célula for desenrolado, ele pode se estender por dois metros de comprimento.

Alguns anos depois, entretanto, um grupo de cientistas descobriu que a parte maior do DNA, antes considerada lixo, na verdade, é responsável por comandar todas as funções dos genes, inclusive a produção de proteínas.

"O DNA lixo, na verdade, é quem comanda os genes", afirma Mark Gerstein, da Universidade de Yale, que participou da pesquisa. Eric Green, diretor do National Human Genome Research Institute, completa: "Sabemos que a primeira conclusão está errada. A maior parte do genoma está envolvida em uma complexa coreografia molecular responsável por converter genética em células vivas".*

---

* LEONARDI, Ana Carolina. Cientistas descobrem função de parte misteriosa do "DNA lixo". *Revista Superinteressante*, 23 jan. 2018. Disponível em: <https://super.abril.com.br/ciencia/cientistas-descobrem-a-funcao-do--dna-lixo/>. Acesso em: 25 fev. 2019.

KLINGHOFFER, David. Pesquisadores de Princeton observam "DNA lixo" em ação. Portal TDI Brasil, 8 ago. 2018. Disponível em: <http://tdibrasil.org/index.php/2018/08/09/pesquisadores-de-princeton-observam-dna-lixo--em-acao/>. Acesso em: 28 fev. 2019.

WELLS, Jonathan. *Icons of Evolution:* Science or Myth? Washington, D.C.: Regnery, 2000.

________. *Zombie Science:* More Icons of Evolution. Seattle: Discovery Institute Press, 2017.

________. *The Myth of Junk DNA*. Seattle: Discovery Institute Press, 2011.

HALL, Stephen S. Hidden Treasures in Junk DNA. *Scientific American*, 1 out. 2012. Disponível em: <https://www.scientificamerican.com/article/hidden--treasures-in-junk-dna/>. Acesso em: 25 fev. 2019.

PARK, Alice. Junk DNA – Not So Useless After All. *Time*, 6 set. 2012. Disponível em: <http://healthland.time.com/2012/09/06/junk-dna-not-so--useless-after-all/>. Acesso em: 25 fev. 2019.

JHA, Alok. Breakthrough Study Overturns Theory of "Junk DNA" in Genome. *The Guardian*, 5 set. 2012. Disponível em: <https://www.theguardian.com/science/2012/sep/05/genes-genome-junk-dna-encode>. Acesso em: 25 fev. 2019.

HARRIS, Richard. Some DNA Dismissed As "Junk" Is Crucial To Embryo Development. *NPR*, 21 jun. 2018. Disponível em: <https://www.npr.org/sections/health-shots/2018/06/21/621511949/some-dna-dismissed-as-junk--is-crucial-to-embryo-development>. Acesso em: 25 fev. 2019.

PENNISI, Elizabeth. ENCODE Project Writes Eulogy for Junk DNA. *Science*, v. 337, n. 6099, p. 1159-1161, 7 set. 2012. Disponível em: <http://science.sciencemag.org/content/337/6099/1159>. Acesso em: 25 fev. 2019.

EVELETH, Rose. Junk DNA Isn't Junk, and That Isn't Really News. Smithsonian.com, 6 set. 2012. Disponível em: <https://www.smithsonianmag.com/smart-news/junk-dna-isnt-junk-and-that-isnt-really-news-27051108/>. Acesso em: 25 fev. 2019.

MATTHEWS-KING, Alex. DNA previously written off as "junk" actually determines genitals at birth. *The Independent*, 14 jun. 2018. Disponível em:

Mais de trinta trabalhos publicados simultaneamente em quatro revistas científicas de peso, entre elas *Nature* e *Science*, descartam em definitivo o termo pejorativo, confirmando várias evidências acumuladas ao longo dos anos de que o "DNA lixo" não é lixo coisa nenhuma. Francis Crick, biólogo, biofísico e neurocientista britânico responsável pela descoberta do DNA em 1953, ao lado do pesquisador James Watson, afirma, entretanto, que uma molécula de DNA é incapaz de se construir sozinha. Ou seja, para que isso aconteça, são necessárias proteínas. Porém, as proteínas sozinhas também são incapazes de se reproduzir sem o DNA.

Assim, para que a vida aconteça, é necessária uma síntese desses dois sistemas moleculares, DNA e proteínas. Diante desse fato, segundo Crick, o DNA, portanto, tem origem cósmica. O DNA contém a energia do Universo, da matriz divina, a substância original da criação, a Matriz Holográfica®, conforme afirma o autor Gregg Braden. Essa evidência nos leva a crer que o nosso DNA e o Universo, de fato, mantêm uma conexão profunda e quântica, sem qualquer dissociação energética ou separação vibracional.

Recentemente, ao analisar a composição das células, pesquisadores descobriram que o núcleo de qualquer molécula é formado, unicamente, por energia substancial. Ou seja, a mesma energia do Universo, o próprio vácuo quântico, a substância amorfa, o éter divino que está impregnado em todos os seres, seja animado ou inanimado. Para a ciência e a física quântica, essa energia se trata do bóson de Higgs ou a partícula de Deus, como ficou conhecida popularmente. No âmbito científico, essa pode ser a comprovação de que tudo parte de uma origem cósmica,

---

<https://www.independent.co.uk/news/health/dna-genital-sex-gender-baby-development-male-female-ovaries-testes-a8399091.html>. Acesso em: 25 fev. 2019.

MCELWEE, Kevin. Imaging in living cells reveals how "junk DNA" switches on a gene. Princeton University, 23 jul. 2018. Disponível em: <https://www.princeton.edu/news/2018/07/23/imaging-living-cells-reveals-how-junk-dna-switches-gene>. Acesso em: 25 fev. 2019.

inclusive o nosso DNA. Tudo carrega a mesma energia de Deus, a mesma centelha divina, a energia da criação, a substância amor.

Portanto, todos são uma coisa só, partem da mesma essência original da vida, do campo quântico da realidade. Mais do que isso, podemos concluir que nada é sólido e tudo é energia em diferentes estados de vibração.

Na visão da espiritualidade sagrada, somos feitos da mesma energia de toda a criação. O nosso DNA é o mesmo de Deus, do Criador, da fonte suprema da vida. Logo, ele é perfeito, sublime, próspero, rico e absoluto. Porém, desde os nossos primeiros anos de vida, a energia essencial desse dispositivo foi deturpada e corrompida, com o excesso de informações, crenças, dogmas e condicionamentos impostos a nós pela sociedade. Somos a própria energia primária do Universo e a livre expressão de amor infinito em plena existência. Assim, existe uma Matriz Holográfica® perfeita de nossa origem, sem nenhum tipo de enfermidade, livre, solta, feliz, grata, bem-sucedida, rica, abundante e preenchida apenas por amor e luz.

Somos a própria energia primária do Universo e a livre expressão de amor infinito em plena existência.

FLOR DA VIDA: MATRIZ HOLOGRÁFICA® ARQUETÍPICA DO UNIVERSO

O Universo é formado por imagens representativas desde o seu surgimento. Existe um arquétipo primário que o representa e traz a Geometria Sagrada, chamado Flor da Vida. O símbolo é formado por dezenove círculos, e todos estão entrelaçados de maneira especial e única. No âmbito da Geometria Sagrada, a Flor da Vida representa o padrão de toda a vida e toda a criação. Ou seja, tudo parte dele: a imagem arquetípica, a vibração, a frequência

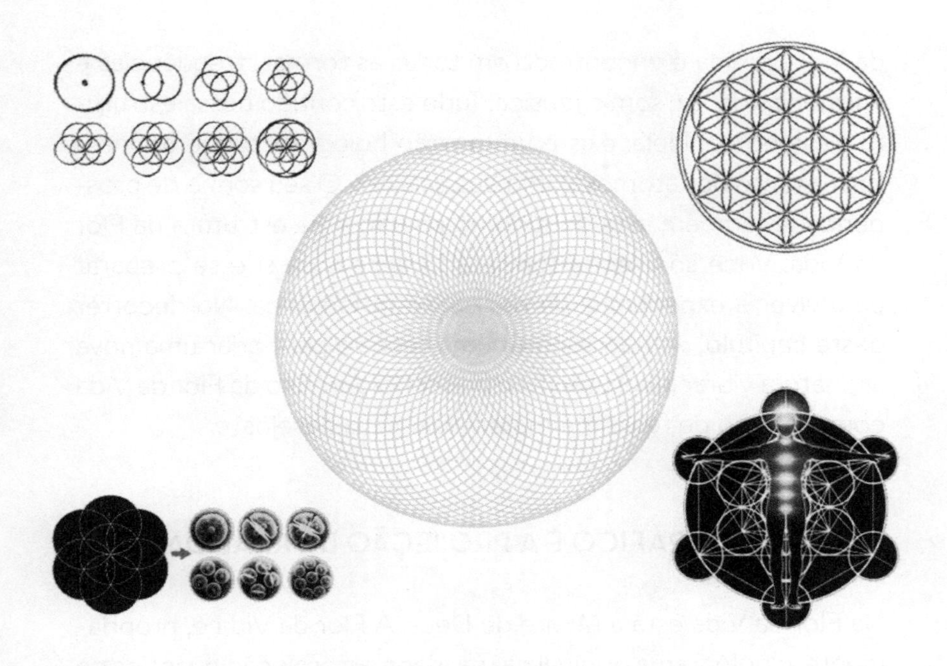

e os elementos essenciais de cada forma ou componente quântico da vida. No interior da Flor da Vida há uma forma conhecida como Fruto da Vida. Esse modelo consiste em treze esferas que contemplam inúmeras leis matemáticas e geométricas, as quais representam todo o Universo. A Flor da Vida contém o padrão da criação e da vida, em todo lugar. Neste capítulo, ainda será abordada a relação entre a Flor da Vida e a criação de uma nova assinatura vibracional no Universo.

Tudo está entrelaçado de maneira energética e vibracional. Cada molécula de vida, cada célula em nosso corpo conhece e reconhece o padrão arquetípico da Flor da Vida. Esse código contém toda a sabedoria do Universo de maneira similar ao conteúdo do código genético inserido no DNA de cada pessoa. Compreender a essência e o valor da Flor da Vida ultrapassa qualquer forma convencional de ensinamento. Essa imagem original e primária do Universo está na estrutura e na sustentação vibracional da própria realidade, da existência da vida e de todos os seres. No campo da ciência e da física quântica, o arquétipo da Flor da Vida é encontrado em todas as formas, frequências e harmonias de luz, som e música. Tudo está contido nessa estrutura geométrica. Nela, existe um padrão holográfico que define a forma tanto dos átomos como das galáxias. O seu sonho de prosperidade também está contido no padrão e na estrutura da Flor da Vida. Você só precisa formatá-lo dentro de si e se preparar para viver a experiência da realização holográfica. No decorrer deste capítulo, vou apresentar uma técnica para criar uma nova assinatura vibracional usando o poder holográfico da Flor da Vida com o intuito de realizar e materializar seus desejos.

DEUS HOLOGRÁFICO E A PROJEÇÃO DA REALIDADE

Na Flor da Vida está a Mente de Deus. A Flor da Vida é, propriamente, o holograma original da realidade e a projeção quântica de tudo o que conhecemos. A Flor, o primeiro arquétipo do Universo, representa a extensão mais profunda e criativa da consciência universal, ou seja, da Mente de Deus e da nossa existência. Ambas as mentes, humana e divina, são uníssonas, unificadas. Cada ser é apenas a extensão energética da Flor da Vida ou do arquétipo original do Universo. A extensão e o aspecto criativo da própria existência. Tudo se liga por essa consciência, nesse campo que podemos chamar de campo unificado de inteligência ou domínio de potencialidade pura. Costumo chamar ainda de campo quântico ou Matriz Holográfica®. Nele, somos capazes de produzir a realidade, por meio do fenômeno do colapso da função de onda. A Flor da Vida ou Matriz Holográfica® torna tudo uma experiência fascinante, consciente no tempo/espaço.

A partir desse campo vibracional, o vácuo quântico, dentro da consciência do Todo, unificada a você, partindo da essência e do arquétipo da Flor da Vida, tudo é possível. Todos os sonhos existem, todas as infinitas possibilidades estão ao seu dispor. Você só precisa escolher o melhor futuro e a sua versão mais sublime.

Todas as possibilidades são holográficas e quânticas, tudo é uma projeção da sua mente e do seu desejo iminente atrelados à consciência do Criador. Basta se conectar com a essência do Universo, em uma ação de mínimo esforço e eficiência sagrada. Assim, o Universo opera e as leis da física quântica agem pelo fluxo natural da vida, pela ordem precisa da criatividade divina para transformar seu desejo de prosperidade em eventos reais. A Mente Holográfica de Deus opera dessa forma. Você é apenas a extensão dessa projeção quântica, assim como os seus desejos de abundância. Você é o próprio artesão vibracional do Universo. Precisa apenas se conectar intencionalmente com a energia primária, a Flor da Vida e a consciência quântica do Todo, que existem e vibram em cada célula do seu corpo, em cada fragmento da sua existência e dentro do seu DNA Milionário.

LIMPEZA EMOCIONAL PARA A FREQUÊNCIA ORIGINAL

Conforme tenho apresentado até aqui, o seu DNA Milionário está contido na sua essência original, mas, para que você possa acessá-lo, será preciso recuperar a sua frequência original, e a melhor ação para isso é limpar as emoções negativas do inconsciente e liberar todo pensamento confuso da mente. Para isso, você deverá se manifestar através do amor, subir a sua vibração para uma energia acima de 500 hertz, vibrar na luz, na alegria e na gratidão incondicional.

Essa deve ser a sua conduta a partir de agora, se quiser ativar as poderosas propriedades quânticas do seu DNA e se reconectar com Deus, o Todo, a Consciência Universal e Inteligência Infinita, a fonte primordial e perfeita da vida e de toda a existência. Conforme Deepak Chopra sugere, essa é a maior ferramenta para acessarmos a potencialidade pura, percorrermos a própria Mente de Deus, o espaço da criatividade, da intuição divina, o cérebro quântico que mantém todas as coisas interligadas e unidas dentro de uma plataforma de energia, frequência e vibração.

ICEBERG DAS EMOÇÕES INCONSCIENTES

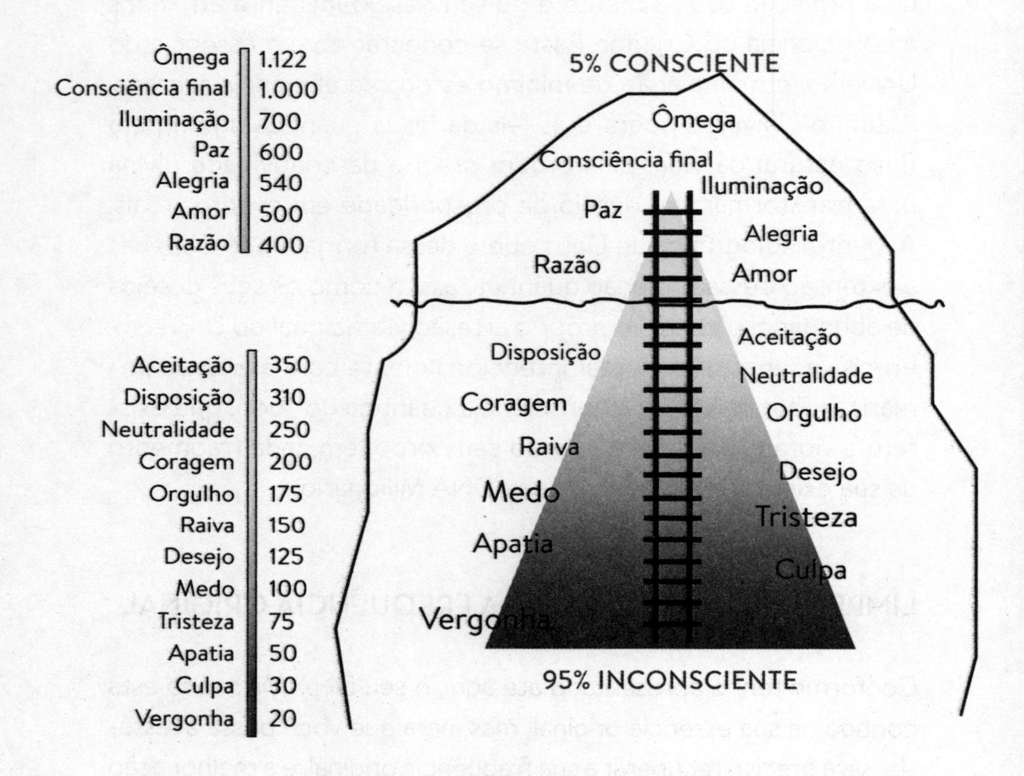

O Iceberg das Emoções faz um paralelo com a Escala Hawkins das Emoções Humanas e com a Roda da Vibração (ver p. 87), criada e desenvolvida por mim. Ele representa como as nossas emoções influenciam a criação da realidade e têm relação direta com o inconsciente, com a parte consciente da mente e com o padrão vibracional de cada pessoa. A imagem mostra que 95% do nosso potencial de realização está no inconsciente ou na parte de baixo do Iceberg das Emoções, na maioria das vezes, sem o nosso conhecimento. Apenas 5% está no plano da consciência. É o seu desejo consciente. Na parte inferior, nos 95% ocupados pelo seu inconsciente, estão sediadas todas as emoções negativas, as crenças limitantes, os sentimentos de medo, autodestruição, angústia, julgamento, culpa, ciúme, ego, inveja, raiva, ódio, vitimização, desamor, falta de merecimento, inferioridade, desespero, mágoas, insegurança e todo tipo de emoção conflitante. Ou seja, tudo aquilo que o impede de realizar seus sonhos e de ser próspero. Na ilustração, todas as emoções que vibram em frequências muito baixas, menores do que 200 hertz, bloqueiam sua mente, portanto são desprovidas de poder quântico e vibracional para impulsionar e promover a criação e a manifestação da realidade em sua vida. Tudo está ali e permanecerá, a não ser que você se reprograme. Você precisa saber que cria quando agradece, mas também quando julga, aponta, teme ou reclama.

Para entender como funciona a relação entre emoções e cocriação da prosperidade, veja o exemplo a seguir. Você tem o sonho de enriquecer, e ele corresponde a 100% da capacidade representada na imagem do iceberg. Ou seja, seu pedido para o Universo é ser milionário. Mas, na verdade, de 90% a 95% do seu potencial de realização estão registrados no seu inconsciente. Por isso, você tem apenas 5% de chance de ser milionário. Por quê? Simplesmente porque a maior parte do seu desejo, do sentir, está na parte de baixo do iceberg, em emoções com vibrações inferiores. Você precisa, então, limpar e eliminar essas emoções corrosivas para aumentar o percentual do consciente e elevar sua vibração para manifestar seu desejo de riqueza. Com o inconsciente lotado, representado pela parte de baixo do iceberg, você não conseguirá materializar nada, porque essas emoções negativas ainda permanecerão condensadas e impregnadas na sua mente inferior. Ou seja, você seguirá com uma vibração baixa, sem potencial de realização.

COMO MODIFICAR O DNA?

Há muitas evidências e comprovações científicas de que o nosso DNA é influenciado por palavras, imagens, fractais, frequências de ondas de rádio e até pela voz humana. Por isso, você pode, sim, conversar com as suas células, bater um papo íntimo com o seu corpo e com essa molécula incrível para mudar os resultados da sua vida. A energia emitida pelo som das palavras, pelas emoções e pelos pensamentos ao núcleo das células, dependendo de qual seja o teor vibracional, tem um poder transformador e revigorante. Experiências comprovadas mostram esse fato.

FERRAMENTAS DE TRANSFORMAÇÃO

Para reconfigurar qualquer distúrbio, interferência ou desordem elétrica contida no seu DNA, é válido aplicar, além das técnicas que apresentarei neste livro, áudios de reprogramação mental com frequências hertz de alta potência e equilíbrio vibracional que disponibilizo em minhas redes sociais, em diversos materiais gratuitos e também em meus cursos de manifestação da realidade.

Por meio da Técnica Hertz®, que desenvolvi a partir do entrelaçamento quântico das mais poderosas ferramentas e métodos de reprogramação mental e de mudança instantânea de Frequência Vibracional® do mundo, você promoverá uma limpeza profunda, em apenas 21 dias, eliminando emoções e sentimentos negativos, crenças limitantes, autossabotagem e pensamentos conturbados que estão impregnados energeticamente no núcleo do seu DNA e de suas células, impedindo-o de prosperar, alcançar seus sonhos e subir a sua vibração na Escala da Consciência. Assim, você poderá restabelecer a frequência original da criação, acima de 500 hertz de intensidade eletromagnética, para atingir o fluxo natural das maravilhas garantidas pelo Universo, o Todo.

BIOLOGIA MOLECULAR

As experiências de Pjotr Garjajev, biólogo molecular e biofísico russo, reforçam a tese de que podemos conversar com nossas células. Por meio de suas pesquisas, o biofísico comprovou que o DNA pode ser influenciado e reprogramado mediante a emissão de ondas eletromagnéticas através de palavras, sons e luz. Segundo ele, o DNA responde a frequências específicas e assume diferentes padrões, o que confirma, cientificamente, o poder da mente e das palavras. Os estudos revelam ainda que a molécula do DNA tem um comportamento vibracional, e essa condição holográfica também se altera conforme a qualidade das nossas emoções e pensamentos.

INSTRUÇÕES DECODIFICADAS

Os cientistas aplicaram luz laser codificada para alterar a frequência e reparar as informações do DNA. Uma molécula do DNA foi colocada em um tubo, onde ela recebeu feixes dirigidos de luz laser. Quando a molécula foi removida do tubo, a luz laser continuou a espiralar em sua superfície e a irradiar, formando como se fossem "pequenos chacras". Como resultado, o DNA mostrou ser capaz de agir como um cristal ao refratar a luz. Ou seja, ele mantém e irradia a luz que recebe. As pesquisas ainda mostram que o DNA é um dos principais receptores, armazenadores e transmissores de biofótons. Essencialmente, ele é um sistema oscilante de frequência. Isso quer dizer que o DNA apresenta frequência ressonante e também se porta como um oscilador harmônico.

CAMPO DO DNA

O DNA tem um campo eletromagnético, e a energia desse campo é espelhada em direção ao Universo. Podemos dizer, assim, que o DNA não é apenas responsável pela projeção física e biológica do seu corpo, mas também é um meio de armazenamento de informação óptico, assim como um sistema de oscilação de comunicação. Lembra-se da não localidade e do domínio da potencialidade pura, ou vácuo quântico? O DNA tem acesso livre fora do domínio do tempo/espaço. Por isso, muitos sensitivos desenvolvem fenômenos parapsíquicos ou mediúnicos, como clarividência ou telepatia, com acesso a informações precisas sobre o futuro, fato ainda incompreendido pela ciência convencional. Em outras palavras, o DNA, que serve de morada da consciência, é um autêntico *chip* biológico eletrônico, complexo, graças a suas funções bioquímicas e agora eletromagnéticas, como foi revelado pelos pesquisadores.

> O DNA, que serve de morada da consciência, é um autêntico chip biológico eletrônico, complexo, graças a suas funções bioquímicas e agora eletromagnéticas.

Como mencionei, o DNA é como um software biológico e interdimensional. Ele carrega todas as instruções genéticas do organismo, como o registro akáshico* da nossa história existencial, e também é a sede quântica da consciência. Certamente, é a molécula portadora da vida e também responsável pela nossa evolução como indivíduo e de toda a humanidade. Ele abriga a frequência original do Criador, tem um campo eletromagnético próprio e possui o poder de modificar a vibração de todo o nosso campo pessoal de energia e, consequentemente, os resultados da nossa vida.

O IDIOMA DO DNA

É incrível que haja um elemento potencializador para a realização dos seus desejos e que ele também se configure como a forma mais eficiente de conversar com seu DNA e restabelecer a

* Registros akáshicos são todos os pensamentos, emoções e experiências que uma alma já vivenciou em suas encarnações.

vibração necessária do seu campo pessoal de energia. Gregg Braden confirma que os nossos sentimentos, através de seu poder vibracional, têm a capacidade de reestruturar o campo informacional e eletromagnético do núcleo do DNA. Segundo pesquisadores de física quântica, o coração, órgão responsável pela transmissão da energia dos sentimentos ao Universo, tem um campo eletromagnético cinco mil vezes mais potente e sessenta vezes superior ao do cérebro. Ou seja, a energia dos sentimentos contém, através da expansão eletromagnética do impulso do coração, muito mais força para emitir uma frequência exata para que ocorram o colapso da função de onda e a cocriação da realidade no Universo.

Assim, fica claro que tudo interage através de vibração, inclusive é assim que se dá a comunicação interior com as nossas células, moléculas, átomos e o próprio DNA. Nesse caso, os sentimentos, que possuem uma alta vibração e são "arremessados" energeticamente para o Universo por meio do coração, têm total e plena influência para provocar qualquer alteração no DNA, em sua estrutura genética, energética e informacional.

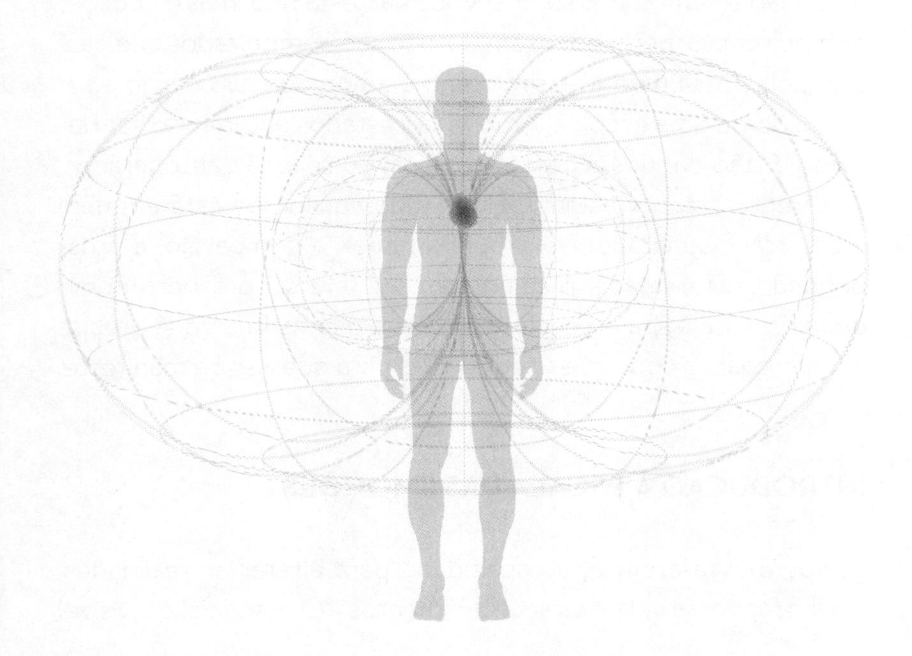

O CÉREBRO PRÓSPERO

Para compreender este capítulo, é necessário quebrar um paradigma importante: o de que você é o seu corpo físico, apenas o que pode ser visto ou tocado, e de que só a matéria existe. Na verdade, você também é a sua consciência, infinitamente mais ampla do que aquilo que pode ser visto ou tocado, e o mundo começa no invisível para depois se manifestar no visível. É a consciência que opera o cérebro, que é apenas um sistema operacional, conforme já mencionado. Sem os softwares certos instalados, ele não funciona.

O segundo paradigma que deve ser quebrado refere-se ao verdadeiro conceito de prosperidade. Para compreendermos o que é prosperidade, é preciso entender o significado da frequência de origem, ou seja, nossa divindade nata, algo que já está em nosso DNA e na pré-consciência. Prosperidade é algo da nossa natureza, está no DNA Divino, é herança cósmica.

Ninguém escolhe ser próspero, pois nós simplesmente já somos. Não estamos: nós somos! Você não está rico, mas é rico! Ser feliz ou ser próspero, por exemplo, não são aprendizados que passam pela nossa mente, assim como o amor, que não é algo a ser ensinado ou uma escolha. Ambos são estados naturais do ser humano. Estão em nossa centelha divina, ou seja, são autogerados. O cérebro próspero significa que tudo aquilo que está em mim é abundância inata, por exemplo: o amor, a compaixão, a prosperidade, a felicidade. Mesmo sem ser feliz ou próspero como gostaria, essa é sua essência, é algo que o constitui. Você precisa apenas criar as condições necessárias para que isso se manifeste.

INTRODUÇÃO À ESCALA DAS EMOÇÕES

Temos o livre-arbítrio, a capacidade para alterar as realidades, modificar nossa vida e os acontecimentos. "O essencial é invisível aos olhos", escreveu Saint-Exupéry, magistralmente, em *O pequeno príncipe*.* Tudo parte de uma realidade subjetiva e íntima. Por isso, o que você sente ou pensa acaba por reverberar na sua vida. A Escala das Emoções Humanas, desenvolvida por David Hawkins, serve para medir essas vibrações emitidas por nossos pensamentos e sentimentos.

ÔMEGA		
	Padrão	Frequência (Hz)
Expandido	Consciência final	700-1.000
Expandido	Iluminação	700 ou +
Expandido	Paz	600
Expandido	Alegria	540
Expandido	Amor	500
	Razão	400
	Aceitação	350
	Disposição	310
	Neutralidade	250
	Coragem	200
	Orgulho	175
	Raiva	150
	Desejo (vício/vontade e egocêntrica)	125
Contraído	Medo	100
Contraído	Pesar (dor, sofrimento, mágoa)	75
Contraído	Apatia	50
Contraído	Culpa	30
Contraído	Vergonha	20
ALFA		

Na tabela, cada emoção corresponde a uma frequência em hertz, e as emoções listadas variam de 20 a 1.000 hertz. Assim, a escala permite que se faça uma correlação profunda e direta entre as emoções humanas e as frequências adequadas para que se realize a materialização de uma realidade. O amor, por exemplo, está situado acima de 500 hertz, que é a frequência do Universo, de acordo com o pesquisador. No entanto, a maior parte

* SAINT EXUPÉRY, Antoine de. *O pequeno príncipe*. Tradução de Gabriel Perissé. Belo Horizonte: Autêntica, 2015.

da humanidade e do planeta se situa numa vibração baixa, numa média de 200 hertz, considerada muito crítica, bem distante da frequência do amor. Mais detalhes sobre a Escala Hawkins serão abordados no próximo capítulo.

Lembre-se: o que predomina é o invisível ao visível; o imaterial ao material, o mundo da imaginação e da criação ao físico e sólido. O que isso significa? Projetamos a nossa realidade de dentro para fora, a partir do microUniverso que vibra em cada um de nós.

Se estiver alinhado vibracionalmente e mantiver a coerência entre seus sentimentos, pensamentos e ações, você entrará em um nível genuíno de conexão com a fonte. Nesse estado, você se torna uma única onda de energia e se integra plenamente à onda essencial da criação. Você e o Universo passam a se portar como um único agente de ação positiva e consciência. Quando está inserido nessa nova perspectiva, as oportunidades apenas chegam naturalmente à sua vida, não há mais dissociação de nada, nem medo, nem escassez ou qualquer forma de incômodo existencial.

MAPA DA CONSCIÊNCIA®

PODER

FORÇA

Visão de Deus	Visão da Vida	Nível	Frequência	Emoção	Processo
Eu	É	Iluminação	700-1.000	Inefável	Consciência pura
Todo Ser	Perfeito	Paz	600	Êxtase	Iluminação
Alguém	Completo	Alegria	540	Serenidade	Transfiguração
Amar	Benigno	Amor	500	Reverência	Revelação
Sábio	Significado	Razão	400	Entendimento	Abstração
Misericordioso	Harmonioso	Aceitação	350	Perdão	Transcendência
Inspiração	Esperançoso	Boa vontade	310	Otimismo	Intenção
Capaz	Neutralidade	Satisfatório	250	Confiança	Desprendimento
Permissível	Viável	Coragem	200	Afirmação	Fortalecimento
Indiferença	Exigência	Orgulho	175	Desprezo	Presunção
Vingativo	Raiva	Antagônico	150	Ódio	Agressão
Negação	Desapontamento	Desejo	125	Súplica	Escravização
Punitivo	Assustador	Medo	100	Ansiedade	Retirada
Desdenhoso	Trágico	Mágoa	75	Arrependimento	Desânimo
Condenação	Desesperança	Apatia	50	Abdicação	Desespero
Vingativo	Maldade	Culpa	30	Destruição	Acusação
Desprezo	Vergonha	Miserabilidade	20	Humilhação	Eliminação

A minha dica de ouro é que procure se alinhar neste exato momento. Para isso, eleve os pensamentos para o bem e para o amor. Depois, deseje sempre o melhor para todas as pessoas, tanto aquelas com quem cultiva maior afinidade vibracional, quanto aquelas que considera como inimigo potencial.

> A minha dica de ouro é que procure se alinhar neste exato momento.

Lembre-se de que não há dissociação de nada. Todos somos um, e todos pertencemos à mesma plataforma de existência. Você sou eu, e eu sou você. Juntos somos um, e o Todo existe a partir da nossa existência. Assim, alinhe os pensamentos e os sentimentos a novas atitudes de amor incondicional, de colaboração, voluntariado e disposição para ajudar quem quer que seja.

O EFEITO ZENÃO

No momento em que você passa a duvidar, sentir medo e dá voz às suas crenças, está também permitindo que se formem dualidades para sua mente. Sim, você dá à sua mente duas opções: ser feliz, alegre e próspero ou viver preso ao medo, inseguro e descrente. Ao duvidar, você ativa a dualidade da sua mente e do seu cérebro quântico. Isso provoca o que é chamado pela física quântica de efeito Zenão.

Esse efeito paralisa a materialização de qualquer coisa no Universo. Por meio do experimento da dupla fenda, os cientistas demonstraram que o sentimento de dúvida ou insegurança, sustentado por uma vibração baixa, menor do que 200 hertz, segundo a Escala de Hawkins, provoca a decaída atômica da partícula para transformar qualquer matriz de energia em matéria. Ou seja, esses sentimentos negativos congelam a densificação da energia em matéria. Então, ao preservar essas emoções, você emite uma frequência contrária à dos seus desejos, paralisando a criação da realidade, ou até destruindo qualquer possibilidade de concretizar o que mais deseja.

SEGREDOS DA MENTE

Segundo recentes estudos acerca da mente humana, o cérebro não distingue o real do imaginário. Por isso, se você pensa, deseja ou sente algo como uma verdade dentro de si, seu cérebro vai compreender aquilo como realidade e produzir uma química propícia e positiva – os chamados neurotransmissores do bem, como a dopamina e a serotonina –, que serão injetados em todo o seu organismo, potencializando seu campo energético pessoal. Nutrido por essa química do bem, o seu padrão vibracional alcança uma frequência superpositiva, possivelmente acima de 500 hertz, segundo a Roda da Vibração. Essa vibração é a mesma do fluxo do Universo, da materialização da realidade e dos seus desejos de prosperidade.

RODA DA VIBRAÇÃO

A Roda da Vibração é um percurso de dez níveis de expansão da consciência medidos em frequências hertz, para que você avance quanticamente na escada vibracional que o levará ao céu, direto à Casa do Pai, para retornar à fonte criadora, virar pura energia no Universo e, assim, entrar direto no fluxo da riqueza. Ela tem uma calibração energética que varia de 200 a 1.000 hertz de potência e foi inspirada na Escala da Expansão da Consciência de David Hawkins, na Pirâmide de Maslow, na física quântica e na neurociência, tendo sido aperfeiçoada ao longo de mais de vinte anos de estudo sobre frequências das emoções humanas.

A seguir, apresento os dez níveis de expansão da consciência calibrados pela Roda da Vibração.

RODA DA VIBRAÇÃO

10 NÍVEIS DE EXPANSÃO

Emoções em escala de frequência hertz criada por Elainne Ourives para HoloCocriação

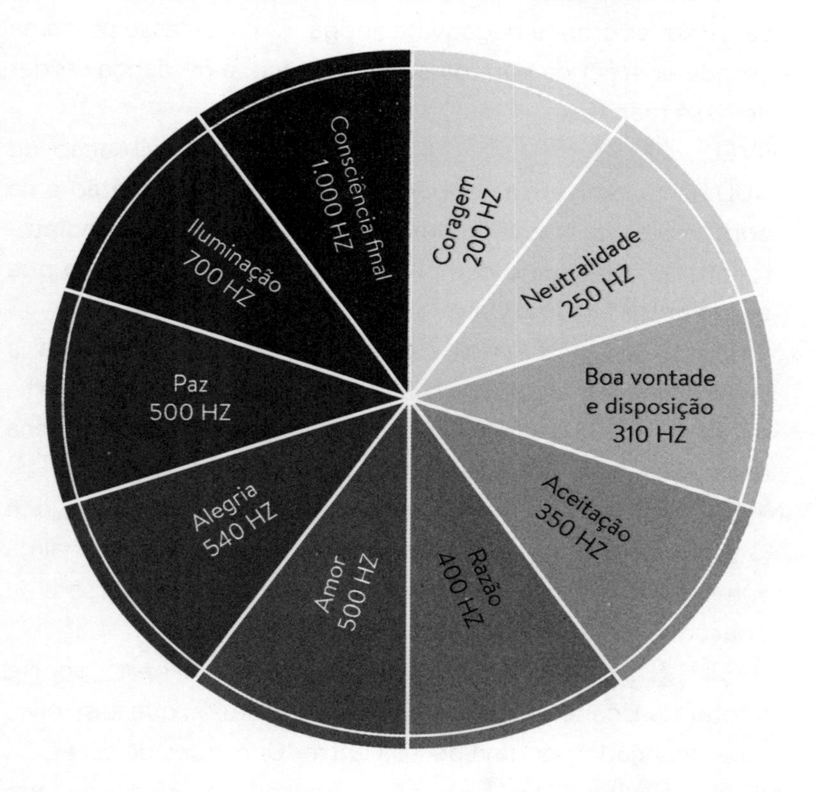

1º NÍVEL CORAGEM Nesse estágio, a frequência emocional está situada em 200 hertz. É o primeiro passo para a expansão da consciência.

2º NÍVEL NEUTRALIDADE Frequência emocional vibra em 250 hertz, e você já demonstra a flexibilidade da consciência para superar seu próprio sistema de crenças.

3º NÍVEL BOA VONTADE E DISPOSIÇÃO Em 310 hertz, você alcançou o nível de consciência da boa vontade e disposição diante dos desafios. Ao passar pelo terceiro nível da escada vibracional para o céu, você começa a usar a energia de maneira mais eficaz e assertiva.

4º NÍVEL ACEITAÇÃO Vibrar na aceitação, em 350 hertz, quebra as barreiras internas mentais. Ou seja, elimina e extirpa qualquer crença negativa e antiga. Em mais esse passo na escada energética para o vácuo quântico, a mudança verdadeira se manifesta.

5º NÍVEL RAZÃO/CONTEMPLAÇÃO Com uma vibração de 400 hertz, o nível de consciência está na faixa da razão e da contemplação. Nesse patamar, a consciência está completamente desapegada e compreende a conexão intrínseca que existe entre tudo no Universo.

6º NÍVEL AMOR O amor é o caminho direto para alcançar a iluminação e a consciência final. Nele, você vibra em 500 hertz, na mesma frequência do Universo. Sua mente está em plena expansão e total lucidez sobre a manifestação da realidade.

7º NÍVEL ALEGRIA Ao vibrar na alegria, em 540 hertz, você já subiu vários degraus importantes na escada vibracional da iluminação. A felicidade é a própria energia do Universo e da criação. É um estado inabalável do ser.

8º NÍVEL PAZ Nessa vibração, na faixa de 600 hertz, ocorre a total transcendência. David Hawkins postulou que esse nível só é alcançado por uma pessoa entre 10 milhões de seres.

9º NÍVEL ILUMINAÇÃO Você já pensou em se tornar um foco de luz, de criatividade e inspiração? Isso, de fato, é alcançado nesse estágio. O ego não existe mais, e você passa a vibrar em uma tremenda velocidade, acima de 700 hertz, em um corpo de pura luz.

10º NÍVEL CONSCIÊNCIA FINAL Ao atingir esse nível e vibrar em 1.000 hertz, não há mais nenhuma dissociação ou individualidade. Você se torna Deus, você é o Todo, você é a energia primária da vida. Regressa à Casa do Pai, vira luz. Chamamos esse fenômeno de consciência final ou consciência elevada. Também é denominado superconsciência.

FÓRMULA PARA UMA NOVA ASSINATURA VIBRACIONAL

Cada ser tem a sua própria assinatura energética, que é a ressonância vibracional gerada ao pensar, sentir e agir. Como já explicado, a soma das frequências de vibração dos **pensamentos**, **sentimentos** e **ações** compõe a vibração energética de uma pessoa. Para se tornar capaz de estabelecer um novo *mindset* milionário, de riqueza infinita e ilimitada, existe uma fórmula para criar uma nova assinatura vibracional no Universo.

Cada um dos quadrantes do arquétipo da Flor da Vida, que é a primeira imagem representativa do Universo, contém os elementos dessa fórmula da vibração. O primeiro passo para criar sua nova assinatura vibracional lida com os pensamentos. É preciso criar um arquétipo ou clichê do seu sonho no campo quântico, nos planos mental, psíquico e emocional. Para isso, faça uma mentalização, ou seja, visualize mentalmente, com muitos detalhes, a imagem do seu sonho ou desejo, por exemplo, a prosperidade.

Ao criar o arquétipo na mente, o sonho passa a existir na Matriz Holográfica® e a partir de então você se dedica a materializar ou cristalizar esse objetivo, transformá-lo em realidade ou matéria densa, trazendo para o plano físico. É como construir uma casa. Sem o projeto, ela não pode existir. Da mesma forma, você precisa mentalizar, imaginar, projetar mentalmente para criar o holograma quântico do seu sonho antes de materializá-lo. Esse princípio é válido para qualquer realização, sobretudo para ganhar dinheiro e alcançar a riqueza. Tudo começa dentro da mente, com um pensamento imagético do seu desejo. Produzir material mental e energia substancial colabora para produzir resultados físicos. Quanto mais sutil a substância do seu pensamento, alinhado com o seu sonho, maior a probabilidade de concretizá-lo.

Além do pensamento trabalhado na etapa do arquétipo, você verá na ilustração a seguir (que apresenta a fórmula) os outros elementos necessários, que são a intenção ou sua intuição, a força das palavras, o poder das imagens holográficas, a energia em ação, demonstrada por Einstein na fórmula $E=mc^2$ [energia é igual massa vezes velocidade da luz elevada ao quadrado], ou, na nossa fórmula, E^2 [emoção ao quadrado (emoção elevada)].

É importante entender que a junção de todos os elementos da fórmula da assinatura vibracional, inserida em cada uma dos seis quadrantes da Flor da Vida, gera um padrão vibracional de cerca de 2.000 hertz de potência e reúne sentimentos muito elevados, como amor, gratidão, aceitação e alegria. Ou seja, uma supervibração capaz de criar qualquer holograma do desejo imaginado por você. É como selecionar os melhores ingredientes para preparar um bolo. Neste caso, todos os elementos energéticos e vibracionais, as emoções elevadas e o poder da ação, da força de vontade e do desejo da sua consciência atuarão juntos para mudar sua assinatura vibracional no Universo e projetar holograficamente o seu sonho, seja ele qual for.

Após a explicação detalhada da fórmula a seguir, apresentarei a técnica para manifestação da realidade na velocidade da luz, que é a energia taquiônica. Os resultados aparecem em 24 horas.

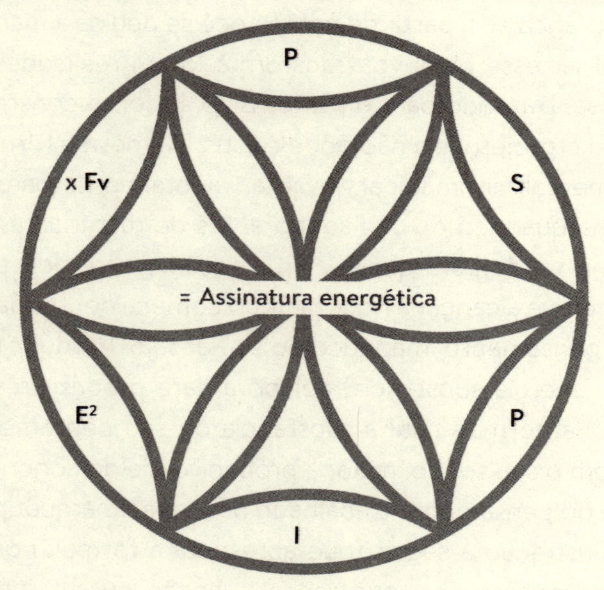

P S P I + E^2 x Fv = Assinatura Energética no Universo

P – Palavras: refere-se a tudo que proferimos, as palavras que pronunciamos e até aquelas em que pensamos. As palavras precisam ser coerentes ao que a mente pensa e o coração sente. Portanto, se você deseja emagrecer, precisa ter uma mente magra, falar como uma pessoa magra e se sentir magro verdadeiramente – ou seja, deve haver harmonia entre palavras (pensamento), sentimentos e ações, todos ligados ao seu desejo como se ele já fosse real, como se você já soubesse como é se sentir como deseja.

S – Sentimentos: refere-se às emoções sentidas com relação aos seus sonhos e objetivos. Os sentimentos são responsáveis por colocar toda ação em prática. Eles respondem às imagens que aparecem em sua mente. O Universo só entende os sentimentos que você está vivenciando agora, e ele só pode enviar de volta o que vibra na mesma frequência dos seus sentimentos predominantes.

P – Pensamentos: Atraímos exatamente o conteúdo dos nossos pensamentos, por isso, qualquer que seja o seu pensamento, ele deve estar alinhado ao estilo de vida que deseja ter. Se deseja prosperidade, ainda que sua situação momentânea seja de privação e dívidas, você precisa manter o pensamento focado no que almeja conquistar, a riqueza. Para colher bons frutos, os pensamentos devem se alinhar com o que desejamos cocriar.

I – Imagens: As imagens visualizadas mentalmente são importantíssimas para o processo de cocriação, por isso precisam ser coerentes com as palavras, os pensamentos, os sentimentos e as ações com o intuito de realizar seus sonhos. Sem as imagens, não somos capazes de criar e sentir. Se o seu objetivo é emagrecer, por exemplo, deve projetar na mente imagens de um corpo magro, em trajes de banho, na praia, tomando água, feliz.

E^2 – Emoção ao quadrado (emoção elevada): Quando as palavras, os sentimentos e os pensamentos estão em extrema vibração e harmonia, experimentamos uma elevação ao quadrado, e todas as emoções que escolhemos sentir se elevam e duplicam no subconsciente. A alegria e a gratidão se intensificam, e o amor se associa a tudo, aumentando todas as outras emoções experimentadas. Essa emoção gera a frequência (energia) emitida, vibrando no amor em 500 hertz, necessária para obter uma assinatura energética e liberar a cocriação da realidade.

TÉCNICA TÁQUIONS HERTZ DNA HEALING®

Meditação e Projeção Holográfica®
Visualização Holográfica®
Colapso de onda para manifestação da realidade na velocidade da luz

PASSO 1 – Postura

Fique na posição do seu desejo. Por exemplo, fique em pé, com as mãos na cintura, tal qual a postura da Mulher-Maravilha ou do Super-Homem, como se dissesse: estou no comando da minha vida. Imagine como seria ser uma pessoa de sucesso. Você precisa passar pela experiência fisiológica e sensorial. Essa técnica é Unoholograma® **(criação do seu holograma pessoal, vibração no espaço/tempo)**, ou seja, ocorre uma visualização, mas também uma experiência física. Mantenha a postura durante todas as etapas da execução da técnica.

PASSO 2 – Visão – Visualização Holográfica®

Construa a mentalização do seu desejo. Tenha a consciência desse pensamento. O que você quer? Qual a sua intenção? Qual o seu desejo? O que você está sentindo? Vibre nesse sentimento.

Você quer ser rico, bem-sucedido, conquistar um cargo mais alto no trabalho. Enriquecer, na sua concepção, seria ganhar um salário de 50 mil reais por mês ou ter 1 milhão na conta bancária? Posicione-se da maneira explicada no Passo 1 (mãos na cintura, cabeça erguida, como um super-herói). Nesse instante você vai imaginar uma grande tela no Universo chamo isso de Projeção Holográfica®; a projeção é o start, o início do processo. A Visualização Holográfica® é o preparo para a Meditação Holográfica®, então projete a imagem de uma pessoa de sucesso. Agora, perceba o que está sentindo no contexto que escolher (p. ex., 50 mil reais de salário por mês ou 1 milhão na conta). Traga tudo para o sentimento. Sinta-se rico; o sentimento e a imagem da riqueza precisam estar no presente, nesse momento.

Use os seis sentidos: vendo, ouvindo, tocando, cheirando, experimentando, sentindo a imagem se tornando real. Ao fazer isso você está criando seu Unoholograma®. Você está construindo o seu arquétipo, o seu novo eu quântico, a imagem mental do seu sonho em maquete, como um projeto arquitetônico. A consciência de que pode mudar a realidade já está com você, porque a realidade é modificada de dentro para fora, por isso acrescente o maior número de detalhes à mentalização.

A consciência de que pode mudar a realidade já está com você, porque a realidade é modificada de dentro para fora, por isso acrescente o maior número de detalhes à mentalização.

PASSO 3 – Palavras – Decreto Holográfico

Palavras são decretos quânticos, são ordens para o Universo. Nessa etapa, crie as palavras. Quais são as palavras que podem dar concretude ao seu objetivo? Quando você dá a ordem sua mente superior cria uma nova realidade vibrando em frequências mais altas.

Nessa etapa, crie seus Decretos Holográficos. Dica: Eu (*diga seu nome*) a partir de agora decreto para o infinito: EU SOU RICA, está feito! Absorve!

Quais são as palavras que podem dar concretude ao seu objetivo? Acesse os cinco níveis e diga o seu desejo:

EU SOU (...) EU TENHO (...) EU MEREÇO (...)
EU ESTOU PRONTO (...) EU SOU GRATO (...)

As palavras vão gerar a imagem, o holograma do seu desejo.

PASSO 4 – Imagem – Meditação Holográfica®

Crie uma imagem de sua visualização projetiva, o seu novo Unoholograma®. Exemplo: uma imagem de poder, coloque a mão na cintura, faça Visualização Holográfica® a 30 centímetros de onde está o seu corpo físico. Aumente essa imagem, ela pode ter 3 metros de altura. Associe-se a essa imagem, veja-se dentro desse holograma. Você está dentro do seu sonho em plena realização, veja-se dentro da sua Projeção Holográfica®.

Uma dica poderosa é aproximar e aumentar o tamanho do Unoholograma®. Coloque mais brilho, mais sensação, mais cor. Aumente a representação de você mesmo e das pessoas que o assistem. Isso potencializa a força do colapso da função de onda.

PASSO 5 – Sentimento da emoção ao quadrado – Frequência Vibracional®

Agora, dê um passo à frente e entre no holograma do seu sonho. Conte mentalmente até três – isso simboliza o ingresso no sonho.

Então, saia do holograma, mas permaneça visualizando-o, como se estivesse numa sala de cinema olhando para a tela. Depois, entre e saia novamente do holograma. Por quê? Porque nessas ações você coloca e potencializa a emoção, assume o controle do seu sonho. Conte novamente até três e entre mais uma vez no holograma. Repita três vezes o decreto de confirmação. Toda vez que entrar na Projeção Holográfica®, vista seu corpo como se fosse uma roupa, entre em seus braços, pernas, ouça com seus ouvidos, olhe com seus olhos, e aumente sua imagem na Visualização Holográfica®.

Essa dinâmica gera a emoção ao quadrado. A energia na velocidade da luz representa a materialização. Energia vira matéria, a partir do princípio da fórmula $E = mc^2$, ou, no caso da criação da realidade, E^2 [Emoção ao quadrado (emoção elevada)].

Você entra na imagem e no Unoholograma® como se esse sonho fosse uma fantasia a ser vestida. Ao entrar nesse corpo holográfico, você absorve todas as sensações dos seis sentidos físicos e extrassensoriais, aumentando a vibração do campo eletromagnético do seu Unoholograma®.

PASSO 6 – HoloAformações Quânticas®

O escritor norte-americano Noah St. John criou o conceito de **aformações**, que são perguntas feitas a nós mesmos que fazem com que o cérebro traga a resposta como se fosse a verdade. Com base nesse conceito criei as HoloAformações Quânticas®, que são perguntas poderosas que pesquisei e apliquei em mim.

Elas obrigam o cérebro a criar uma nova linha de raciocínio, assumindo o sentimento de que tudo que deseja já é realidade. A afirmação confirma algo como verdade, enquanto a aformação faz o cérebro gastar energia para procurar a resposta e ver que aquilo já é real. Nas HoloAformações Quânticas®, fazemos com que os decretos vibrem holograficamente e a projeção ganhe força vibracional, pois a intenção cria a realidade por meio do colapso da função de onda, o que proporciona a realização do desejo materializado internamente.

> A afirmação confirma algo como verdade, enquanto a aformação faz o cérebro gastar energia para procurar a resposta e fazer o cérebro ver que aquilo já é real.

Então, vá para dentro do Unoholograma®, pergunte-se o que está sentindo com o seu sonho sendo realidade. Coloque e sinta toda essa emoção em si, seja preenchido por ela. Com esse holograma, todo esse espaço da técnica, que remete aos quadrantes da Flor da Vida, se integram.

Ao sentir e perceber todas as sensações positivas do seu sonho, tire uma foto mental e faça a pergunta para o Universo a partir do seu Unoholograma®.

Por que eu posso ser, fazer, ter e conquistar tudo? O que eu preciso aprender que ainda não sei? O que está me impedindo? Quais desculpas estou contando para mim? Por que eu mereço?

Depois disso, crie o Unoholograma® novamente, tire uma foto mental e arraste-a para o lado esquerdo do cérebro.

PASSO 7 – Matriz de Ponto Zero®

Entramos na Matriz de Ponto Zero® quando silenciamos a mente sem ativar qualquer sentido. Para isso, imagine o Universo como uma grande Flor da Vida, que é a matriz de toda a criação, o projeto arquetípico da criação da vida. Elabore esse arquétipo como um grande holograma cósmico, um grande éter, a matriz, um tecido no espaço/tempo. A teia da vida. Veja seu Unoholograma® no centro dessa grande Flor da Vida, no tamanho do Universo, como se tivesse imantado em todo o Universo a energia do Unoholograma® e silencie a mente, em Matriz de Ponto Zero®, a sua unificação com o vácuo quântico, o éter da criação atrás da energia de ponto zero.

CONSCIÊNCIA DIVINA DE LUZ – DNA HEALING®

A seguir, apresento um decreto quântico para limpeza IMEDIATA. Ativação da consciência de luz para vibrar na frequência divina e acelerar resultados (repita os números como na descrição).

Consciência divina de luz© – 520 (cinco dois zero)
Eu sou prosperidade.
Consciência divina de luz© – 741 (sete quatro um)
Eu sou abundância.
Consciência divina de luz© – 398 (três nove oito)
Eu sou riqueza.
Consciência divina de luz© – 706 (sete zero seis)
Eu sou dinheiro.

CAPÍTULO IV

Alcance a frequência
do dinheiro e entre
no fluxo da riqueza

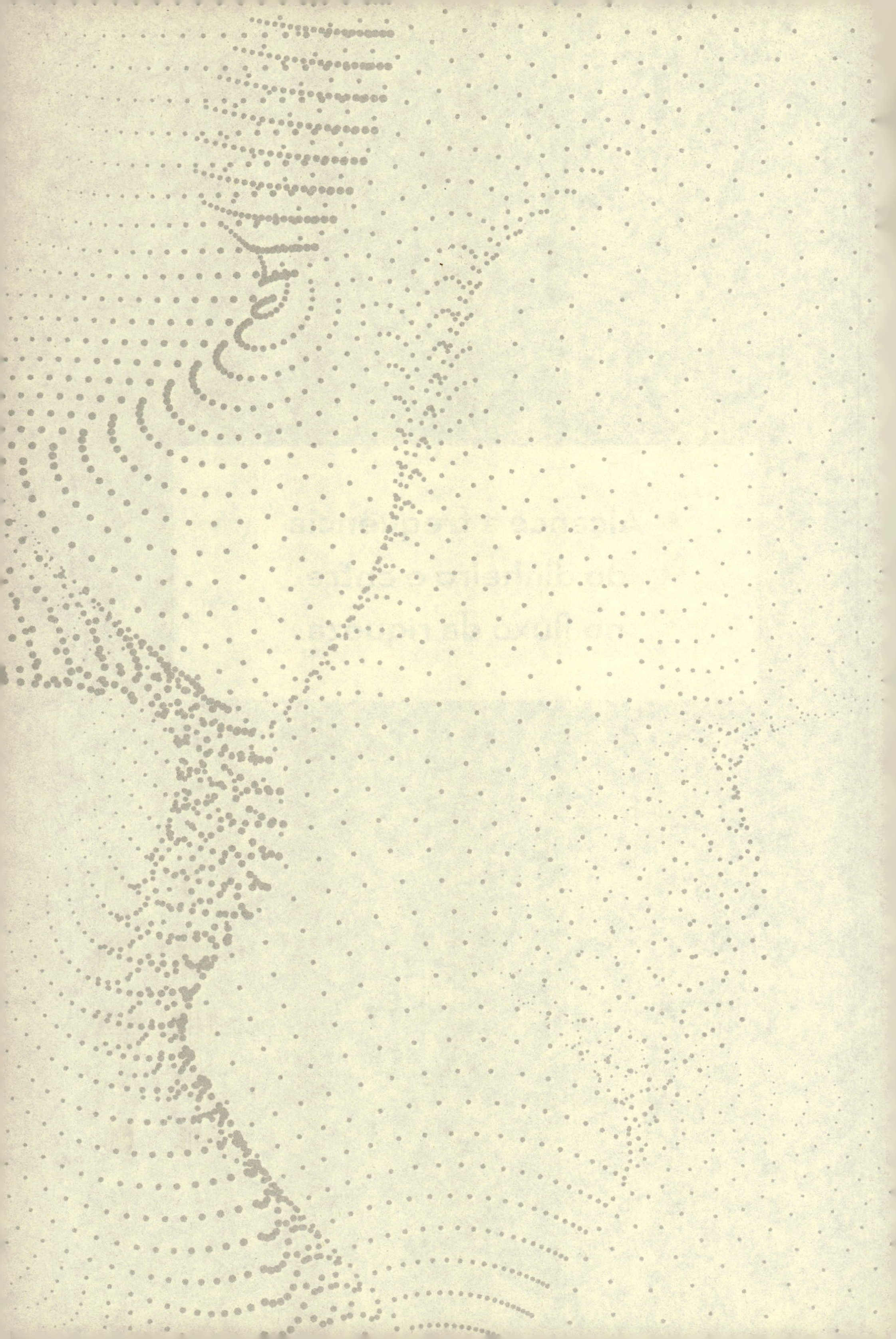

É lindo perceber quantas coisas você aprendeu até aqui, compreender as vibrações na energia da riqueza, quanto podemos modificar a cada instante a memória celular gravada no corpo que abriga as nossas emoções e o processo de aumento da autoestima, da aceitação, do perdão, da gratidão e do amor próprio. Dando continuidade, é essencial entender que, para prosperar, você precisa vibrar na aceitação. Se você não aceita o fracasso, a decepção com outras pessoas e os golpes que sofreu, você não enriquecerá. Sabe por quê? Porque a Frequência Vibracional® da riqueza, de 500 a 540 hertz, está bem distante da energia gerada pelas emoções negativas que você carrega no seu inconsciente e no seu campo vibracional, situadas em zonas muito inferiores, abaixo de 200 hertz, segundo a Escala da Consciência Humana.

Quando eu estava deprimida, vibrava na culpa. Essa vibração levava à destruição, à vingança... logo, o Universo entendia que eu queria viver mais culpa, então eu passava a criar mais atores que gerassem essa emoção. Como minha vibração no Universo continha essa informação, a Matriz Holográfica® criava esse formato, o sentimento de culpa era o combustível para que eu vivesse aquela experiência. Por exemplo, em outros casos similares, uma pessoa pode permanecer com câncer porque ela tem um ganho secundário, o amor e a presença dos filhos, então se curar significa perder esse contato afetuoso. Em outra situação, alguém continua desempregado porque está recebendo ajuda do pai e teme perder o amor que associou com a ajuda financeira, sentimento que pode estar suprindo a falta de atenção sentida na infância. Então, isso quer dizer que às vezes o ganho secundário é oculto, nem sempre faz sentido logo de cara, mas mesmo assim é a energia que o indivíduo está enviando ao Universo. Para alcançar os objetivos, é preciso limpar as crenças e os julgamentos que nos mantêm numa situação indesejada para que a vibração se eleve. No caso da prosperidade, deve-se limpar as crenças limitadoras em relação ao dinheiro.

Você deve trazer ao pensamento consciente que tudo de nocivo pode ser limpo. Então, você age: *"Eu vou limpar essas emoções, reprogramar, transmutar, para que eu possa escolher conscientemente"*. Saiba que todo seu entendimento sobre dinheiro, riqueza ou prosperidade pode ser uma emoção inconsciente, ou seja, alguém escolheu para você e você acreditou nela. Por isso, é primordial limpar tudo isso que está ultrapassado e que contamina o seu campo eletromagnético. Para mudar essa realidade, você deve ter uma nova consciência povoada de afirmações como "Eu sou próspero", "Eu aceito a prosperidade", "Eu gosto do dinheiro", "Eu quero a prosperidade", "Eu quero ajudar as pessoas", "Quanto mais dinheiro eu tiver, mais pessoas ajudarei".

Perceba que tudo isso configura a mudança de crença, pois só podemos mudar aquilo que aceitamos. Ou seja, você só pode alterar uma realidade quando aceita aquela em que está vivendo, porque, ao fazer isso, você para de resistir a esse processo. Esse é o ponto da reprogramação mental.

Isso ocorre exatamente quando você passa a vibrar na aceitação. Você aceita o caos para poder alcançar a ordem, porque sabe que pode mudar. Então, você acolhe essa realidade, não briga mais com ela. Viver no embate com sua realidade só a fortalece, mas, ao deixar de resistir, a situação se harmoniza, e a aceitação faz você vibrar acima dos 400 hertz. Perceberam a lógica?

Vibrar na aceitação, automaticamente, desbloqueia os chacras, ou canais de energia, em seu entorno, começando pelos chacras superiores. No item "O poder dos chacras" (p. 199), vou falar sobre a influência dos chacras no nosso campo eletromagnético cósmico, os chacras que unem nossa consciência física ao céu e à terra.

O mais importante, nesse momento, é fixar a importância da aceitação e do autoperdão independentemente da circunstância que esteja vivendo, pois vibrar a energia desse sentimento é primordial para iniciar o ciclo de mudança da sua realidade, conforme mostrado no capítulo anterior sobre a Técnica Hertz®, que promove a reprogramação do DNA.

O QUE ESTÁ LIMITANDO SUA EXISTÊNCIA E BLOQUEANDO A ABUNDÂNCIA?

Se você já experimentou a energia da escassez e da pobreza, certamente é porque foram programadas crenças limitadoras na sua infância, como: "Ganhar dinheiro é difícil", "Mulher não ganha dinheiro", "Dinheiro não dá em árvore", "Dinheiro é sujo", "Quem é rico não vai para o céu". Carregar essas crenças e os sentimentos inconscientes que elas contêm impede qualquer um de prosperar ou enriquecer. Por exemplo, uma pessoa que sempre acreditou que os ricos não vão para o céu não enriquece, pois seu inconsciente, o iceberg das emoções, imediatamente a bloqueia com a mensagem de que ela vai para o inferno. Então, ela faz tudo para destruir seu projeto e afastar as oportunidades, ainda que a mente consciente deseje o contrário.

No entanto, quando você aceita, não está mais brigando, não está mais resistindo. Então, não existe mais a frequência densa. *Power vs. Force*, termo sugerido por David Hawkins em livro de mesmo nome,* demonstra a essência desse processo. *Power* significa poder, expansão; *force*, força, densidade, contração. Então, nesse caso, você está contraído, denso, não consegue criar a realidade. O oposto disso, quando você para de resistir, passa a aceitar. Nesse momento, seu corpo, ao desbloquear os chacras superiores, passa a vibrar na frequência da abundância, porque você

---

* HAWKINS, David R. *Power vs. Force:* The Hidden Determinants of Human Behavior. Carlsbad: Hay House, 2012.

alcançou mais um alinhamento. Pensamento é riqueza. Tudo se refere à intenção mental e ao desejo correlacionado. Nessa correção, você age de acordo com seu projeto de prosperidade.

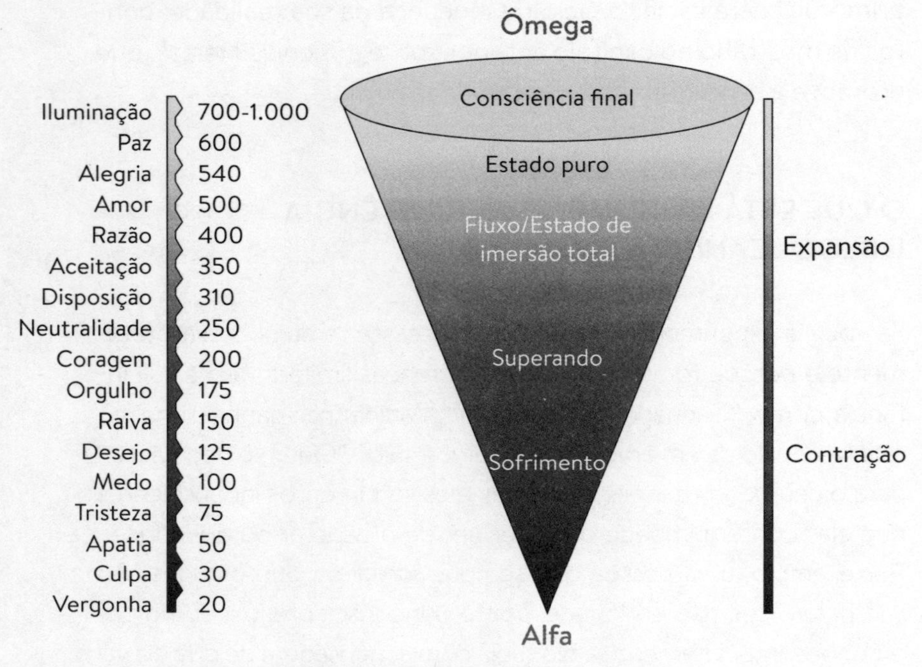

NOSSO CORPO DE LUZ NA EXPANSÃO DA CONSCIÊNCIA MILIONÁRIA

Cada um de nós tem um corpo de luz, ou corpo luminoso, que nos envolve e é formado por um campo quântico de energia. Eu o chamo de campo eletromagnético, mas existem várias denominações: aura, corpo bioplasmático, campo sutil, campo energético, campo áurico, corpo sutil, corpos de luz, perianto etc. Esse campo concentra vários níveis de energia nos quais estão situados os setes chacras elementais: os superiores e os inferiores. Cada chacra, situado em uma região específica do corpo, contém uma vibração e tem uma função para regular a nossa atividade humana, armazenar as emoções, os sentimentos e pensamentos.

Em meus estudos, percebi que os pontos podem determinar tanto o nosso fracasso, como o sucesso, tanto a saúde quanto a doença. Isso porque eles contêm vibrações específicas e estão conectados com as nossas emoções primárias ou com os sentimentos elevados.

Os chacras inferiores retêm a energia das nossas emoções negativas, e os superiores, a das emoções de conexão com o Todo, com a fonte criadora, o Universo e Deus. A energia produzida pelos chacras também se correlaciona com os níveis da Escala da Consciência ou da Roda da Vibração, pois cada vórtice produz uma vibração específica e tem um campo eletromagnético. A vibração dos chacras superiores é mais elevada, e a dos inferiores, mais densa e baixa. Existe um segredo sobre a relação dos chacras com o processo de alcance da prosperidade ou de cocriação. Essencialmente, é preciso desbloquear os chacras inferiores, sobretudo o chacra básico, conhecido como chacra sexual, para que o corpo comece a girar vórtices e a criar energia ao redor, a fim de formar o campo eletromagnético e aumentar a potência energética.

Na região inferior, como você pode observar na imagem anterior, estão localizadas as emoções, sobretudo os sentimentos inferiores de medo, menos-valia, baixa autoestima, insegurança, insatisfação, angústia, tristeza e outros sentimentos afins, que estão situados em vibrações menores que 200 e 100 hertz, conforme a Escala Hawkins.

Então, é possível desbloquear esses chacras ao limpar essas emoções do inconsciente e com isso alterar a polaridade e a vibração das células, a fim de elevar a frequência. Isso permite a reprogramação da informação registrada em seu DNA, com o uso das repetições dos sons, verbos, orações e frequências de afirmação. No caso da prosperidade, é preciso também passar a vibrar nos chacras superiores, que são responsáveis pela expansão da consciência.

Conforme for desbloqueando os chacras superiores da consciência, como o chacra coronário, da cabeça, que tem relação com a expansão da consciência, com a conexão com o todo, segundo Hawkins, você passa a vibrar a 500, 600 hertz. Ao liberar e desbloquear o chacra da glândula pineal, por exemplo, você desperta a coragem e a garra para correr em direção aos seus sonhos. Essa energia da coragem também é ativada pelo chacra da garganta e pelo frontal. O desbloqueio dos chacras interfere diretamente na reprogramação celular e do DNA, porque eles ativam o poder de resposta das partículas que fluem por seu campo eletromagnético, liberando e elevando a energia superior necessária para colapsar os seus desejos de prosperidade e entrar no fluxo de abundância do Universo.

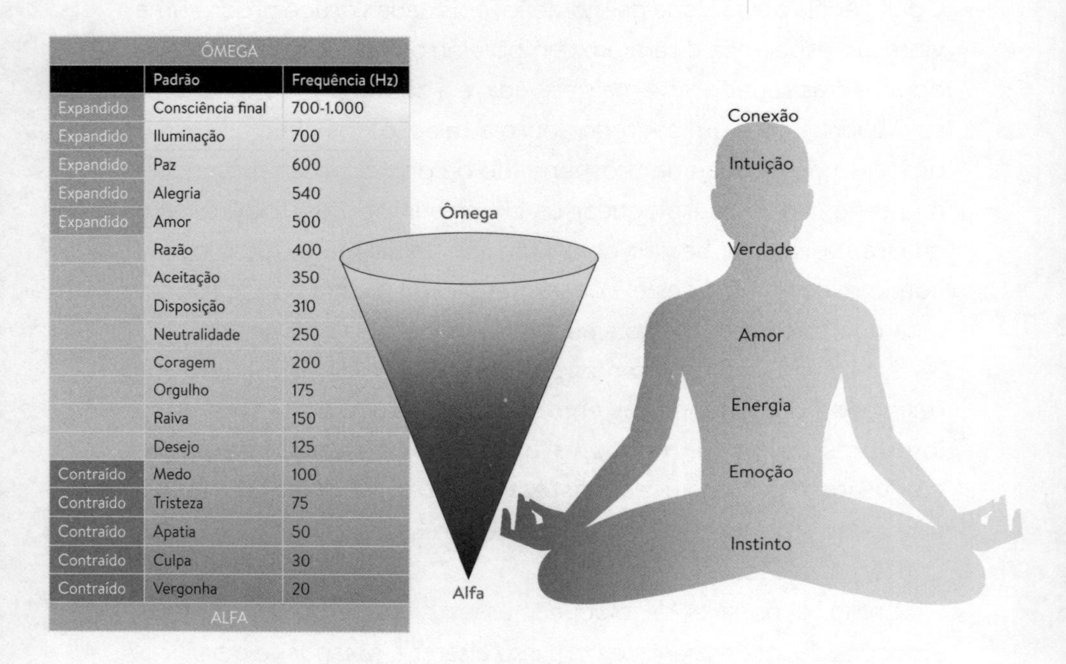

ÔMEGA		
	Padrão	Frequência (Hz)
Expandido	Consciência final	700-1.000
Expandido	Iluminação	700
Expandido	Paz	600
Expandido	Alegria	540
Expandido	Amor	500
	Razão	400
	Aceitação	350
	Disposição	310
	Neutralidade	250
	Coragem	200
	Orgulho	175
	Raiva	150
	Desejo	125
Contraído	Medo	100
Contraído	Tristeza	75
Contraído	Apatia	50
Contraído	Culpa	30
Contraído	Vergonha	20
ALFA		

QUAL É A FREQUÊNCIA DA PROSPERIDADE?

A frequência do DNA Milionário é o amor e a alegria. Amor e alegria significam entusiasmo, que em grego significa "em Deus". Se você tiver alegria por todas as coisas do céu e da Terra, isso traz amor, que, por sua vez, traz harmonia, fluxo, leveza. Então, o Universo está no fluxo da harmonia. Por isso, entenda algo importante: tudo flui, funciona, as árvores crescem. Tudo funciona sem esforço. É a Lei do Mínimo Esforço, sugerida por Deepak Chopra.

Você não precisa se esforçar para ganhar dinheiro, mas tem de se dedicar para isso. Esforço é resistência. Então, se precisar se esforçar ou resistir, você tranca o fluxo novamente. Você deve se dedicar ao seu projeto, dar sempre o seu melhor, dar 200% de você para ter uma vida próspera, vibrar no "Eu Sou". O seu *self* divino, como chamo, é "Eu Sou Próspero". O arquétipo da prosperidade já está contido na Matriz Holográfica®, na matriz do Universo, por isso, analogicamente, todos nós também carregamos esse arquétipo de prosperidade. No entanto, precisamos escolher e ativá-lo, para que ele possa se manifestar em nossa vida.

O HOLOGRAMA DA PROSPERIDADE

Existe um projeto de que tudo aquilo que você já deseja existe. Quando alguém cria uma imagem, um Unoholograma® (por isso cada um já é um cocriador) do carro que deseja, já existe um modelo desse objeto no Universo. Por isso, o 3D – largura, amplitude e comprimento – o Universo holográfico é um 3D. Um prédio, por exemplo, é projetado numa maquete 3D. Quando se tem em mente o projeto da sua casa – do seu desejo de moradia –, você recorre a um arquiteto para que ele elabore uma maquete, mas antes é preciso dar todos os detalhes para que ele saiba qual é a sua casa dos sonhos.

Agora o arquiteto sabe o que entregar, porque você deu elementos para que ele criasse o projeto 3D (Altura, Profundidade, Largura). Para cocriar nossos sonhos usamos um recurso 5D (Altura, Profundidade, Largura, Intensidade, Luminosidade), porque também entregamos o sentimento para o Universo, algo que falta para o arquiteto, visto que ele não consegue representar na maquete o sentimento de quem o contrata com relação à sua casa dos sonhos.

Esse modelo explica a construção da realidade. Para fabricar esse sonho, para a "fábrica" do Universo produzi-lo, ela precisa de cimento e tijolos. E o que são o cimento e os tijolos, essenciais para que a casa dos seus sonhos se torne realidade? Você precisa de seus pensamentos e sentimentos.

O seu sentimento precisa ser de aceitação. Se você não aceitar todas as histórias de fracasso, as casas alugadas em que morou, os relacionamentos fracassados, os empregos que não deram certo, a escassez que você vive, essa casa nunca será sua.

Você criou o protótipo do seu Unoholograma® e o Universo tem um 3D igualzinho ao seu, você só precisa vibrar na mesma frequência que ele a partir de agora. Aumentar as probabilidades. O projeto já existe, então, como torná-lo realidade?

COMO TRANSFORMAR SEU SONHO HOLOGRÁFICO EM REALIDADE

Agora vou ensinar a tornar o seu sonho realidade. O que seria necessário para iniciar a construção de uma casa? Você precisa de tijolos e de cimento. Você também precisa do terreno, em primeiro lugar. E o que é o terreno? Vamos criar seu Unoholograma® mas antes precisamos limpar a casa, a mente, a sua vida.

O que separa você dos seus sonhos é a limpeza. O terreno do qual você precisa para construir essa casa já existe. O 3D está ali, já existe essa casa. O terreno é o perdão. É preciso limpar todo o lixo que existe dentro de você e abrir espaço para o projeto 3D "entrar", para que a Matriz Holográfica® do seu sonho possa existir. Depois disso, é o momento de usar o cimento e os tijolos para começar a erguer essa casa, para que ela tenha base e estrutura. Isso equivale a aumentar sua frequência e se tornar um cocriador da realidade. Para isso, é imprescindível a aceitação, só ela é capaz de aumentar a frequência. Se você não passar por ela, nada será criado.

Aceite os relacionamentos fracassados, as pessoas que o traíram e bateram em você, aqueles que o enganaram, porque existe um propósito para isso. São atores permitindo a experiência do que você veio conquistar, ser, ter e fazer. Então, você precisa passar pela aceitação, porque é ela que traz amor-próprio, autoestima e o sentimento de perdão e que o leva à compreensão de que só você pode mudar a sua realidade, ter um *mindset* de prosperidade e felicidade em todos os aspectos e melhorar sua atuação como mãe, pai, profissional, filho. Ao se aceitar e vibrar amor-próprio, você atinge outro nível, o terceiro ciclo da cocriação da realidade e de um *mindset* milionário. Agora você compreende o perdão e quanto as pessoas estão apenas validando seus medos, quanto você tem de limpar esse lixo, para que possa viver a plenitude.

Para realizar seus sonhos e sintonizar a energia do dinheiro, a única coisa que você precisa é praticar. Ou seja, deve promover uma mudança interior que exige esforço e dedicação. É você quem escolhe a onda de energia provável e, dentre todas a possibilidades, o que acontece agora.

Em 2017, a revista *Galileu** publicou uma reportagem que indagava logo no começo: "Já imaginou a possibilidade do nosso Universo não passar de uma ilusão? Um reflexo formado por um gigantesco holograma?". Na matéria, foram mencionadas evidências científicas que tentam comprovar essa hipótese. A ideia se associa aos princípios da física quântica e da Matriz Holográfica® do Universo. De acordo com as pesquisas, o Universo é a Projeção Holográfica® de uma mente cósmica ou da Matriz Holográfica®, do próprio vácuo quântico, de Deus. A ideia do Universo holográfico é semelhante aos hologramas comuns, nos quais imagens 3D são codificadas e projetadas na superfície, numa versão 2D, material e sólida, com largura, comprimento e todas as dimensões reais de uma matriz, e pressupõe que existe uma matriz de energia ou Matriz Holográfica®, formada por uma única onda, portanto, sem forma nem materialidade. E você, como um projetor consciente, pode transformar essa

* FERNANDES, Nathan. Físicos encontram evidência de que o Universo já foi um holograma. *Revista Galileu*, 15 fev. 2017. Disponível em: <https://revistagalileu.globo.com/Ciencia/noticia/2017/02/fisicos-encontram-evidencia-de-que-o-Universo-ja-foi-um-holograma.html>. Acesso em: 28 fev. 2019.

energia em qualquer coisa, em qualquer realidade. O princípio do Universo holográfico demonstra, então, que tudo pode ser projetado, que o próprio Universo é uma projeção em plena expansão.

Tudo, portanto, se compreende como a Projeção Holográfica® de uma ideia, da concepção de um sentimento e do eletromagnetismo de uma pessoa, um grupo de pessoas ou uma mente coletiva. Você vive dentro dessa projeção, é o observador da realidade, por isso também pode moldar e arquitetar a realidade que deseja, interferindo quanticamente nessa Matriz Holográfica®. Essa é a interferência construtiva, segundo a física quântica, que age direto na Matriz Holográfica® para projetar, a partir da criação mental, a imagem e o arquétipo do seu desejo, o holograma daquilo que você mais sonha e pode ser modelado, como uma massa sem forma, no campo quântico. Essencialmente, isso quer dizer que vivemos em uma espécie de projeção energética ou vibracional da realidade. Em decorrência disso, tudo está conectado e mergulhado em um mesmo oceano quântico. E o que é um holograma? Nada mais é do que o reflexo e a ínfima parte de algo bem maior.

Por essa explicação, conclui-se que tudo é uma coisa só. Todos, por assim dizer, estão sediados na mesma onda primordial de energia. Seria isso a mente superior ou a mente de Deus? Tudo, diante disso, é a projeção de imagens da realidade subjetiva do próprio Universo. Gosto da analogia do oceano para mostrar essa conexão profunda entre todas as coisas. O oceano é Deus, e cada um de nós é uma gota desse mar infinito de inteligência, amor e sabedoria.

Nosso Universo é holográfico. É um modelo que explica muitos aspectos nas áreas de experiências pessoais e das ciências. Dois nomes são responsáveis por nos dar essa noção de Universo: o físico David Bohm, da Universidade de Londres, e o neurofisiologista Karl Pribram, de Stanford. Em suas pesquisas, Bohm descobriu que, em nível subatômico, a fábrica da realidade parece possuir propriedades similares aos hologramas. Partindo dessa análise – na relação entre Universo e holograma –, o cientista compreendeu que o cérebro funciona de maneira parecida. Ou seja, assim como o Universo, a mente também age como uma espécie de holograma.

A ideia essencial desse pensamento é a seguinte: independentemente da escala ou da proporção da realidade medida, tudo contém a mesma substância ou frequência original da vida. Então, se o Universo é um holograma, isso sugere que existem duas formas diferentes de perceber a realidade: a realidade concreta, quando observamos cadeiras, árvores, nuvens, edifícios ou até o corpo humano, e uma realidade mais profunda, na qual tudo se dissolve num mar de energia holograficamente interligado. Isso é possível, segundo os cientistas, porque o Todo do Universo está contido em cada porção de todos nós. Ou seja, da mente, do cérebro, do corpo físico e, essencialmente, da consciência.

Não estamos separados uns dos outros, assim como as partes não podem ser separadas do todo, porque são porções menores dele. Você, portanto, tem o Universo inteiro em cada neurônio, célula, átomo e elétron. Ao compreender essa informação, você, sem dúvida, compreenderá o fato mais importante para concretizar seus desejos e condicionar os eventos favoráveis a fim de magnetizar toda a riqueza e a abundância do Universo em sua vida. Simples: nós construímos nossa realidade "aqui dentro", e não "lá fora".

CONSCIÊNCIA OBSERVADORA

Tudo depende de atenção e observação. Quem é o observador da sua realidade? Você! Então, tudo aquilo que você observa, seja escassez ou prosperidade, será manifestado em sua vida. O processo é semelhante quando você deseja algo que ainda não é matéria fixa.

Por exemplo, quando você analisa várias possibilidades para resolver determinado conflito, concentra-se em uma delas, seja boa ou ruim, e dedica a ela mais tempo, pensamento, emoção e observação do que a outras opções.

O ato de observar, de despender energia para aquela possibilidade, faz com que ela ganhe probabilidade de se tornar matéria fixa, ou seja, realidade. A maneira como você observa um objeto o altera. E é assim que se muda o DNA.

DUPLA FENDA

Por volta do século XVIII, o físico britânico Thomas Young iniciou os experimentos que ficaram conhecidos como dupla fenda. Essa experiência derrubou uma das mais importantes teorias postuladas por Isaac Newton, a de que a luz seria composta de partículas. No experimento, os cientistas perceberam que as partículas tinham comportamento de uma onda, não de matéria ou de partícula. Na verdade, entenderam que, em dado momento, comportam-se como onda, mas em outro como partícula. O mais importante, segundo o experimento, é que tudo dependia da maneira como as partículas eram observadas pelo cientista no momento em que passavam pela fenda.

Embora seja cientificamente comprovado que o nosso sistema de crenças nos limita, nos sabota e nos impede de avançar na direção daquilo que mais desejamos, ainda buscamos fora de nós aquilo que só pode ser encontrado e transformado internamente, para, então, alterar estados e padrões de realidade. Permanecemos culpando o mundo, com medo de quebrar paradigmas, acomodados em nossa descrença e ignorância diante da grandiosidade do conhecimento e da inteligência do Universo do qual fazemos parte.

O experimento da dupla fenda é a prova cabal da ciência moderna de que você tem o poder e a habilidade natural para transformar qualquer realidade e manifestar seu desejo de prosperidade, amor, sabedoria, inteligência suprema, saúde e beleza. Tudo está ao seu alcance e depende de como observar os eventos, como reagir e agir emocionalmente diante dos desafios da vida e de quais pensamentos alimentar dentro de si. Toda essa composição interna vai gerar a energia e a vibração necessárias para construir a realidade tão sonhada ou, então, destruir seus objetivos e metas no Universo.

PARTÍCULA DE DEUS

Em 14 de março de 2013, o cientista Peter Higgs descobriu uma partícula subatômica que foi chamada de bóson de Higgs e apelidada de "a partícula de Deus", porque se trata de uma partícula de energia que dá origem a toda a matéria existente. Foi como se eles aprofundassem e desmembrassem uma molécula, cada vez em um pedaço menor, chegando aos elementos que formam o átomo. Ou seja, os cientistas encontraram a energia que constitui tudo, desde planetas, estrelas, árvores, pássaros e até você. A explicação é simples e linda. Você é formado por átomos, moléculas e matéria, que, bem no fundo, carregam uma partícula minúscula de energia, como se você fosse composto por trilhões de pontinhos brilhantes.

ÁGUA VIBRACIONAL

São muitos os experimentos que demonstram a existência da energia superior inteligente da qual fazemos parte. A relação entre os padrões de vibração, a energia dos pensamentos e tudo que nos envolve também foram mostrados por Masaru Emoto, fotógrafo e escritor japonês que ganhou visibilidade ao fotografar moléculas de água submetidas à força do pensamento humano.

As moléculas de água apresentaram-se de maneira organizada, como cristais, ao serem submetidas a pensamentos, palavras, sentimentos e até músicas e imagens de ordem positiva, como amor, gratidão, felicidade, alegria, perdão. Já as moléculas de água submetidas a comandos negativos, como ódio, raiva, inveja e tristeza apresentaram-se de maneira desorganizada, em padrões geométricos turvos e distorcidos, nada belos como os primeiros. Por meio de suas fotografias,

Masaru mostrou que a água é um elemento poderoso, porém os pensamentos, as emoções e as palavras são ainda mais poderosos, porque têm força capaz de distorcer o padrão molecular não só da água, mas de tudo que nos cerca, inclusive daquilo que nos compõe.

EXPERIMENTO DAS AMOSTRAS DE DNA

Gregg Braden também realizou alguns experimentos nos quais mostrou que nosso DNA é alterado conforme os pensamentos, os sentimentos e as emoções. Em um deles, foram utilizadas amostras de DNA de leucócitos extraídos do sangue de um grupo de teste, e parte da amostra foi levada para outro local a 80 quilômetros de distância de seus respectivos sujeitos, a outra foi mantida no mesmo laboratório da coleta. Ali, os voluntários foram submetidos a estímulos emocionais em vídeos, e as alterações foram medidas através de ondas elétricas. O sangue foi monitorado e, simultaneamente, as mesmas alterações foram observadas no doador e na amostra de DNA, tanto naquela bem próxima do ambiente em que as pessoas estavam quanto na que foi levada para longe, sem atraso ou velocidade diferente de transmissão.*

A cada novo estudo, fica claro que essas células vivas se reconhecem por uma forma de energia não reconhecida pela tecnologia atual e que não é influenciada pela distância nem pelo tempo, pois existe em todas as partes e o tempo todo.

---

* BRADEN, Gregg. Does Evolution Answer This One BIG Question? 2017. Disponível em: <https://www.greggbraden.com/blog/category/dna/>. Acesso em: 28 fev. 2019.
CARVALHO, Simone. Experimento: nossos sentimentos alteram nosso DNA. *Physioquantum*, 29 abr. 2016. Disponível em: <https://physioquantum.com/4641-2/>. Acesso em: 28 fev. 2019.

EXPERIMENTO COM FREQUÊNCIAS DO CORAÇÃO E PLACENTA HUMANA

Esse experimento foi a base com a qual curei meu filho e compreendi como eu poderia curar minha vida também. Realizado pelo Instituto Heart Math*, no estudo chamado *Efeitos locais e não locais de frequências coerentes do coração e mudanças na conformação do DNA*, tomou-se o DNA da placenta humana e o colocou em um recipiente onde era possível medir suas alterações. Vinte e oito amostras foram distribuídas em tubos de ensaio ao mesmo número de pesquisadores previamente treinados. Cada pesquisador havia sido treinado para gerar e vivenciar sentimentos, e cada um deles podia ter fortes emoções. O que se descobriu foi que o DNA mudou de forma de acordo com os sentimentos dos pesquisadores.

Quando os investigadores sentiram gratidão, amor e apreço, o DNA "relaxou" e se estirou, ou seja, ficou maior. Já quando os investigadores sentiram raiva, medo ou estresse, o DNA encolheu, ficando mais curto e apagando muitos dos seus códigos no processo. Esse último gera um sentido de sobrecarga de emoções negativas. Agora, quando os investigadores começaram a ter sentimentos positivos, de amor e alegria, os códigos do DNA começaram a se conectar novamente.

As alterações emocionais foram mais além de seus efeitos eletromagnéticos. Os indivíduos treinados para sentirem amor profundo foram capazes de mudar a forma de seu DNA. Gregg Braden diz que isso ilustra uma nova forma de energia que conecta toda a criação. Essa energia parece ser uma rede estreitamente tecida que conecta toda a matéria e podemos influenciar essencialmente essa rede de criação por meio de nossas vibrações. É assim que criamos nossa realidade, ao escolhermos

---

** *The Universal Matrix*. Por que sempre tive perfeita saúde depois de descobrir a fórmula do DNA? A meditação baseada na fórmula, explica? 22 set. 2018. Disponível em: <http://theuniversalmatrix.com/pt-br/artigos/?m=20180922>. Acesso em: 28 fev. 2019.

nossos sentimentos. Eles, por sua vez, ativam na Matriz Holográfica®, o éter da criação, por meio da Frequência Vibracional® que emitimos, conectando a energia e a matéria do Universo.

EXPERIMENTO COM FÓTONS

O terceiro experimento foi realizado pelo Dr. Vladimir Poponin, um biólogo quântico. Nessa experiência começou-se por esvaziar um recipiente (quer dizer que se criou um vazio em seu interior), e o único elemento deixado foram fótons (partículas de luz). Depois, mediu-se a distribuição desses fótons e descobriu-se que estavam distribuídos aleatoriamente dentro do recipiente. Esse era o resultado esperado. Então foi colocada dentro do recipiente uma amostra de DNA, e a localização dos fótons foi medida novamente. Dessa vez os fótons haviam se ORGANIZADO EM LINHA com o DNA. Em outras palavras, o DNA físico produziu um efeito nos fótons não físicos. Depois disso, removeu-se a amostra de DNA do recipiente e mediu-se novamente a distribuição dos fótons. Os fótons PERMANECERAM ORDENADOS e alinhados onde havia estado o DNA. A que estão conectadas as partículas de luz? Segundo Gregg Braden, estamos impelidos a aceitar a possibilidade de que exista um NOVO campo de energia e que o DNA está se comunicando com os fótons por meio desse campo, modificando sua composição.

Com informações da fonte original em www.greggbraden.com.

A CIÊNCIA COMPROVA QUE PODEMOS MUDAR NOSSA REALIDADE

Diante de todos esses fatos, conclui-se que o pensamento gera determinadas emoções, sensações e sentimentos capazes de afetar nosso organismo, bem como todo o Universo do qual fazemos parte, pois todos estão entrelaçados quanticamente. Há uma ligação, uma energia, um campo muito forte que nos rege e nos envolve.

A ciência comprova que podemos mudar a vibração e reprogramar a energia das informações contidas no núcleo do nosso DNA. Até esse momento da leitura, você observou que a realidade e a cocriação de qualquer desejo começa internamente. Ou seja, a partir da vibração das células e da frequência emitida pelo núcleo do DNA. O que definirá o sucesso e a prosperidade será sempre a vibração emitida por você, do seu Universo íntimo e particular, passando pelo seu campo eletromagnético, até a repercussão direta no vácuo quântico.

Assim, deixo uma pergunta para reflexão: somos ou não somos interligados por uma energia inteligente que dá forma, fabrica e materializa nossa prosperidade?

A PRÁTICA DA PESQUISA DE DAVID HAWKINS

Em *Power vs Force: The Hidden Determinants of Human Behaviour* [Poder contra força: os determinantes ocultos do comportamento humano, sem edição em português],* publicado em 1995, o psiquiatra norte-americano David Hawkins abordou a medição e a determinação matemática dos níveis de consciência dos seres humanos. Ele realizou várias pesquisas com base na cinesiologia e relacionou os níveis de consciência em estratificações que contêm algumas semelhanças com as estruturas dos chacras do ioga e dos lataif** do sufismo (ou de outras escolas espirituais e abordagens psicoespirituais).

A consciência é o plano mental em que o ser humano toma suas decisões, diferente do plano das emoções, que são

---

* HAWKINS, David R. *Power vs. Force:* The Hidden Determinants of Human Behavior. Carlsbad: Hay House, 2012.

** Ativação dos órgãos sutis da percepção, que representa o microcosmo humano.

passageiras. Transitamos por esses planos durante situações diferentes diariamente.

Para Hawkins, o Mapa da Consciência apresenta um perfil de toda condição humana, permitindo uma análise abrangente do desenvolvimento emocional e espiritual dos indivíduos e da sociedade. Segundo ele, o segredo está em compreender uma coisa simples em profundidade, para que possamos expandir nossa consciência e compreender a natureza do Universo e da própria vida. O objetivo do psiquiatra foi medir e calibrar os níveis de consciência por meio de testes emocionais reverberados no corpo físico dos pacientes testados. Com esses testes, ele conseguiu provar que o corpo responde às emoções e, mais que isso, que temos uma frequência medida em hertz, além de ter medido cada umas das emoções. Sem saber com exatidão qual é o seu atual nível de consciência e padrão de energia no Universo, você não saberá qual percurso seguir para materializar a realidade que tanto sonha.

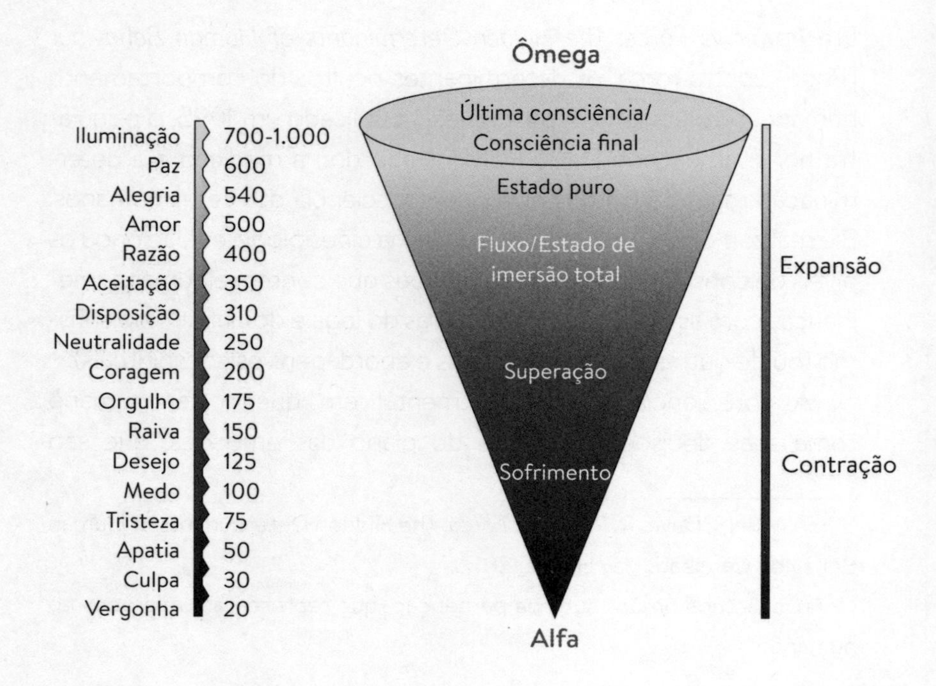

A frequência das emoções afeta a estrutura celular e vibracional do nosso corpo. Cada emoção tem uma faixa vibracional. Emoções elevadas possuem vibrações superiores que nos trazem coisas boas.

Pessoas adoecem ou têm adoecido por falta de amor, como afirmou o dr. Hawkins em *Power vs. Force*: “Muitas pessoas ficam doentes porque não têm amor, só têm dor e frustração”. Segundo analisou, pensamentos negativos e sentimentos oprimidos geram um padrão vibracional de frequência abaixo de 200 hertz, conforme se observa na Escala Hawkins. Como em uma rodovia congestionada, essas vibrações baixas obstruem a força vibracional das células, paralisando-as e roubando sua vitalidade. Além disso, impedem o fluxo e a passagem da energia cósmica, sustentada em vibrações de sentimentos superiores, acima de 500, 600 ou 700 hertz, como o amor, a alegria e a gratidão.

Sem o fluxo liberado, a energia cósmica, da fonte e do Todo, que nos preenche de amor e nos anima, não chega ao núcleo das células, das moléculas e do DNA. Como resultado negativo,

o corpo não consegue se abastecer da energia do Universo, da fonte criadora e isso gera doenças físicas e emocionais, entre outros conflitos. As células ficam doentes por falta de amor e de sua respectiva vibração. A polaridade dos átomos das moléculas e das células permanece trancada no lado negativo do *spin* de rotação dos elétrons, e tudo segue denso, pesado e sem vigor. Sem canalizar esse fluxo do Universo, que nada mais é do que a energia cósmica do amor de Deus, não há saúde nem prosperidade, pois não existe vibração, nem sintonia propícia ou o canal de passagem de energia para abastecê-lo da prosperidade infinita do Todo, fundamental para cocriar seus desejos e sonhos na vida.

COMO ELEVAR O NÍVEL NA ESCALA DE CONSCIÊNCIA

Aprenda, agora, um rápido exercício de Visualização Holográfica® para acelerar a cocriação de seus sonhos de prosperidade, vibrando em ressonância com a mesma frequência em que eles se encontram. Com essa ferramenta, você vai, primeiro, reprogramar seu DNA, como estamos fazendo desde o início deste livro. Este exercício permite a você vibrar na frequência dos seus sonhos, se conectar com a fonte, colapsar a função de onda e ainda acelerar a materialização de todos os seus sonhos por meio da reprogramação vibracional e de práticas de alinhamento energético.

A ESCALA HAWKINS E SUA INFLUÊNCIA NA MATERIALIZAÇÃO DOS DESEJOS

VERGONHA **20 Hz:** É a frequência mais baixa emitida pelo ser humano. Impede a tomada de decisões e a realização dos sonhos.

CULPA **30 Hz:** Causa baixa criatividade e vitimismo.

APATIA **50 Hz:** Causa perda da esperança e vitimização. As pessoas nesse estado não conseguem agir perante o que a vida apresenta.

DOR/SOFRIMENTO **75 Hz:** Causa tristeza extrema, principalmente diante de perdas. Vibra mais que a apatia, pois o sofrimento transforma as pessoas e lhes tira do estado de apatia.

MEDO **100 Hz:** Medos são crenças limitantes que geram falta de qualidade de vida e desperdício de oportunidades.

DESEJO **125 Hz:** Nesse nível, a pessoa é materialista ao ponto de nunca estar feliz com o que tem. Alimenta vícios e luxúria.

RAIVA **150 Hz:** É um sentimento de frustração que pode ficar represado ou ser exposto num momento de fúria. Também causa culpa, vergonha e mal-estar.

ORGULHO **175 Hz:** Esse é o estado de consciência predominante na humanidade atualmente. Leva ao nacionalismo, ao racismo e às guerras religiosas.

CORAGEM **200 Hz:** Nesse estado, o ego ainda existe, mas já é possível ver uma vida fora de si, pensando mais nos outros. O otimismo prevalece, e a espiritualidade começa a aflorar.

NEUTRALIDADE **250 Hz:** Nível em que nossas crenças são flexíveis, nos tornamos desapegados e mais felizes.

DISPOSIÇÃO **310 Hz:** Nesse nível, a energia pode começar a ser usada de maneira mais eficaz. A pessoa começa a colocar as ideias em prática.

ACEITAÇÃO **350 Hz:** Mudança verdadeira, eliminam-se crenças antigas. Vive-se proativamente, pois a energia aumenta.

RAZÃO/CONTEMPLAÇÃO **400 Hz:** Hawkins define esse nível como o da medicina e da ciência. Consciência dos mestres, na qual se é desapegado de tudo.

AMOR **500 Hz:** Não existe mais o ego, somente o amor incondicional, em que tudo que se faz é por um bem maior.

ALEGRIA **540 Hz:** Estado de felicidade inabalável, é o maior estado de consciência que o ego pode atingir.

PAZ **600 Hz:** Total transcendência. Hawkins diz que esse nível só é alcançado por uma pessoa em 10 milhões.

MAPA DA CONSCIÊNCIA DE DAVID R. HAWKINS

Ideia de Si	Ideia da Vida	Atração	Log	Emoção	Processo	Níveis de Consciência	
Ser interno	Ser	Iluminação	1.000 700	Indescritível	Consciência Pura	A vida é dedicada à salvação da humanidade	DOMÍNIO DA ILUMINAÇÃO ESPIRITUAL
Ser Universal	Perfeita	Paz	600	Êxtase	Iluminação	O importante é o bem da humanidade	
Um	Completa	Alegria	540	Serenidade	Transfiguração	500-599 Evoluiu de uma consciência espiritual para outra	DOMÍNIO DA EXPERIÊNCIA HUMANA
Amoroso	Benigna	Amor	500	Veneração	Revelação		
Sábio	Significativa	Razão	400	Compeensão	Abstração	200-499 Adquire mais importância e bem-estar que os demais	
Misericordioso	Harmoniosa	Aceitação	350	Perdão	Transcendência		
Inspirador	Esperançosa	Vontade	310	Otimismo	Intenção		
Consentidor	Satisfatória	Neutralidade	250	Confiança	Libertação		
Permissivo	Viável	Coragem	200	Consentimento	Empoderamento		
Indiferente	Exigente	Orgulho	175	Desprezo	Vaidade	20-199 Impulso primário de sobrevivência	
Vingativo	Antagonista	Ira	150	Ódio	Agressão		
Arrogante	Decepcionante	Desejo	125	Saudade	Sujeição		
Censurador	Assustadora	Temor	100	Ansiedade	Retraimento		
Vingativo	Trágica	Sofrimento	75	Remorso	Desânimo		
Condenador	Desesperança	Apatia	50	Desespero	Renúncia		
Vingativo	Maligna	Culpa	30	Culpa	Destruição		
Desesperador	Miserável	Vergonha	20	Humilhação	Eliminação		

ILUMINAÇÃO **700 Hz:** "É a união do ser com o todo." O fim do individualismo. O fim do eu. Fim do ego. O homem transcendental.

Diante de tudo isso, você consegue perceber a existência de um Universo holográfico, com uma matriz "mágica" que cria os hologramas que quisermos, no momento que conseguirmos nos conectar à nossa fonte criadora, que é Deus? Sem ego, sem sentimentos de baixa frequência? Essa é a receita!

Ao escalar os níveis da consciência propostos por David Hawkins e vibrar na frequência correta, você pode fabricar e cocriar os próprios sonhos, ativar o seu DNA Milionário e alcançar a energia da prosperidade em todos os aspectos, indistintamente.

Portanto, para aumentar seu nível na escala da emoções, primeiramente é importante saber exatamente onde você está. Como vem nutrindo seus pensamentos, sentimentos, emoções. A partir desse entendimento, você passa a conhecer melhor a si mesmo, entendendo em qual estágio se encontra, energeticamente, e quais sentimentos ocultos ainda estão impregnados em seu inconsciente.

Sua Frequência Vibracional® será definida de acordo com o que está vibrando internamente, em termos de emoções. Sentimentos negativos possuem velocidade ou ritmo de vibração lenta, densa e pesada. Vibram em frequências inferiores na Escala Hawkins. Por isso, fazem sua vida andar a passos de tartaruga. É isso que você precisa descobrir e modificar, se necessário.

Imagine que você vibre sentimentos de ódio, raiva, tristeza ou desesperança. Naturalmente, você vai estar estagnado e sua vida, consequentemente, também. O Universo está em um ritmo elevado, em instâncias vibracionais superiores. Para cocriar a realidade, a riqueza e a prosperidade, você deve alcançar o mesmo nível do vácuo quântico, em uma velocidade estrondosa. Se vibrar emoções lentas, como as citadas, será o mesmo que disputar uma corrida de Fórmula 1 com uma carroça. Entendeu a metáfora? Acelere a sua frequência para mudar rapidamente sua vida, seus resultados e transformar a polaridade positiva dos seus átomos para conquistar seus desejos.

DEZ LEIS UNIVERSAIS DA PROSPERIDADE

1. RIQUEZA INFINITA Existe um manancial de energia e de potencialidade pura à disposição de todos.
2. CONEXÃO COM A FONTE Não temos de criar nada porque a prosperidade nos pertence. Só precisamos acessá-la elevando nossa Frequência Vibracional® para nos reconectarmos com a fonte criadora.
3. FLUXO DO UNIVERSO Nada no Universo é estático. Tudo flui, em tudo há movimento e expansão. Você deve sair da zona de conforto, movimentar-se para produzir prosperidade.
4. ACEITAÇÃO Você precisa aceitar como uma realidade atual que já é rico, bem-sucedido, saudável.
5. GRATIDÃO A frequência da gratidão, acima de 500 hertz, gera um campo de troca permanente. Essa energia flui e multiplica a abundância.

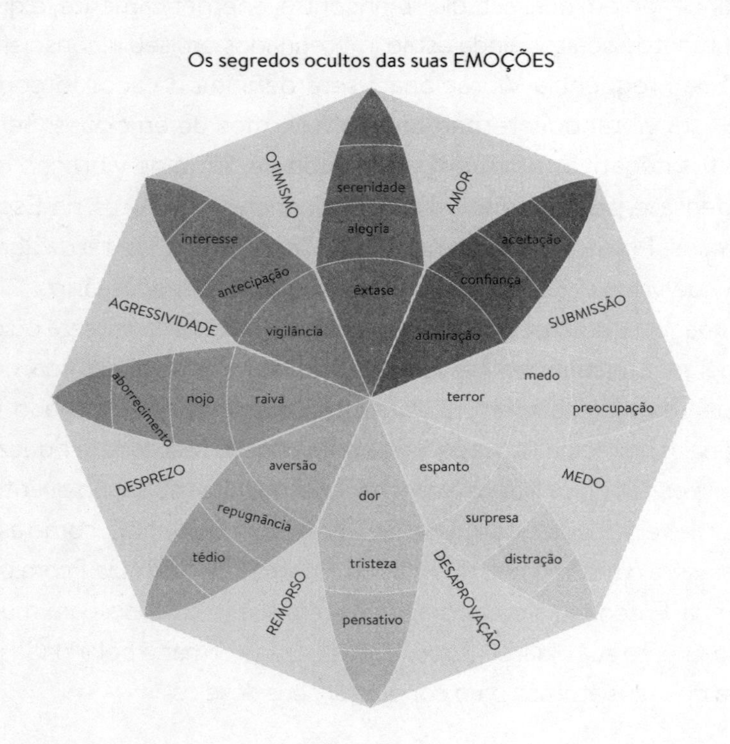

6. APRECIAÇÃO Todas as vezes que você aprecia, você eleva a energia na escala vibracional.
7. RECONHECIMENTO Reconhecer significa admirar, contemplar, relembrar o processo. Reconhecer eleva a vibração e gera o fluxo da abundância, traz dinheiro, fortuna, sucesso, saúde, relacionamentos positivos.
8. DESAPEGO A prosperidade é um fluxo de energia. Para ela vibrar, você deve soltar todos os medos.
9. HARMONIA A harmonia o eleva ao degrau da prosperidade. Para alcançar esse sentimento, primeiro divirta-se. Isso altera positivamente a química do cérebro e gera um campo de energia propício.
10. AMOR O amor eleva a vibração. Você sobe na Escala da Consciência, vai além dos 500 hertz e passa a produzir todos os seus desejos.

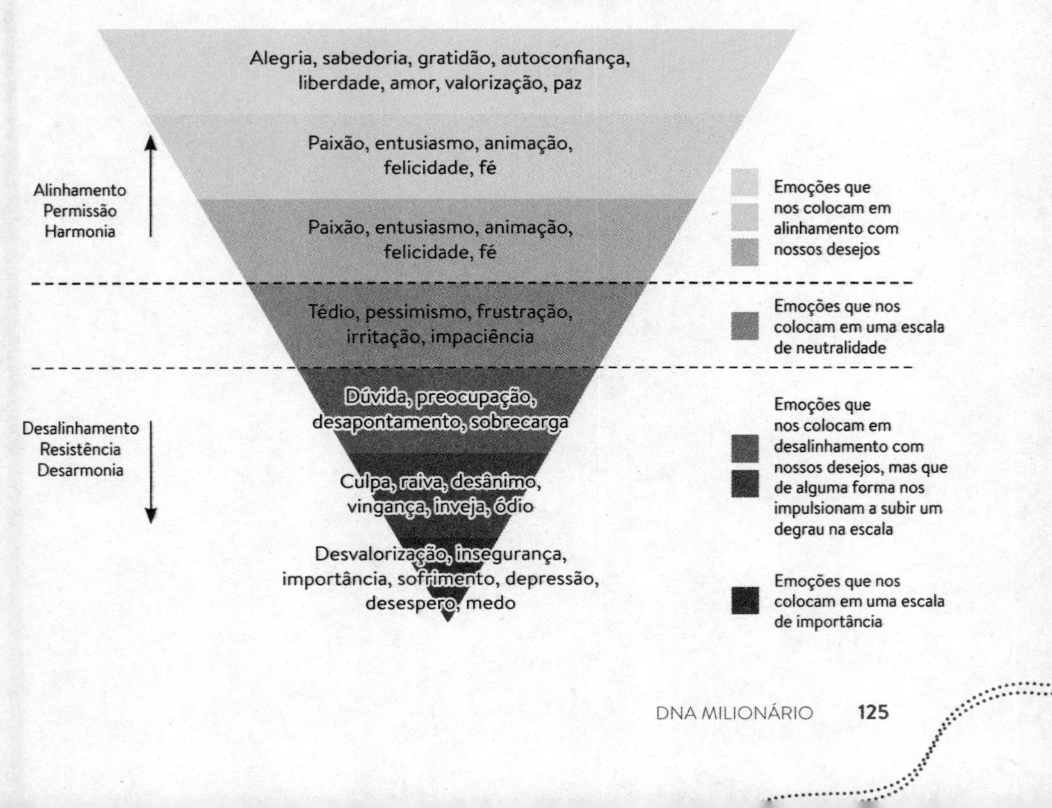

CAPÍTULO V

A técnica mais poderosa do mundo para manifestação da abundância

"Observe o mundo, se quiser,
como um vale para a criação da alma."
John Keats, poeta inglês

Você vai conhecer agora a poderosa Técnica Hertz® – Reprogramação da Frequência Vibracional®. Além de entender sua abordagem, você vai experienciar em cada célula e molécula do seu corpo as intensas sensações provocadas na sua consciência em uma jornada interior de transformação quântica celular. Afinal, a mudança ocorre quando nossas moléculas são modificadas por uma forte intenção, pois, para atrair ou cocriar algo, você primeiro precisa ser o que quer ter, precisa sentir-se próspero para ter prosperidade, e toda vez que você sente isso, o cosmos se reconfigura neuroplasmando o que é compatível com sua permissão, alinhando-se com suas novas versões e, então, sintonizando Universos paralelos – os famosos multiversos.

Os multiversos ativam nosso Universo embrionário interno. Quando você projeta a imagem do seu sonho na tela da mente, o cérebro processa ondas eletromagnéticas, gerando colapsos de onda, o que também é chamado de matéria. É o seu sonho se tornando realidade. Ao visualizar seu sonho na tela quântica da mente, ou nessa matriz divina, a energia emanada pela imagem unida à sua frequência interage com o multiverso, com infinitas versões do futuro, onde residem todas as múltiplas possibilidades, uma teoria física da manifestação, muito bem explicada por Brian Green em *O tecido do cosmo**. Quando aprendi isso, tive um dos meus verdadeiros saltos quânticos, pois compreendi que neste Universo existem versões da minha realidade física coexistindo.

---

* GREEN, Brian. *O tecido do cosmo*. São Paulo: Companhia das Letras, 2005.

Existe uma versão sua do futuro vivendo a vida que você sonha, assim como uma versão vivendo uma realidade inferior, tudo em superposição quântica, aguardando seu sentimento ser acionado. Qual delas você irá experienciar? Aquela que psicossomática e predominantemente você fizer vibrar mais. Como diz a famosa frase, "o foco vai para onde a energia está".

Você sintoniza determinada realidade. Semelhante atrai semelhante. Em quê? Em frequência, ressonância, energia, informação e atração. Ao criar internamente um novo holograma do seu Eu Quântico do Futuro, como se já fosse real, você coloca energia e frequência nessa versão consciente para se tornar realidade física. Eu sabia que existia uma versão minha rica, feliz, próspera, e todos os dias eu a sintonizava, vibrava na gratidão de viver essa experiência, como se já fosse minha realidade atual. Assim fui pensando nos caminhos para materializar essa projeção, pois, no pensamento, eu começava a me conectar, entrar em ressonância vibrátil com essa versão ideal e perfeita, já próspera, amada e feliz.

Existe uma versão sua do futuro vivendo a vida que você sonha, assim como uma versão vivendo uma realidade inferior.

Quando criamos esse fio invisível que liga o pensamento, ou seja, a consciência à projeção do desejo, que também chamo de holográfica (antes de aprender física eu a chamava de alma, como se fosse um outro eu, analisando as infinitas possibilidades em minha vida), a energia começa a sintonizar atores para viver essa realidade, você começa a mudar, se transformar e novas formas de pensamentos holográficos que estão fora do espaço-tempo começam a ser experienciadas de forma real em sua vida.

Novas conexões neurais são formadas, novas moléculas de emoções são criadas, há uma alteração na química cerebral e todo o corpo acompanha esses novos pensamentos, que deverão ser mantidos em ordem, totalmente fora do caos, em frequências harmônicas, porque o eu do futuro está em harmonia.

Você precisa vibrar na mesma frequência energética para sintonizar a experiência que deseja viver.

Em resumo, pensamentos, sentimentos e nossa assinatura energética são ondas eletromagnéticas e vibram em realidades paralelas. A vibração marcada pela sua Frequência Vibracional® entra em ressonância com versões do seu eu, que já está vivendo aqui. A experiência por meio da ação torna este Universo realidade na sua experiência física. Essa Projeção Holográfica® ou intenção está incluindo em seu campo vibracional a energia do pedido, seja positivo ou negativo, que já existe em superposição.

Pensar repetidamente sobre o que quer é desnecessário, porque você pode ter turbilhões de pensamentos diferentes, mas, se você já tivesse conquistado esse objetivo, não iria apenas agradecer com todo amor? Então, abordamos novamente a emoção harmônica, que é a frequência codificada pelo Universo. Portanto, seja grato, como se seu objetivo já fosse concretizado, viva como se já fosse, mantenha o mesmo pensamento até a polaridade mudar, no mínimo por 21 dias (ideal 90 dias - ver p. 150), alinhando sentimento com o seu Eu Quântico do Futuro.

Tudo está em superposição quântica aguardando por sua escolha para mudar definitivamente sua vida. Ao determinar um novo caminho como aprendeu nos capítulos anteriores, podendo escolher o da escassez ou o da prosperidade, as possibilidades são infinitas.

Imagino que muitas fichas estejam caindo, e agora você sabe que não é mais vítima, está se tornando cocriador de sua vida. Esse novo desejo, motivado pela sua frequência natural de cocriador, vai gerar a emoção necessária no campo eletromagnético do seu coração para mudar o panorama da sua existência, transmutar e limpar todo o lixo tóxico, os demônios, as sombras e tudo de negativo que carrega dentro de você, sua vida será transformada. Sem essa desprogramação, você pode não alcançar seu sonho. No entanto, o que posso afirmar é que, ao limpar toda essa sujeira e acessar a frequência natural, sua vida nunca mais será a mesma.

É fato que a Técnica Hertz® é extremamente poderosa e revolucionária, ela é o entrelaçamento quântico das mais poderosas técnicas de terapia energética e vibracionais da atualidade.

A Técnica Hertz® atua na reprogramação imediata da Frequência Vibracional®, em nível celular, biológico e de DNA. Ela tem o poder de apagar, cancelar memórias, desbloquear, limpar, desintoxicar, desprogramar, programar, reprogramar e aumentar a Frequência Vibracional® em total conexão com a fonte Eu Sou – Universo, que é a conexão das mentes superior e cósmica.

Os exercícios que você vai experienciar e repetir por 21 dias têm como base a ciência da manifestação, a física quântica, a neurociência, as leis universais e a espiritualidade, uma verdadeira transmutação, pois nada se destrói, tudo se transforma. Portanto, serão eliminados cirurgicamente e com precisão quântica crenças negativas, traumas e agentes limitadores, feridas emocionais, bloqueios, inseguranças, medos armazenados no inconsciente – é um verdadeiro processo de transformação humana e biológica na memória celular de todas essas emoções que nos bloqueiam e não nos permitem criar a vida dos sonhos nem a prosperidade que tanto desejamos.

A mudança se inicia do micro para o macro, de dentro para fora. A repetição cria uma nova rede neural, apaga os neurotransmissores que mantêm a química negativa no cérebro e permite acessar e transformar padrões e crenças negativas registrados em seu DNA, tornando-os positivos. Com isso, liberam-se os bloqueios e limitações nos níveis mental, espiritual, emocional e físico, que impedem a cocriação da realidade milionária e abundante em todos os pilares. Ou seja, abundância de amor, de alegria, de saúde, de família, de paz, de dinheiro.

A Técnica Hertz® o promove a protagonista. E o próximo nível, ao aceitar seu verdadeiro papel, é despertar para uma nova realidade, assumindo a direção da narrativa da sua vida. A partir deste momento, você é o diretor e passa a escolher os atores que deseja em sua vida, como é o caso da alma gêmea.

Para chegar até aqui, precisei passar por um longo período de cura em minha alma. E somente quando entendi que precisaria reencontrar minha alma e me tornar a pessoa que gostaria de ter ao meu lado, consegui abrir espaço para a chegada da minha alma gêmea.

A regra é simples, esvaziar a mente, acalmar para abrir o vácuo. Isso significa, aquietar a bagunça metal. Por isso, o ciclo da frequência cerebral será determinante para atingir resultados rápidos. É exatamente como a lei do vazio funciona. Se você tem o hábito de guardar lixo emocional, lembranças, presentes, mensagens de WhatsApp, vídeos, fotos e objetos inúteis acreditando que um dia (não se sabe quando) poderá precisar deles, saiba que está tumultuando sua mente e impedindo que novas possibilidades surjam em sua vida. Você precisa liberar espaço para o NOVO entrar.

Você tem o hábito de guardar dinheiro por medo de que possa fazer falta no futuro? Se o seu objetivo é ganhar mais dinheiro para adquirir o que deseja, está declarando ao Universo que vai faltar, então a frequência será de falta, e não de abundância. Se você decidir guardar dinheiro para comprar um imóvel, use um comando mental afirmando a si mesmo, todos os dias, que está guardando, investindo esse dinheiro, e que o objetivo é comprar a casa dos sonhos. Feito isso, você muda de frequência com um simples comando mental. Outro exemplo: quem ganha dinheiro pode perder, então troque essa colocação por: "Eu faço dinheiro". Quem faz o faz sempre. Esses comandos propiciam um modo mais eficaz de trabalhar com sua mente mestra.

Você tem o hábito de guardar roupas, sapatos, móveis, utensílios domésticos e outros objetos que não usa há um bom tempo? E dentro de você? Costuma guardar sentimentos como ódio, injustiça, vingança, ciúmes, mágoas, ressentimentos, raiva, medos? Carregado de emoções de falência financeira e afetiva, você entrará em estado de morte emocional e, consequentemente, total fracasso, porque essas emoções adoecem a alma e não permitem criar nada, até que seja forçado a se curar. Essa vibração pesada dificulta tudo. Portanto, não faça isso! É contrário à prosperidade.

Para liberar espaço para o novo, é preciso limpar, limpar, limpar. Limpar a casa significa esvaziar. É necessário esvaziar para o novo entrar, desconstruir para construir. Assim, a prosperidade só pode ser criada onde houver uma semente de abundância plantada na Matriz Holográfica® da mente. E ela precisa ser regada e adubada todos os dias. Regada com a água do amor. Adubada com abundância e alegria. Você precisa se sentir abundante, ser grato, alegre e viver com amor. Insira esses sentimentos como prática diária em sua vida, para que você possa criar o "adubo" com a Frequência Vibracional® necessária para que seus sonhos cresçam e se desenvolvam.

Elimine tudo o que é inútil, libere espaço para a prosperidade entrar. Se o sentimento de pobreza não serve mais, elimine. Se culpa não serve mais, pense no que você pode plantar no lugar. Qual é a polaridade contrária? Segurança, capacidade, confiança. Mude a polaridade dos sentimentos e siga em direção aos seus sonhos, não pare. Continue limpando. Mesmo que você ache que já não tem forças para caminhar, vá rastejando, mas não pare. Eu disse e repito, é matemática. Não falha nunca.

E quanto tempo vou ter de aguentar, Elainne? De quanto tempo você precisa para perdoar? Para mudar suas crenças de vitimização para crenças positivas e fortalecedoras? Responda você! E como mudar isso? Comece alterando o que você fala. Chega de "Não consigo", "Não tenho forças". Mude as frases: "Eu consigo fazer isso! Eu posso! É fácil!". Se outra pessoa no mundo conseguiu, por que você não poderia?

Então, a partir de agora repita enfaticamente: "Sou filho do Criador, sou cocriador da minha vida e determino que somente coisas boas, magníficas, acontecem em minha vida". Essa era a minha frase. Não importava o que acontecesse. Eu repetia isso mil vezes ao dia. Saturei meu cérebro pela repetição, dizendo: "Eu sou incrível", "Eu sou o sucesso", "Eu sou amada", "Eu sou reconhecida", "Eu sou merecedora".

Nessa retomada de consciência, eu sabia que tudo que acontecesse sempre seria pelo meu melhor. Tudo existia por alguma providência divina, um motivo maior. Talvez naquele momento eu não entendesse, nem concordasse, mas sabia que era, sim, para o meu bem. Por exemplo: você está em um relacionamento e foi traído, abandonado, trocado. Porém, seu ego ferido insiste em querer aquele relacionamento. Você está sendo humilhado pela situação, mas permanece querendo resgatar algo que já está perdido. Isso é negativo. Seu ego se movimenta por sentimentos de rejeição, baixa autoestima, insegurança, abandono. E você vai morrendo um pouco a cada dia, consumido pela tristeza, pela vitimização, não permitindo que nada de bom e novo entre em sua vida.

Foi isso que eu fiz. Passei cinco anos em negação. Não queria aceitar a rejeição, não entendia por que tanto sofrimento. Nem em Deus acreditava mais. Como poderia existir um Deus que me permitisse passar por tanta dor? Não, em minha mente, ele não existia. Até que, com a física quântica e a Técnica Hertz®, consegui resgatar minha conexão com o Criador e compreender tudo. Entendi que aquela Elainne, infeliz, rejeitada, desequilibrada, fazia parte de um padrão que eu mesma havia criado, desde a infância, quando achava que minha irmã era a preferida e que eu não recebia amor. Por isso, associava amor a piedade. Eu só poderia ser amada por pessoas que tivessem pena de mim. E nesse padrão me tornava vítima de tudo e de todos, eu me diminuía, era miserável.

Estou contando tudo isso para que entenda que eu NÃO POSSO TER O QUE EU NÃO SOU. Tudo o que está dentro de você reverbera no externo. Meu ego queria que o mundo sentisse pena de mim para que eu me sentisse amada, respeitada, cuidada. Eu jamais deixaria de ser vítima e continuaria recebendo o contrário do que queria se não quebrasse aquele padrão. Então, iniciei meu processo de cura, que começou pela alma. Silenciando, esvaziando, limpando. Assim nasceu a Técnica Hertz®, e, quanto mais eu aplicava, mais forte me sentia. Porque a força desse vazio libera espaço ao divino, ao amor, para me tornar tudo que sempre desejei.

CIRCULAÇÃO ESSENCIAL

Enquanto você estiver material ou emocionalmente carregado de coisas velhas e inúteis, não haverá espaço aberto para novas oportunidades. Os bens precisam circular. Dinheiro precisa circular. Precisa promover a prosperidade para todos que estão ao seu redor. Se não for dessa forma, ele não chega a suas mãos. Portanto, limpe o lixo, os baús, os museus que você guarda, seja em pensamentos, lembranças ou em sua casa. Tudo tem frequência, que possui uma informação de dor ou prazer, emitida por você.

Limpe as gavetas, os guarda-roupas, o quartinho dos fundos, a garagem. Doe o que não usa mais, não apenas o que não serve. Essa energia não cria riqueza. Desapegue, não somente do que não quer mais, mas do que você gosta e está parado. Com dinheiro é a mesma coisa. É fácil doar aquelas moedinhas que estavam jogadas no carro. Você nem percebeu o que fez, porque não vibrou. Se você pegar uma nota de cinquenta reais e doar a quem precisa mais que você, vai realmente sentir a verdadeira emoção de ajudar, vai se sentir milionário. É aqui, nessa emoção, que quero que você vibre. Não é pelo valor, é o sentimento. É saber que está ajudando o mundo de alguma forma e deixar aquela emoção de grandeza circular por suas células.

Não são os objetos guardados que bloqueiam sua vida, mas o significado da atitude de guardar. O sentimento de medo, de escassez, de falta. É essa a mensagem que você está enviando ao Universo. Guardo para não faltar. Guardo porque não acredito que posso ter mais, que amanhã pode ser diferente. Desfaça-se do que perdeu a cor e o brilho, abrindo espaço para o novo entrar em sua casa, em sua vida e dentro de você.

Para mudar seu mundo, é preciso alterar a visão de como ele funciona. Cuidado com seus julgamentos, expectativas e interpretações, que, muitas vezes, não passam de ideias que foram programadas em você, no inconsciente. Conforme o neurocientista Joe Dispenza afirma, em sua obra *Como criar um novo eu**, que, se quisermos alterar nossa realidade, será preciso criar novas formas de pensar, sentir e agir. Criar um novo estado mental ou novo estado de ser, nossa diferenciação, porque mudar a vida significa mudar a energia, a mente e as emoções. Use imaginação e criatividade para projetar seu novo EU.

É crucial entender que não é o Universo quem define nossa vida, mas é a nossa vida que define o Universo. A sua frequência determina a sua vida. Tudo que está ao seu redor foi criado por você, mesmo inconscientemente. Pelo medo, pelas dúvidas, pela insegurança. Esquecendo-se das máximas: ser para ter. Crer para ver. Tudo começa de dentro para fora.

Tudo o que está ao nosso redor é "patrocinado", cocriado apenas por nós mesmos. Os outros são atores, sendo criados para validar nossas crenças. Se você teve um sócio que o enganou, quem serão seus novos sócios? Se você foi traído, qual seu único medo? São todos atores validando nossas crenças, nossos medos. No meu caso, eu queria ser amada, mas tinha medo de ser rejeitada, abandonada. Desequilibrada, vivi um relacionamento doente, desequilibrado, de rejeição, abandono, tristeza, desamor. No entanto, quem não se amava? Quem se rejeitava? Quem tinha medo de rejeição? Eu, sempre eu!

Tudo começa e termina em mim, assim como em você. E eu também era a atriz perfeita para a vida da pessoa com quem me relacionava. Assim, entramos em ressonância vibracional com nossos atores para validar e experienciar aquilo que está vibrando dentro de nós. Quando achei que estava saindo daquela morte

---

* DISPENZA, Joe. *Como criar um novo eu*. São Paulo: Lua de Papel, 2014.

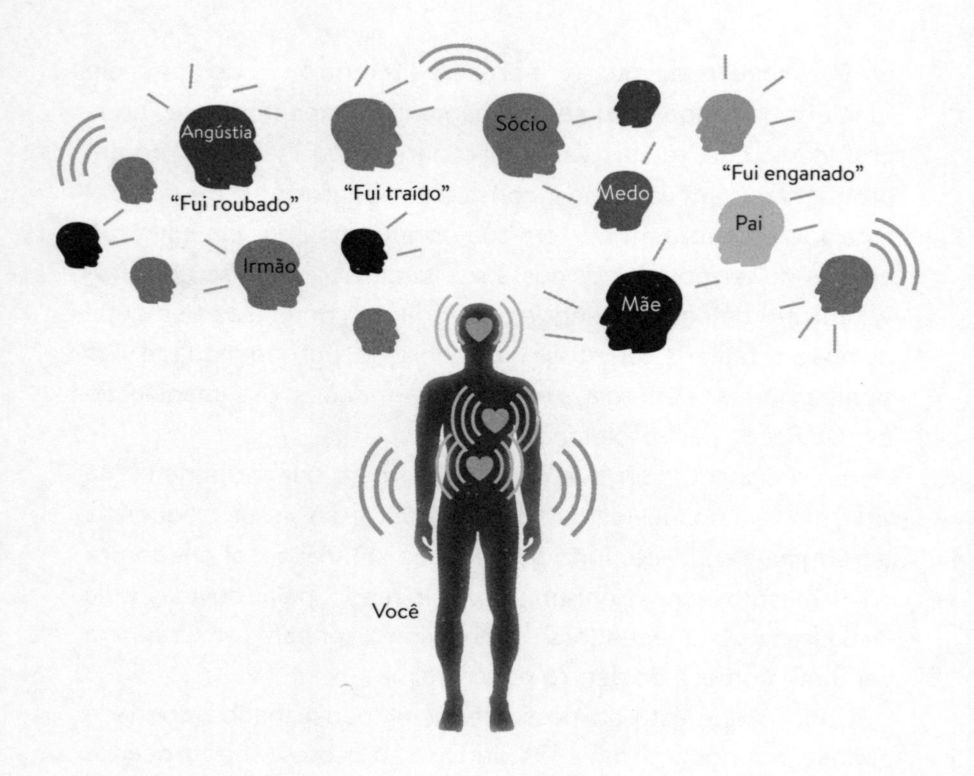

em vida, uma parte ainda era desconhecida por mim. Eu ainda não sabia que era única no Universo.

Para o Universo, cada ser é único em seu campo eletromagnético. Assim, se você deseja que o outro perca tudo, quem ficará sem nada? Você! Sim! Se você deseja o mal ao outro, é isso que vai receber. Porque, eletricamente, você emanou, e, magneticamente, seu desejo foi atendido. O Universo fala a língua da frequência. Portanto, você cocriou aquilo para "pagar pela língua", como diz o ditado popular.

Agora pense, o que acontece se você desejar amor ao mundo, gratidão a todos os atores que o ajudaram a ser quem é? Se pudesse sentir o mais profundo amor dentro de você, pela pessoa que o enganou, o traiu, para quem volta? Sim, para você. Volta mais amor, mais sucesso, mais dinheiro, mais energia de riqueza. Mas ele odeia você e lhe faz mal. Para quem volta? Para ele. Se a sua frequência se mantiver elevada, nada atinge você. Esse é o campo que criamos na frequência hertz, através da meditação holográfica.

Na meditação, alteramos a estrutura molecular e atômica dos fatos. Alteramos a realidade, porque aquela energia que você estava colocando ali não está mais sendo emitida. Você passa a emanar abundância e prosperidade. Como aconteceu comigo, após aquela profunda limpeza e mudança de *mindset*. Do contrário, acessando memórias negativas do passado, vai criar eventos similares no futuro, repetindo o mesmo padrão de relacionamentos, empregos, fracassos.

O Universo é neutro, não tem vontades. A vontade vem única e exclusivamente de você, de suas crenças, virtudes e ações. Uma vez que o ser humano assimilar que a "matéria" surge de dentro da consciência para fora (e não de fora para dentro – matéria criando consciência), a sua percepção de vida será, definitivamente, modificada. Entenderemos, afinal, que somos cocriadores, que todas as experiências que vivemos não acontecem porque "precisamos vivê-las", como um castigo ou algo semelhante, porque "o destino quis assim", ou porque "a vida é assim mesmo". Não! Tudo que vivemos é uma escolha, seja boa ou ruim.

As pessoas de seu convívio vão responder como um espelho. O mundo em que você vive é o espelho de seu mundo interior. Somos criadores de realidades e podemos transformar nossas experiências. Toda ação gera uma reação. Essa é a lei da causa e efeito, tão líquida e certa como a lei da gravidade. Com isso, você consegue assumir total responsabilidade pelo que acontece em sua vida. É quando você acessa a sua alegria verdadeira e sente vontade de viver para valer e de compartilhar. Despertar a frequência da alegria muda tudo. Somos quânticos.

Eu entendi que a consciência é a forma como percebemos o mundo, nossos pensamentos, julgamentos, intenções e tudo que está ao nosso redor. Que somos receptores, rodeados por frequências, mas só podemos acessar aquelas que estão em ressonância com o que emitimos. O observador cria sua realidade, por isso estamos pessoalmente envolvidos com a criação da nossa própria realidade, mas em uma mente coletiva, o inconsciente coletivo. E isso é atestado pela ciência.

> "Nós somos o que pensamos, tudo o que somos surge com nossos pensamentos, com nossos pensamentos fazemos o mundo."
> **Buda**

> "De modo geral, embora existam algumas diferenças, acho que a filosofia budista e a mecânica quântica podem apertar as mãos sobre a sua visão do mundo. Podemos ver nestes grandes exemplos os frutos do pensamento humano."
> **Dalai Lama**

> "Nenhum problema pode ser resolvido a partir do mesmo nível de consciência que o criou."
> **Desconhecido**

> "Em verdade vos digo que aquele que crê em mim fará também as obras que eu faço, e outras maiores fará..."
> **João, 14:12**

Temos poderes inatos, o poder de manifestação, de viver nossos sonhos, e o que nos diferencia de todos os seres é a consciência. Em outras palavras, Jesus deixou claro que todos os seres humanos conectados com a divina fonte criadora do Universo, sem nenhuma exceção, são dotados da mesma capacidade que ele possui, de trazer à existência o que aparentemente não existe. Uma árvore não tem esse poder. Um cachorro não pode pilotar uma Ferrari.

Meu foco aqui é fazer com que você perceba sua real consciência. A partir de agora, quando uma nova informação surgir, absorva-a de maneira diferente e, como resultado, sua mente se abrirá para as infinitas possibilidades, nunca antes acessadas. Nesse caso, a realidade muda, e você começa a manifestar uma nova experiência, olhando o mundo com amplitude, atingindo sonhos e metas com facilidade, e a cura se torna uma realidade, espalhando a saúde nas redes da vida. Ensinamentos como a cocriação da realidade começam quando estamos observando o mundo exterior através do nosso mundo interno. Isso quer dizer que a realidade só existe se a mudança começar por dentro.

> "Seja a mudança que você quer ver no mundo."
> **Mahatma Gandhi**

A chave do sucesso é despertar a sua própria energia, pois isso atrairá as pessoas até você. Os seus rendimentos crescem à medida que você cresce. O seu mundo interior cria o seu mundo exterior. Todos nós temos um plano financeiro e de sucesso inscrito no subconsciente. A sua programação passada gera o condicionamento que determina todos os seus pensamentos. Essa energia aloca oportunidades, acontecimentos, pessoas e situações que ajudam a alcançar o sucesso almejado. É importante considerar que cada ser humano tem uma leitura de mundo única e, por esse motivo, precisa ser tratado de maneira particular.

As vivências do passado, principalmente os acontecimentos da infância, entre 0 e 7 anos, são responsáveis pela cocriação da maioria de nossos comportamentos atuais e das nossas crenças, determinando o que somos como adultos e uma trajetória que pode ser de sucesso ou fracasso.

CONVITE EVOLUTIVO

A técnica não apresenta efeitos colaterais e só vai melhorar sua vida. Vamos criar juntos uma energia quântica, por meio da abordagem holo-sistêmica, trazendo mudança generativa, biológica e sistêmica a todos a sua volta. Com a prática, enfatizamos a sensação somática, usando corpo, mente e alma para uma experiência vibracional e quântica. Vamos trazer para o plano físico, porque é nele que acontece a mudança. Então, você aprenderá, por meio dessa experiência, a equilibrar-se emocionalmente, programando seu futuro e reprogramando as memórias armazenadas no inconsciente. Aprenderá a trabalhar um fato passado, presente ou futuro, desbloqueando ansiedade, traumas ou qualquer outro tipo de emoção nociva relacionada ao fato.

EXPERIÊNCIA QUÂNTICA

Transformamos medo em confiança, logo transmutamos o sentimento de escassez em prosperidade. A frequência do amor é vivenciada e experimentada na prática, quando aplicamos essa técnica, que reúne comandos quânticos e terapia de alinhamento energético. Essas ativações energéticas agem diretamente no núcleo das células, por meio da emissão de pensamentos, sentimentos e de energia pessoal.

Com isso, alteram-se as informações negativas gravadas no DNA, transformando em novos pacotes de dados – quanta positivos de informação –, gerando significativas mudanças de padrões e crenças antigas. Essas crenças são átomos, memória celular negativa, energia condensada com informação que, um dia, você acreditou como verdade.

Quando criei esse método, pensei de modo conjunto e sistêmico. Ou seja, para alcançar a excelência e atingir os melhores resultados possíveis, reuni nesse modelo outras ferramentas terapêuticas. Posso dizer que a Técnica Hertz® é uma amálgama de inúmeros componentes comprovados cientificamente e com resultados práticos.

TÉCNICA HERTZ®
REPROGRAMAÇÃO DA FREQUÊNCIA VIBRACIONAL®

(Baixe o QR code da p. 5 deste livro e pratique a técnica)

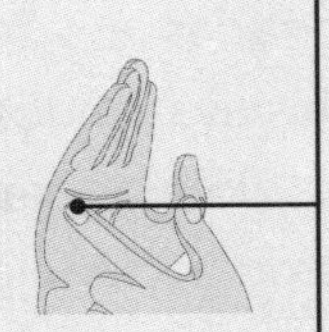

Tapping de programação

Fonte Criadora, Criador de tudo que é
Divino Criador limpa em mim (medo, raiva, emoção que quer eliminar)
Cancelado, cancelado, cancelado. TRANSFORMA (entrar em campo ponto zero)

Fonte Criadora, Criador de tudo que é
Divino Criador. Eu Sou (amor, prosperidade, emoção/solução desejada)
Está feito, está feito, está feito. INTEGRA (entrar em campo ponto zero)

Presença Divino Pai, Filho, Espírito, Eu Sou
EU SOU GRATO, GRATO (amor, prosperidade, emoção/solução desejada)
Está feito, está feito, está feito (entrar em campo ponto zero)

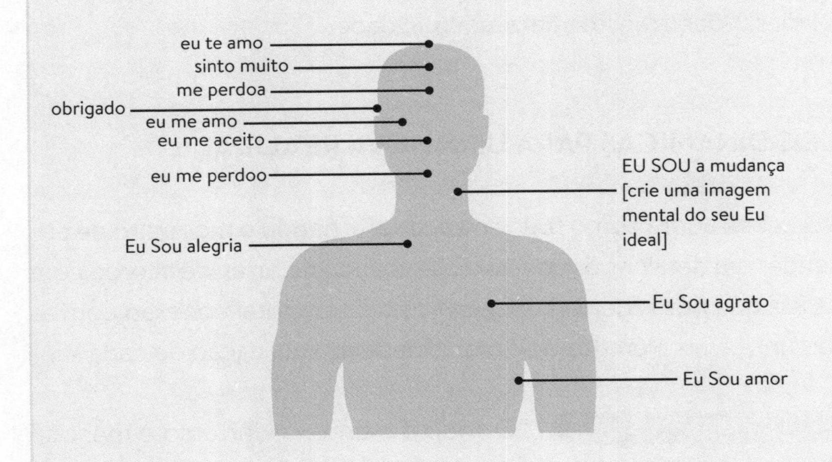

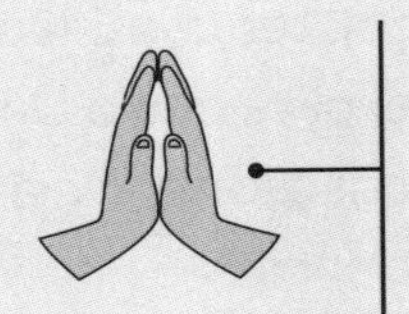

Eu Sou a paz
Eu Sou a iluminação
Eu Sou o Eu Sou (entrar em campo de ponto zero)

Tapping Finalização
EU SOU ATIVAR
Poderoso Decreto de luz.

A técnica é a mescla poderosa do que há de mais eficiente na ciência moderna, na medicina vibracional e nos tratamentos de DNA de cura quântica. Nela são aplicados métodos relacionados à psicoterapia quântica, à medicina vibracional, ao poder do Eu Sou, aos códigos Grabovoi, à Projeção Holográfica®, às afirmações quânticas, ao ponto zero, ao DNA Healing®, aos comandos quânticos, ao DNA cura quântica, aos registros akáshicos, ao EFT (uma espécie de acupuntura energética), ao Ho'oponopono, à hipnose, ao Thetahealing® e a outras técnicas energéticas.

De fato, a Técnica Hertz® traz a simbiose dos mais avançados tratamentos terapêuticos vibracionais e energéticos do planeta. Por isso, os resultados são impressionantes, e mesmo a ciência convencional começa a se render a essa prática revolucionária da nova era clínica. Só para reforçar, as técnicas apresentadas no livro são de autoaplicação, não devem ser aplicadas em outras pessoas.

Veja a seguir a explicação da técnica e pratique nos próximos 21 dias. Você transformará sua realidade.

LEIS DINÂMICAS PARA UMA NOVA REALIDADE

Percebeu agora como tudo se encaixa? Chegou o momento de entender em detalhes o processo que acabou de fazer, de acordo com as leis que nos regem. A Técnica Hertz® tem total conexão com as leis universais. Perceba a sincronicidade na explicação de cada lei.

LEI DO MENTALISMO "O Todo é mente, o Universo é mental." Ao passar pela prática e pela experiência da Técnica Hertz®, você precisou criar um pensamento, uma imagem, ter consciência de que é capaz de criar o que quiser. Essa Lei explica que o Universo é uma criação mental do Todo. Qualquer criação se inicia como uma ideia na mente divina que veio à consciência.

LEI DA CORRESPONDÊNCIA "O que está em cima é como o que está embaixo, e o que está embaixo é como o que está em cima." Isso significa que seu sonho já existe, em um Universo paralelo, os famosos "multiversos". O que está no seu pensamento, nesse holograma, é igual ao que você materializa na sua realidade. É como se tivesse uma não localidade, um Universo não local. E nessa não localidade tudo é igual ao que estamos vivendo aqui. Se esse sonho já existe em outro plano, você precisa sintonizar essa versão para materializar e experienciar na sua vida, neste momento. Por isso, é necessário crer para ver. Por exemplo, existe uma Elainne que é palestrante de sucesso em outro Universo. Se existe uma versão minha vivendo isso, como posso acessar essa frequência para vivê-la no agora? Pense em como ela poderia se sentir agora. Orgulhosa, realizada, feliz, sorrindo... é isso que você precisa fazer. Viva como se fosse realidade agora.

LEI DA VIBRAÇÃO "Nada está parado, tudo se movimenta, tudo vibra." Tudo está vibrando, tudo é feito de átomos, e átomos são energia. Portanto, tudo é energia e informação. Que tipo de informação você tem enviado ao Universo? Como está sua frequência, sua energia? Pense nisso, pois tudo é apenas onda, energia e consciência.

LEI DA POLARIDADE "Tudo é duplo; tudo tem polos; tudo tem seu oposto; o igual e o desigual são a mesma coisa; os opostos são idênticos em natureza, mas diferentes em graus; extremos se tocam; todas as verdades são meias verdades; todos os paradoxos podem ser reconciliados." Pobreza ou riqueza, saúde ou doença, amor ou ódio, sucesso ou fracasso. Você escolhe! A realidade depende do seu observador, e tudo o que existe acontece de acordo com o reflexo dos seus valores internos. O que é certo para mim talvez não seja pra você, e vice-versa. Tudo é dual!

LEI DO RITMO "Tudo flui, para fora e para dentro; tudo tem suas marés; todas as coisas se levantam e caem; a oscilação do pêndulo se manifesta em tudo; a medida da oscilação à direita é a medida da oscilação à esquerda; o ritmo compensa." Tudo está em movimento, o mundo é movimento. Fatidicamente, sua realidade também vai mudar. Tudo está mudando o tempo todo. Dinheiro só muda de bolso.

LEI DA CAUSA E EFEITO "Toda causa tem seu efeito, todo efeito tem sua causa; tudo acontece de acordo com a lei; o acaso é simplesmente o nome dado a uma lei desconhecida." Há muitos planos de causalidade, porém nada escapa à lei da semeadura, à lei dos semelhantes. O efeito na sua vida só pode ser aquilo que a causa vibrar. Se plantar batata vai colher batata. Então, se plantar prosperidade, mesmo na escassez, vai colher prosperidade, pois toda causa tem efeito, igual apenas atrai igual.

LEI DO GÊNERO "O gênero está em tudo; tudo tem seu princípio masculino e o seu princípio feminino; o gênero se manifesta em todos os planos da existência." A energia masculina e a feminina são importantes para a cocriação, pois em todas as coisas existe uma energia receptiva feminina e uma energia projetiva masculina. Mente consciente é o masculino racional, e feminino é o inconsciente emocional.

Cocrie a prosperidade que deseja!
Entre em fase com a abundância

Antes de qualquer coisa, quero explicar o que significa abundância. Não é algo que adquirimos, mas algo que sintonizamos. Abundância é um estado de ser, é o estado em que você sente que tem tudo de que precisa. É um sentimento ativo, uma emoção.

A abundância está em seu humor vibracional, em suas emoções cotidianas, é parte da integridade entre mente, corpo e espírito.

E o que é a pobreza? Ela também é um estado de ser. É o estado de não ter o que você quer e de resistência a obter o que deseja. É um sentimento ativo, uma emoção. A pobreza está no humor vibracional, nas emoções cotidianas. É parte da integridade entre mente, corpo e espírito.

Riqueza e pobreza são estados de ser. Elas estão em nossas crenças, pensamentos e emoções. É por isso que há algumas pessoas que não têm muitos bens materiais e são felizes porque têm abundância em sua vida, elas acreditam e sentem que têm tudo o que querem; por outro lado, podemos ver algumas pessoas que têm muitos bens materiais, mas reclamam o tempo todo porque não têm o suficiente. Tais pessoas não têm abundância em suas vidas, apesar de ter todos os bens materiais que desejam.

O que você está criando diariamente? Se você está reclamando sobre a falta de dinheiro e dizendo a si e aos outros que é muito difícil ter dinheiro ou que o dinheiro é um problema, esses sentimentos estão bloqueando a abundância e criando mais pobreza.

Você pode criar o que quiser. O que você quer criar, pobreza ou riqueza? Somos cocriadores da nossa realidade. A abundância é uma emoção, a emoção de ter tudo o que se quer, não importam as circunstâncias.

Talvez você pense que é fácil falar, mas é muito difícil quando as dívidas são muitas e não há dinheiro para pagar as contas. Dessa forma você está criando mais pobreza e só piora sua situação.

Se você quiser criar abundância em sua vida, a maneira mais fácil é começar mudando suas palavras. As palavras criam pensamentos. Palavras repetidas transformam-se em crenças, e crenças criam sentimentos; você pode mudar esses sentimentos transformando-os em emoções, e suas emoções são o seu campo vibracional. Saiba, para começar, que você merece só coisas boas, só o melhor da vida. A abundância está esperando, você precisa apenas estar na mesma vibração.

DICAS PRECIOSAS PARA PERMITIR A ABUNDÂNCIA

Repita e pratique afirmações positivas: "Eu mereço apenas coisas boas. Eu sou abundância. Cada célula do meu corpo, mente e espírito está cheia de abundância. Estou aberto(a) para receber o dinheiro na minha vida. O dinheiro vem a mim de maneiras diferentes".

Seja grato por tudo o que possui; não reclame jamais sobre as coisas que não tem ou que perdeu. Gratidão abre portas para o que você está pedindo e o faz se sentir digno. Repita: "Graças a Deus por tudo o que tenho e pelas coisas maravilhosas que estão vindo para mim". Não vá dormir sem agradecer por pelo menos cinco coisas boas que lhe aconteceram durante o dia.

Corrija ou modifique suas crenças sobre o dinheiro e permita a abundância em sua vida. O Universo é cheio de abundância e está esperando para lhe conceder o que é seu. É preciso esforço e muita prática para transformar a pobreza em abundância, mas vale a pena porque é o que você merece.

Deepak Chopra sugere a prática diária do silêncio para acessar a abundância interior, o campo da não localidade no movimento de cocriação da riqueza. A sugestão faz todo o sentido ao associarmos os princípios da física quântica e da neurociência. Quando você medita e anula os pensamentos contrários e conflituosos, a frequência harmônica, como veremos no próximo capítulo, entra em fase com a mesma sintonia de vibração nula do vácuo quântico. Ou seja, em ressonância vibracional com a fonte da criação, Deus, uma conexão de maneira direta e onipresente com o Todo.

Corrija ou modifique suas crenças sobre o dinheiro e permita a abundância em sua vida.

LIMPEZA DE MEMÓRIAS GENÉTICAS

Com a Técnica Hertz®, você consegue limpar não somente crenças e emoções negativas da infância, bloqueios, rejeições, abandonos, agressividade, vergonha, culpa, medo, abuso, mas também memórias que estão na alma, no pré-consciente, referentes ao estágio anterior ao nascimento. Ou seja, tudo que você traz no DNA pode ser reprogramado quando se toma consciência.

Você pode modificar até mesmo as heranças genéticas, inseridas no seu campo morfogenético.

O que você trouxe no DNA, de vidas passadas, para quem acredita em reencarnação, também pode ser modificado.

Essas memórias vêm do que você traz no pré-consciente. Talvez tenham sido ativadas e estejam impregnadas no seu inconsciente, programadas no seu DNA e precisam ser desfragmentadas para que você alcance a abundância.

ORIGEM PERFEITA

Você é e tem um DNA limpo, porém essas memórias pré-conscientes mostram algo mais. A pré-consciência é a origem da vida, existente desde antes de sua concepção. Quando você nasce, o seu DNA está zerado? Não. Exatamente porque você traz como registro em seu DNA a consciência de seus pais. Todas as emoções e sentimentos vivenciados por eles ficam gravados em sua alma, gerando uma programação que será projetada para o corpo e a consciência. Porém, serão apenas potenciais geradores de sentimentos, pois poderão ser alterados no decorrer da vida.

É por isso que você nasceu na sua família específica. Em minha história, Arthur, meu filho, sofre um grande processo de rejeição. Já Laura, minha filha, não tem. Se eu estiver viajando, ligar para casa e não falar com o Arthur, ele vai pensar: a mãe não me ama. Mas se eu ligar e não falar com a Laura, ela nem vai perceber. Não vai dar atenção alguma para o fato. Qual é a diferença entre eles? É o DNA. O Arthur foi rejeitado. Além de ter sido rejeitado, ele traz memórias de vidas passadas. Talvez, de outras vidas em que isso também tenha acontecido com ele. É por isso que eu sou a mãe dele. É por isso que ele me escolheu. Para que essa cura pudesse ser feita. Então, ele é o filho perfeito.

Aparentemente, tudo ainda está gravado no pré-consciente do Arthur. Ou seja, todas as pré-disposições, a bagagem que trazemos de vidas passadas no DNA. E, quando tomamos consciência disso, podemos nos reprogramar. Se trouxermos de vidas passadas um pensamento suicida, uma mágoa por não ter sido mãe ou qualquer outra questão de rejeição, abandono e culpa, estaremos pré-dispostos a ativar novamente essas emoções e viver isso nessa existência. Entretanto, quando tomamos consciência, podemos modificar essa programação no DNA.

Como? Palavras, repetições, tudo aquilo que vimos nos capítulos anteriores. Então, diante de tudo isso, como entro no ciclo inicial de limpeza? Como vítima. Qual a frequência de vítima? De desamparo, de vergonha, tristeza, depressão.

Essas emoções estão sintonizadas com problemas, dificuldades e escassez. Tudo porque, no fundo, o que está contido nelas é a falta, o abandono, o sentimento de rejeição. É preciso identificar e limpar essas emoções. Normalmente, quem vibra nessa frequência são pessoas "pesadas", resistentes. Vamos recapitular juntos?

Qual o sentimento que você tem em relação a dinheiro? Falta? Medo? Escassez? E o que você quer em relação a prosperidade? Quer ser próspero, bem-sucedido, ter sucesso. Então, você deve limpar a polaridade negativa, inserindo sucesso e prosperidade no lugar.

Limpe e cancele todos os sentimentos de baixa frequência, alterando sua polaridade com emoções positivas, de alta vibração. A Técnica Hertz® é excelente aliada nesse processo. Faça do seu jeito, não há contraindicações, nem como fazer errado. O importante é não deixar de fazer. Os resultados são psicossomáticos. A cada aplicação, você está mudando a polaridade da mente.

Faça esse decreto:

1. **Presença Consciência Divina de Luz, limpe em mim a escassez que sinto.**
   741 (sete, quatro, um)
   (ponto zero – ausência total de pensamentos)

Está cancelado, cancelado, cancelado.
Limpe todas as barreiras e obstruções que me impedem de realizar meus sonhos. Eu tenho consciência de que posso limpar. Vou afirmar no presente que isso já é uma realidade física, agora, com a consciência divina, consciência de luz, eu sou plena.

2. **Divina consciência de luz, eu sou próspera.**
   Qual é o seu sonho? Eu sou...
   Minha essência de origem, eu sou. Eu sou próspera.
   (ponto zero – ausência total de pensamentos)
   520 (cinco, dois, zero)
   Está feito, está feito, está feito.

3. **Divina consciência de luz, eu sou grata pela prosperidade.**
   10^{-17} (dez elevado a potência menos 17)
   (ponto zero – ausência total de pensamentos)
   É isso, é isso, é isso.
   (ponto zero)

Agradeça, vibre na frequência da gratidão por sua identidade divina já ser uma realidade.

COMANDO 1: limpar a polaridade negativa (escassez, falta, pobreza, culpa, insegurança).
COMANDO 2: polarizar com a frequência positiva (prosperidade, riqueza, confiança, sucesso, paz).
COMANDO 3: agradecer pela identidade divina já ser uma realidade no agora.

Você limpou seu lixo tóxico, as feridas emocionais, desinstalou o programa mental que não servia mais, escolheu o que quer no lugar e instalou a programação consciente da polaridade contrária. E ainda agradeceu pelo ocorrido, como se o seu sonho já fosse realidade agora.

Quando você repete "Eu sou o Eu sou", conecta-se com a fonte. Você pode se conectar com o chacra coronário, que é o da expansão da consciência. Ele o conecta com o "Eu sou", com o Universo, fazendo a integração, o realinhamento do seu eu físico, com o seu eu espiritual.

PRIMEIRO NÍVEL

Esse é o primeiro nível do DNA Milionário: sair da vergonha, que é a frequência de contração. Essa contração não deixa você subir nem criar nada. Você só regride. Pode adoecer, perder o emprego, se separar, os problemas vão aparecer para que você possa despertar. Despertar não é uma escolha, é uma obrigação.

Algo precisa acontecer para reajustar o Universo. O Universo é autoajustável, está se remodelando a todo tempo para que sua condição divina possa ser cumprida.

COMO AUMENTAR O NÍVEL DE VIBRAÇÃO, ACEITAÇÃO E COCRIAÇÃO

Esses são os níveis da cocriação para aumentar o nível de consciência. Para onde estou levando você? Para vibrar em ressonância com o DNA Milionário, que vibra acima de 540 hertz. Você está subindo na Escala Hawkins. Estava na vitimização, na acusação, no ciúme, na vingança. Agora, vai experienciar o primeiro nível de consciência de expansão, a aceitação, vibrando com suas células e átomos no gesto do "eu me amo", "eu me aceito", "eu me perdoo".

Esse é o processo. Aceitar a si mesmo como ser único e perfeito. Amar-se profunda e completamente, do jeito que você é. Acolher sua divindade, conectar-se com seu propósito de vida, escolhido por você. Aceitar toda e qualquer situação dolorosa que tenha passado, compreender como aprendizado necessário

MAPA DA CONSCIÊNCIA®

PODER

FORÇA

Visão de Deus	Visão da Vida	Nível	Frequência	Emoção	Processo
Eu	É	Iluminação	700-1.000	Inefável	Consciência pura
Todo Ser	Perfeito	Paz	600	Êxtase	Iluminação
Alguém	Completo	Alegria	540	Serenidade	Transfiguração
Amar	Benigno	Amor	500	Reverência	Revelação
Sábio	Significado	Razão	400	Entendimento	Abstração
Misericordioso	Harmonioso	Aceitação	350	Perdão	Transcendência
Inspiração	Esperançoso	Boa vontade	310	Otimismo	Intenção
Capaz	Neutralidade	Satisfatório	250	Confiança	Desprendimento
Permissível	Viável	Coragem	200	Afirmação	Fortalecimento
Indiferença	Exigência	Orgulho	175	Desprezo	Presunção
Vingativo	Raiva	Antagônico	150	Ódio	Agressão
Negação	Desapontamento	Desejo	125	Súplica	Escravização
Punitivo	Assustador	Medo	100	Ansiedade	Retirada
Desdenhoso	Trágico	Mágoa	75	Arrependimento	Desânimo
Condenação	Desesperança	Apatia	50	Abdicação	Desespero
Vingativo	Maldade	Culpa	30	Destruição	Acusação
Desprezo	Vergonha	Miserabilidade	20	Humilhação	Eliminação

para despertar sua consciência. Entender que você é 100% responsável por tudo que ocorre em sua vida e está criando circunstâncias positivas ou negativas, porque tudo começa e termina em você. As pessoas que o rodeiam são apenas atores estrategicamente posicionados para ajudá-lo a se curar. O outro é apenas o espelho que reflete o que está dentro de você. Não são as pessoas que o irritam ou incomodam, é você que se incomoda com o mundo.

Quando você se ama, se perdoa e entende que suas ações, em qualquer momento de sua vida, foram baseadas no melhor que você sabia fazer.

Quando você se ama, se perdoa e entende que suas ações, em qualquer momento de sua vida, foram baseadas no melhor que você sabia fazer. Você nutre amor e aceitação, consegue perdoar a quem de alguma forma o feriu, libertando crenças e amarras que travam seu crescimento. Todos operamos no módulo máximo da consciência que temos, nossa melhor capacidade. Tudo depende do seu nível de consciência no momento.

Em minha história, o modelo de educação que conheci era gritar e bater. E aquela Elainne, mesmo doente, batendo e gritando, estava operando no seu melhor. Eu dava o meu melhor. Eu entendia que estava criando filhos incríveis. Não sabia que poderia fazer diferente, porque estava reproduzindo uma cadeia sistêmica de comportamento. Estava repetindo o padrão de comportamento da minha mãe. Ou seja, fui vítima de outras vítimas. Meus pais foram vítimas dos pais deles, e assim por diante. Até o momento em que acordei. Volto ao passado e percebo que não existem culpados, por mais que eu me arrependa, por mais que eu carregue culpa dentro de mim, hoje sei que dei o meu melhor. Hoje eu posso fazer diferente, porque tenho uma nova consciência e adquiri novos conhecimentos.

> Você precisa sentir abundância onde estiver, na condição em que estiver, com aquilo que tem.

A EMOÇÃO QUE COLAPSA RIQUEZA

Você precisa sentir abundância onde estiver, na condição em que estiver, com aquilo que tem. Precisa SENTIR a abundância para ter. Se semelhante atrai semelhante e o igual atrai o igual, você precisa ser próspero. Esse é o paradoxo! Ser grato por tudo o que já possui e compreender que você é abundante do que o dinheiro não pode comprar. Você pode respirar, enquanto muitas pessoas vivem presas a aparelhos de oxigênio, você tem água para beber, enquanto muitos morrem de sede e fome. Sinta-se abundante, mesmo na escassez. Não precisa de uma mudança externa para se sentir abundante. Tudo começa internamente, no lugar onde você está, na condição em que estiver. Silencie! Zere sua mente de qualquer atenção consciente ativada. Anule qualquer pensamento dentro de si, para que possa se fundir à própria energia do Universo.

FÁBRICA DE SONHOS

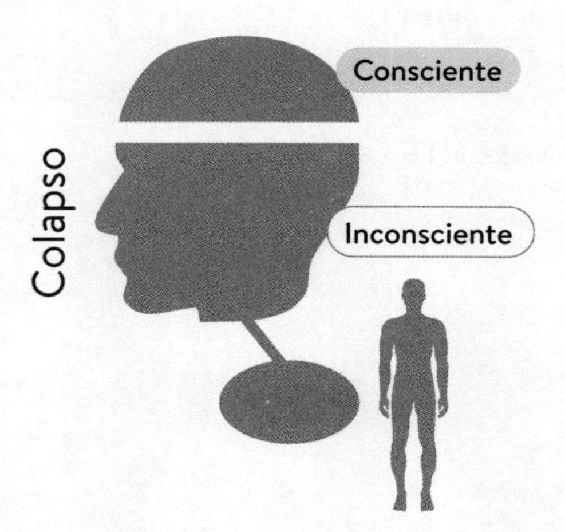

Sua mente funciona como uma máquina, um computador, um aparelho celular ou qualquer equipamento tecnológico. Por isso, você pode desprogramar, reprogramar ou programar as informações contidas em si. Essa é a base dos meus treinamentos e de tudo o que eu ensino sobre manifestar a realidade, traçar os rumos do próprio destino ou arquitetar todos os seus sonhos e mais intensos desejos. E isso vale para a construção de um *mindset* de riqueza, para colapsar a prosperidade ou realinhar o DNA Milionário na direção natural da abundância no Universo.

NOVA ASSINATURA

O que vai alcançar no final dos 21 dias? A nova assinatura vibracional. A prática levará a sua nova assinatura vibracional para o Universo. Ou seja, a sua nova vibração. Ao limpar as emoções, reprogramar e programar a sua mente, você avança, significativamente, na Escala da Consciência Humana, aumentando a frequência. Em pouco tempo, passará de uma frequência baixa para uma potência superior de energia, uma nova assinatura, terá um novo código de barras energético e vibracional, entrando no fluxo de abundância do Universo, em perfeita simbiose com o vácuo quântico e a mente de Deus.

CORAÇÃO VALENTE

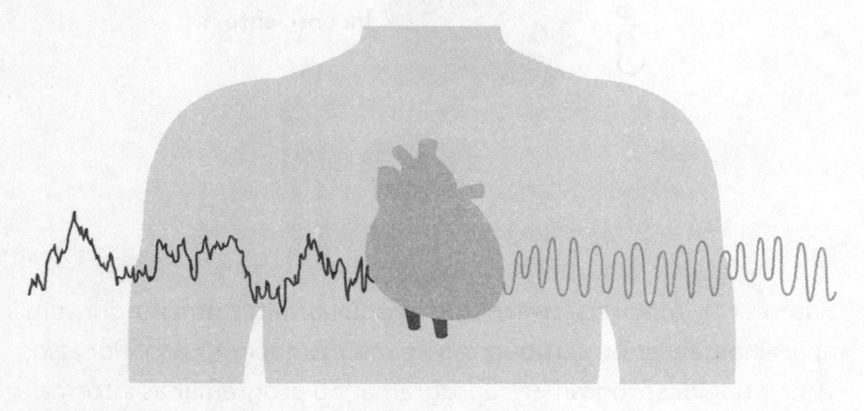

Segundo a neurociência, o campo eletromagnético do coração é cinco mil vezes maior do que o do cérebro. Ele possui quarenta mil neurônios. "Há um cérebro no coração, metaforicamente falando", disse Rollin McCraty, diretor de pesquisa do Instituto HeartMath. "O coração contém neurônios e gânglios que têm a mesma função que as do cérebro, tais como a memória. É um fato anatômico", declarou ainda o cientista norte-americano.

Pesquisas do Instituto HeartMath demonstram que o coração possui um campo eletromagnético que gera 100 vezes mais energia elétrica e cinco mil vezes mais energia magnética do que o cérebro. Isso significa que o coração produz o campo atrator para magnetizar seus desejos de riqueza e prosperidade com muito mais eficiência e força do que o cérebro. Os sentimentos, irradiados pelo coração, são magnéticos, enquanto os pensamentos, direcionados pela mente, pelo cérebro, são elétricos. Coração magnético e cérebro elétrico.

Por isso, a importância do sentir, para vibrar na frequência dos seus sonhos. Isso, mais uma vez, demonstra cientificamente o poder dos seus sentimentos, por meio da energia emanada do coração ao Universo, para manifestar a realidade desejada no campo da prosperidade. Emane aquilo que deseja receber, essa é a lei. Quando falamos em emanar, falamos em sentir com o coração. Querer uma coisa e sentir outra não leva você a lugar algum. Você não deve agir em dualidade.

> Emane aquilo que deseja receber, essa é a lei. Quando falamos em emanar, falamos em sentir com o coração.

ALINHAMENTO DAS TRÊS MENTES

Para manifestar seus desejos de prosperidade ou qualquer realidade sonhada, tanto a lei da atração quanto a física quântica e a neurociência defendem a necessidade do alinhamento vibracional das três dimensões da mente. Em outras palavras, mente inconsciente, consciente e superior (Deus ou o Universo) devem estar em perfeito estado de harmonia energética. Você deverá manter sentimentos, pensamentos e ações alinhadas em alta frequência, acima de 500, 600, 700 hertz, na mesma sintonia do amor, e da gratidão, que vibra em 900 hertz, uma emoção que, quando sentida genuinamente, muda toda sua vida.

A mente consciente é o pensamento. A mente inconsciente é o coração, que é o sentimento. E a mente superior é a ação, ou seja, colocar a energia em movimento. Seria o comportamento, que o escritor e palestrante Tony Robbins chama de fisiologia e exemplifica batendo no centro do peito, na glândula timo, para ativar sua força vital, dizendo: “Eu sou imparável”.

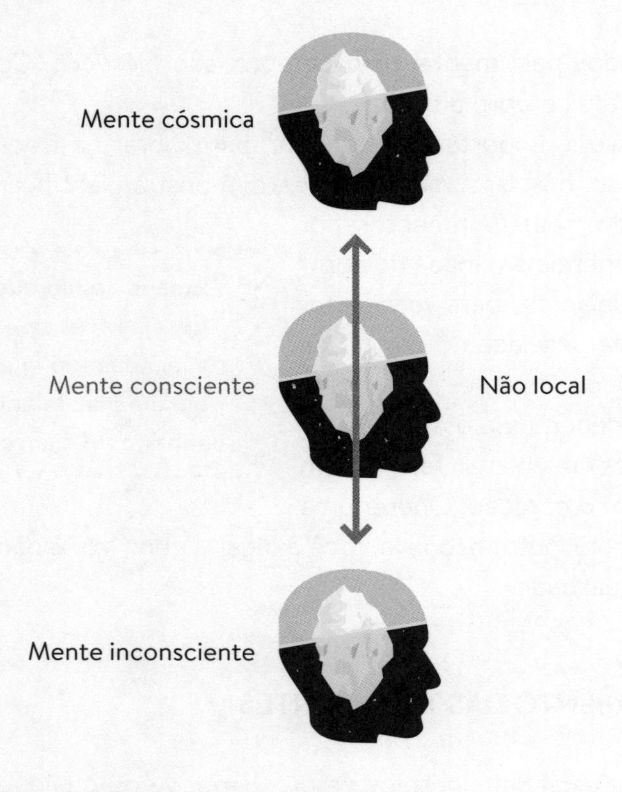

POR DENTRO DE CADA MENTE

Entenda como cada um desses planos mentais opera e qual sua finalidade existencial para manifestar sua realidade por meio do alinhamento vibracional das três mentes.

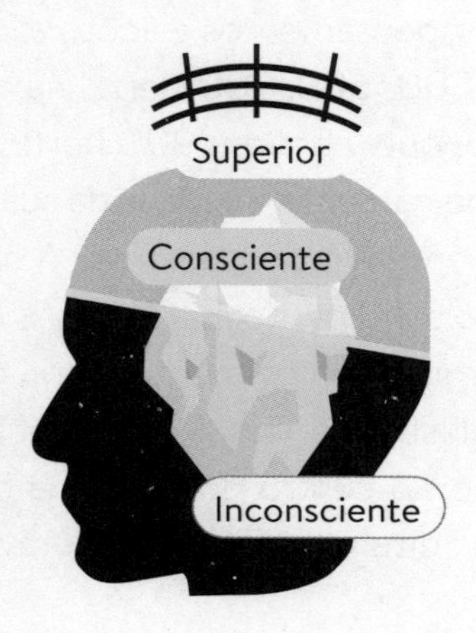

Mente consciente

A mente consciente se desenvolve por volta dos 7 anos. Até essa idade, segundo a neurociência, o indivíduo não possui discernimento algum. Então, tudo o que acontece, todos os aprendizados, são tomados como verdade absoluta, a mente consciente ainda não está ativa para questionar, aceitar ou não aquilo que se ouve, vê e vivencia. O resultado dessa falta de operação da mente consciente, nos primeiros anos de vida, é a formação das crenças de cada pessoa. Essas crenças, quando não removidas da mente, ao longo do tempo, limitam a existência, sabotando a felicidade e causando transtornos imensuráveis no futuro. Percebeu a ligação de tudo e de todas as coisas?

Mente inconsciente

Já a mente inconsciente é aquela que mantém tudo armazenado como verdade. Não questiona. Se o indivíduo aprendeu, vivenciou, sofreu, presenciou cenas de agressão, violência, tudo permanece armazenado no inconsciente. Ele controla nossas atividades automaticamente, ou seja, não precisamos estar "acordados" ou pensando para executar determinada tarefa. A mente inconsciente controla o sistema nervoso autônomo, a respiração, as emoções e armazena todas as crenças limitantes.

A neurociência provou que usamos de 87% a 95% da mente inconsciente durante a maior parte do tempo. Então, quem você acha que o influencia o tempo todo a agir conforme o aprendizado e os julgamentos armazenados durante toda a sua vida? Quer um exemplo prático? Se você cresceu ouvindo: "rico é trapaceiro, engana as pessoas, por isso tem dinheiro" ou "rico não vai pro céu", você acha que sua realidade será de prosperidade com essa crença armazenada em sua mente?

Sinto muito informar, você pode querer ser rico com todas as suas forças, mas não vai conseguir. Sabe por quê? Porque os sentimentos armazenados no inconsciente são fortes demais.

Mente superior

A terceira mente é o Universo, e ela tem total correlação com as sete leis herméticas do Universo. Por exemplo, o que é a lei do mentalismo? Tudo é energia, tudo é mente. A mente de Deus é o Universo, e esse Universo é autoconsciente. Você é a expressão e sua profunda extensão criativa. Ou seja, podemos chamar de Deus a sua capacidade divina para cocriar e para criar no mundo. A mente de Deus é a própria Matriz Holográfica® e a sua habilidade para promover o colapso da função de onda, é o campo quântico que integra tudo e todos e interage entre si.

> Você e Deus são unos, no mesmo movimento de reconexão. A mente de Deus é o puro estado da autoconsciência.

Essa mente também opera pelo mínimo esforço no fluxo natural da vida. Está em constante e permanente processo de expansão. Você também está nesse movimento de evolução, de retorno à essência original, à sua frequência pura, universal. Por isso, você e Deus são unos, no mesmo movimento de reconexão. A mente de Deus é o puro estado da autoconsciência. A mente superior é o próprio vácuo quântico, a Matriz Holográfica®. Ela vibra a trilhões de segundos, numa velocidade estrondosa.

NÍVEIS DE CONSCIÊNCIA

O que é a minha frequência de origem? É puro amor. É Deus. O tempo todo estamos voltando à frequência de origem. A frequência que vibra em culpa foi ensinada a você, que sentiu e acreditou que era culpado. No entanto, sua frequência de origem é divina. A matriz é divina. A chamada frequência ômega. Por isso, o topo da pirâmide está em ômega, a consciência final, onde você se unifica com Deus. Não existe separação entre Deus e você. É a conexão com o Todo. Você se torna tudo o que é. A seguir, você vai saber quais são os sete níveis de consciência para acessar essa frequência original. Esses níveis também têm frequência e elevam o padrão vibracional na Escala Hawkins à medida que você expande a consciência.

> A frequência do amor é a frequência do Universo, onde começa o processo total de abundância, quando entra em fase com o Universo.

Todos esses conceitos mantêm uma profunda correlação e seguem os sete níveis de consciência, os sete chacras físicos ou as leis herméticas. Todos tratam da sua expansão e da reconexão com a frequência original. A frequência do amor é a frequência do Universo, onde começa o processo total de abundância, quando entra em fase com o Universo. O amor é o primeiro nível da expansão. Amor, alegria, paz, iluminação, consciência final, ômega, tudo o que é. Tudo está correlacionado, e isso é incrível.

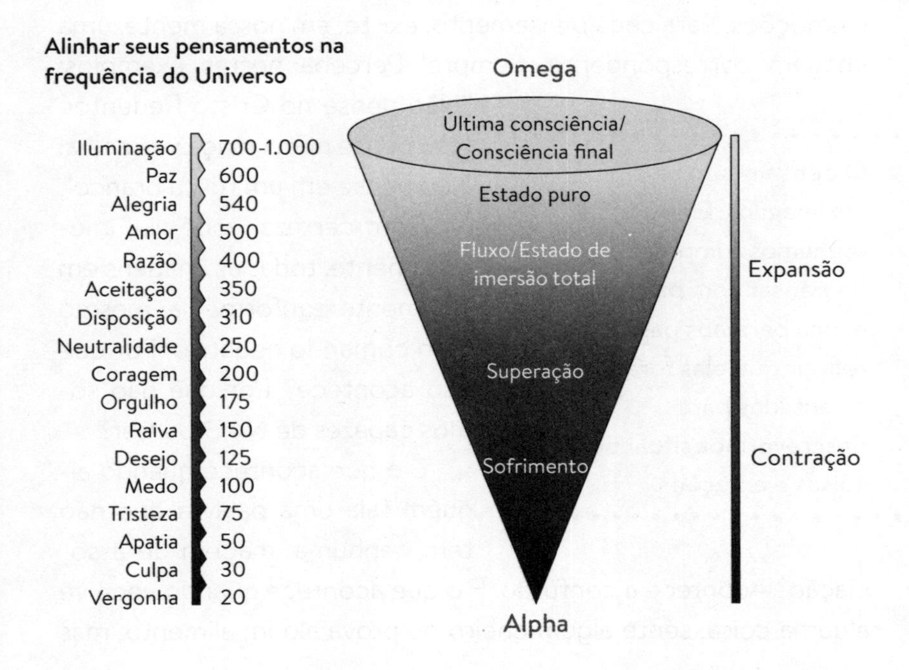

7 Chacras	7 Níveis de Expansão	7 Leis Físicas do Universo	7 Emoções de Cocriação	7 Frequências de Cocriação	7 Chaves do DNA Milionário
Coronário	Ômega	Mentalismo	Gratidão	Soltar	Perdão
Esplênico	Consciência Final	Correspondência	Alegria	Frequência	Conexão com a Fonte
Plexo Solar	Iluminação	Vibração	Amor	Emoção	Intenção
Cardíaco	Paz	Polaridade	Harmonia	Imagem	Frequência Vibracional®
Laríngeo	Alegria	Ritmo	Aceitação	Palavras	Frequência Alegria
Frontal	Amor	Causa e Efeito	Perdão	Sentimento	Ação
Sexual	Razão	Gênero	Autoamor	Pensamento	Soltar Gratidão

SINTONIA DAS TRÊS MENTES

Para clarear ainda mais a sua compreensão, vou falar especificamente sobre o alinhamento e a sintonia quântica das três mentes. Elas precisam entrar em sincronia perfeita para você manifestar a abundância e a riqueza no Universo. E como fazer isso?

O pensamento se dá em imagens. Embora tenhamos a impressão de pensar com palavras, nunca paramos para refletir que elas foram inventadas para descrevermos situações, coisas e emoções. Para cada pensamento, existe, em nossa mente, uma imagem correspondente. Sempre! Perceba nestes exemplos: "Não pense no Cristo Redentor. Não pense numa maçã vermelha. Não pense em um fusca branco".

O pensamento se dá em imagens. Embora tenhamos a impressão de pensar com palavras, nunca paramos para refletir que elas foram inventadas para descrevermos situações, coisas e emoções.

Com certeza, você viu, imediatamente, todas as imagens em sua mente conforme lia, mesmo com comando negativo. Por que isso acontece? Por que não somos capazes de NÃO pensar?

E o que acontece quando alguém fala uma palavra que não tem nenhuma imagem de associação? Acontece a confusão. E o que acontece quando você vê alguma coisa, sente algum cheiro ou prova algum alimento, mas não sabe o que é? Quando você não tem palavras para identificar? Acontece a confusão.

E o que se passa quando você descobre o nome da coisa? Em milésimos de segundos, ocorre a criação de novas células de reconhecimento para aquela palavra nova em seu cérebro. O cérebro, conforme a neurociência explica, é neuroplástico. Ou seja, pode ser alterado e modificado a todo instante, conforme informações novas são absorvidas pela mente.

A mente é universal, conectada, todos temos uma única mente, porém nosso corpo é a ponte por onde essa ligação acontece. É por meio do corpo que a manifestação dos poderes da mente ocorre. A mente é um movimento, uma vibração, energia. Você se lembra das explicações iniciais do livro? Tudo é energia! Nesse processo de alinhamento, a vibração é captada pelo cérebro e transmitida pelo corpo. Isso também tem conexão profunda com o funcionamento das memórias.

A mente é universal, conectada, todos temos uma única mente, porém nosso corpo é a ponte por onde essa ligação acontece.

Tudo que vivenciamos, aprendemos e sofremos nos marcou, está lá, gravado no inconsciente, pilotando tudo. É nele que precisamos chegar para modificar os caminhos neurais, apagar memórias, emoções e crenças. Nesse mesmo espaço, devem ser produzidas novas imagens, novos sentimentos, para que, a partir disso, uma nova realidade possa ser criada, condizente com seus desejos de riqueza, prosperidade e abundância infinita no Universo.

Ao abordar o fator do alinhamento vibracional, precisamos estabelecer coerência entre nosso desejo, nossos pensamentos e nossas ações. Trabalhar razão e emoção, manter o equilíbrio. Sonhar, desejar algo, ter um propósito condizente à vida desejada de prosperidade.

E por que é preciso haver esse alinhamento entre as três mentes?

Perceba o processo: a mente consciente está entre as duas outras mentes, porém em desalinhamento. Ela é a mente lógica, que cria e idealiza, onde surge a primeira informação, a imagem.

A mente inconsciente decodifica a emoção referente à impressão que se formou na mente consciente. Nesse ponto, ela tem como responsabilidade formar toda a carga emocional advinda daquela imagem. Ela está conectada com a mente superior, ou seja, o vácuo quântico do Universo repassa e retransmite tudo aquilo que verdadeiramente sentimos.

Entende a jogada? A mente inconsciente estabelece a comunicação direta com a mente superior, que vai atender ou produzir nossos desejos, apenas com base naquilo que se mostra congruente entre o consciente e o inconsciente. Apenas a mente superior é capaz de colapsar sua realidade, fabricar a riqueza desejada por você e ativar a força nuclear do seu DNA Milionário.

> Perceba o processo: a mente consciente está entre as duas outras mentes, porém em desalinhamento.

Você consegue compreender agora o que representa o alinhamento das três mentes?

Entre a razão e a emoção, não pode haver conflito. Temos de limpar todos os arquivos contrários às nossas aspirações. Se você quer ter uma piscina em casa (mente consciente), mas acha que é coisa para gente rica (mente inconsciente), você não vai conseguir materializar esse sonho, porque há desalinhamento entre essas mentes.

Somente quando essas duas mentes estiverem de acordo a mente superior, cósmica ou vácuo quântico, vai dizer "sim" ao seu sonho! Ela colapsa aquilo que está em acordo com as mentes consciente e inconsciente.

Uma técnica simples para o alinhamento das três mentes é escrever repetidamente o sonho. Escreva uma carta para o

Universo. A escrita utiliza muitos canais sensoriais como visão, pensamento e emoção. São diferentes canais sinestésicos envolvidos, que ajudam o cérebro a se familiarizar vibracionalmente com o desejo de abundância e a formar o campo de energia propício para a manifestação da prosperidade em sua vida.

CAPÍTULO VI

Reprogramação quântica do DNA e pesquisas revolucionárias da ciência moderna

Com todo o conteúdo apresentado até aqui e diversos conceitos revelados pela ciência, fica mais fácil, nesta parte do livro, ampliar a compreensão sobre a ação verdadeira e as propriedades fantásticas do DNA, a molécula da vida e de toda a existência humana. Há, de forma geral, uma perspectiva muito positiva por parte da comunidade científica e de pesquisadores de todo o mundo sobre as novas descobertas acerca dos poderes do DNA e de sua influência em nossas vidas. Existe, inclusive, um novo horizonte na área da medicina, no qual a ativação do DNA e o seu pleno funcionamento talvez possam revolucionar o tratamento de muitas doenças, como é o caso do câncer.

> Você pode, sim, alterar a vibração do núcleo do seu DNA ou, então, a polaridade magnética de suas células e moléculas do seu corpo.

Estudos comprovam a interferência dos nossos pensamentos e sentimentos sobre a nossa saúde, a causa de doenças em decorrência desse fator, ou mesmo, a capacidade individual de cada ser humano de promover a autorregeneração celular. Diante desses fatos comprovados e apresentados no capítulo anterior, que também serão reforçados a seguir, você pode modificar fatores externos da sua vida, ao interferir diretamente na vibração nuclear do seu DNA, a partir de frequências de som, da própria voz humana e da Frequência Vibracional® das emoções individuais. Em outras palavras, você pode, sim, alterar a vibração do núcleo do seu DNA ou, então, a polaridade magnética de suas células e moléculas do seu corpo. Tudo depende do teor vibracional transmitido para o interior de si, por meio da força das suas emoções e da qualidade dos seus pensamentos.

A CONSCIÊNCIA QUÂNTICA E O PODER DA COCRIAÇÃO

A consciência é a base de tudo, é o poder do pensamento que vai criar toda a realidade, a forma como percebemos o mundo. Ela é a sua energia vital, o sopro, o fôlego de Deus que dá a razão para a sua existência e a sua vontade de realizar, agir, mudar, transformar a realidade e a si mesmo. A consciência está armazenada nas suas células e no seu DNA. Também está associada ao Universo e a toda a humanidade. A física quântica chama essa conexão de emaranhamento quântico. Ou seja, por trás de tudo, de todas as coisas vivas e inanimadas, até além do seu DNA, existe uma energia que conecta, absolutamente, tudo. Tudo está conectado por campos eletromagnéticos que entram em ressonância de frequência. E o que interliga tudo e todos? A sua consciência, a consciência do Criador.

ENERGIA DO AMOR DE DEUS

Nós, seres autoconscientes, derivamos da mesma energia sideral, da explosão expansiva do Criador. Essa energia, manifestada direto da fonte da vida, da Matriz Holográfica® do Universo, está contida em cada pedacinho do nosso ser, em cada molécula, fragmento da nossa consciência, átomo que compõe o nosso corpo biológico e químico, bem como no núcleo do nosso DNA. Por isso, diante desse fato mágico, nós temos a essência de Deus, do Criador de tudo o que é, dentro de nós. Temos a frequência original da vida e o poder supremo da Mente Cósmica em cada neurônio do nosso cérebro.

CIÊNCIA E ESPIRITUALIDADE

Este livro mostra a fusão entre ciência e espiritualidade, entre a física quântica e o conhecimento sagrado dos povos antigos. Independentemente do que você acredita, essas duas visões de mundo dizem, essencialmente, a mesma coisa. Nós somos apenas energia. Somos formados por átomos e moléculas de energia, a partir de campos vibracionais.

Além disso, todos somos apenas um, estamos conectados energeticamente pelo campo holográfico, o que Jesus chamou de fé. A energia divina e o amor de Deus estão em você. Por isso, você abriga, dentro do seu DNA Milionário e Quântico, as mesmas propriedades do Criador. Isso lhe garante poderes extraordinários para manifestar todos os seus desejos de abundância, prosperidade e riqueza infinita. Você carrega o modelo espiritual da sua consciência. Ela está dentro do registro akáshico do seu DNA, plasmada nos campos morfogenéticos.

FUSÃO DO AMOR

Quando você percebe que não está sozinho no Universo. Mais do que isso, quando se dá conta de que você também é o outro, mas em um estado diferente de vibração, toda a perspectiva de realidade muda. Ao despertar para essa consciência, percebe-se também que a única ação e gesto a praticar é o amor, o estado puro e latente do amor. E quando você se comporta desse modo, passa a vibrar na pura essência do Todo e do Universo. Como consequência positiva, você vibra em alta instância, acima de 500 hertz, entra na esfera e no

> Quando se dá conta de que você também é o outro, mas em um estado diferente de vibração, toda a perspectiva de realidade muda.

fluxo da prosperidade, da abundância e da riqueza ilimitada proporcionada pela fonte criadora, Deus.

VOCÊ PODE FALAR COM O SEU DNA!

A ciência comprova que a consciência humana, ou seja, você, tem capacidade para falar, controlar, trabalhar em comunhão e, sobretudo, fazer parte do DNA. Isso porque, conforme demonstrei, essa energia internalizada nas suas moléculas, não reconhecida pela ciência convencional, mas balizada por pesquisadores como Gregg Braden, não é afetada pela distância, nem pelo tempo. Ela representa tudo que passei para você até esse momento. Ela é o éter divino, a substância amorfa e o próprio vácuo (quântico) ou Matriz Holográfica® que vibra em cada célula do seu corpo e no interior do seu DNA. Não é uma forma de energia localizada, mas é uma energia que existe em todas as partes, em todo o tempo, em todos os lugares, ao mesmo tempo. Isso comprova por que tudo está conectado e por que o nosso DNA pode ser alterado.

INTERNET BIOQUÂNTICA

O DNA é influenciado pelo som, que seria o verbo, e por frequências, que são as palavras. Portanto, pode ser reprogramado. O DNA é uma internet superior em muitos aspectos a uma rede artificial. Ele é a internet bioquântica de cada ser humano e cabe a nós interpretá-lo por meio de conhecimento, das nossas próprias emoções e da expansão da nossa consciência cósmica, ao compreendermos que, de fato, somos um e o DNA é a conexão para toda essa nova realidade multidimensional.

Eu coloquei em prática toda essa teoria quando tratei meu filho Arthur, na época, com 4 anos e duas doenças graves (trombocitopenia e hipertonia). Para reprogramar suas células, eu conversava com seu DNA e também o fazia conversar, transmitindo a certeza de cura, e isso aconteceu. Do mesmo modo, em um movimento paralelo, mantive esse mesmo diálogo comigo e com minhas moléculas, ressignificando crenças, destravando bloqueios e traumas por meio das minhas emoções, pensamentos e da autoaplicação da Técnica Hertz®, para sair daquele estado de morte em vida, prosperar e viver todos os meus sonhos de riqueza e sucesso.

Em menos de 24 horas, consegui resultados extraordinários e mudei todo o meu campo vibracional, reprogramando minhas células, meu DNA e cada vibração de molécula do meu corpo, elevando minha frequência para o nível de consciência do amor, acima de 500 hertz, conforme demonstra a Escala da Consciência. Diante de todos esses fatos, as pesquisas têm concluído é que o DNA é transmissor e receptor além do espaço-tempo. Ou seja, ele tem um campo eletromagnético que entra em ressonância vibratória com frequências semelhantes em qualquer dimensão, por meio da Matriz Holográfica® da nossa Frequência Vibracional®.

CALIBRANDO A VIBRAÇÃO

Vamos entender melhor a calibragem da vibração para sintonizar a realidade que aprendi com Bashar (um dos meus mestres), a melhor explicação sobre sintonia quântica que já estudei.

A reprogramação quântica do DNA nesta realidade física funciona como um espelho; nada irá mudar até que você mude primeiro. No entanto, se você mudar, a realidade física não terá outra alternativa. Quando você muda, altera o holograma, que é a representação perfeita de você, em uma pequena imagem projetada no Universo por meio de raio laser, e todo o seu corpo passa a ser representado por aquela parte. Nesse holograma, a sua imagem, o seu DESEJO é apenas um reflexo daquilo que você emite.

Por exemplo, o rádio precisa primeiro vibrar em determinada frequência para "receber" alguma transmissão de todas as possíveis transmissões simultâneas que estão ocorrendo, tudo em superposição. Da mesma forma, cada crença faz com que você vibre em um único conjunto de frequências, que atraem, pela sintonia equivalente, os hologramas que vibram nas mesmas frequências. Primeiro, você tem de "ser" essa vibração, é crer para ver, e você cocria automaticamente essa realidade. Você precisa "ver" seu desejo como se já existisse, e ele se tornará visível em sua realidade externa.

O que deseja mudar e alterar no DNA já existe, já é real, as músicas estão todas tocando em milhares de rádios, mas você somente vai ouvir a que sintonizar, como falamos repetidas vezes para você entender de uma vez por todas. A Projeção Holográfica® do seu sonho já está aqui. Já é real, embora ainda não seja visível. Suas crenças criam suas atitudes, suas atitudes criam seus pensamentos, seus pensamentos criam seus sentimentos, seus sentimentos criam suas decisões, suas decisões criam suas ações, suas ações criam sua vida. Sua vida é criada pelas decisões que você toma, e as decisões que você toma são criadas pelas suas crenças. Todas estão interligadas e JUNTAS emitem uma vibração, assim começa o processo de manifestação. Mude suas crenças e você mudará sua vida.

> O que deseja mudar e alterar no DNA, já existe, já é real.

A REALIDADE QUE VOCÊ DESEJA JÁ EXISTE

1. Ver (mental)

Visualize a versão. Imagine essa versão.
Fantasie. Visualize-a claramente.
Você não precisa visualizar por muito tempo.

Um período curto é suficiente, mas você precisa visualizá-la claramente.

Você precisa ter uma imagem clara, sólida.

Visualizar cria o projeto para que o veja com grande detalhe.

Ver: torna-se uma Antena Mental eficaz para que receba essa "versão" de realidade.

2. Sentir (emocional)

Entusiasme-se e apaixone-se pela versão!

Como você se sentiria se tivesse isso agora?

Sinta isso agora!

Conecte a essa visão todas as suas emoções e percepções, como se você tivesse isso agora!

Envolva todos os seus sentidos, imagine-se fazendo isso, tocando isso, saboreando isso etc.

Sentir: torna-se uma Antena Emocional eficaz para que receba essa "versão" de realidade.

3. Ser (físico)

Ação física. Faça!

Para sedimentar a experiência.

Tome atitudes que imitem de maneira bem próxima as atitudes que você se "vê" tomando em sua visão.

Reúna e utilize qualquer suporte que imite esse cenário, e faça um "ensaio".

Realizar essa ação física de "faz de conta" treina a consciência corporal.

Torna a versão "real para você no momento", de modo que o Universo a envia para você. Você se torna uma Frequência Vibracional®, a melhor sintonia, uma vibração mais precisa em você, tornando-o uma antena melhor para recebê-la, uma vez que você fica mais alinhado à mesma vibração.

PENSENTIRSE Use como um mantra, todos os dias. Pensar, Sentir, Ser – pensamento, emoção e ação. Calibra a frequência de sua vibração para sintonizar a frequência do seu desejo e fazer parte de sua experiência de vida. À medida que as frequências se ajustam e se alinham, começa a manifestação. A origem de tudo isso foi a reprogramação do DNA com intenção clara na Projeção Holográfica® do seu sonho, que está no hiperespaço. Você já tem tudo, porém suas programações internas não permitem sintonizar, vibrar, atrair. A reprogramação interior gera então uma nova informação, você apenas abriu a porta para recebê-la, sintonizando sua energia, calibrando a frequência, ajustando sua vibração com a vibração do seu sonho. Veja, Sinta, Seja!

Use como um mantra, todos os dias. Pensar, Sentir, Ser - pensamento, emoção e ação.

COMUNICAÇÃO NÃO LOCAL

O DNA tem capacidade de manter comunicação com qualquer região da existência e navegar pelo hiperespaço. Ou seja, por múltiplas dimensões ou, segundo Deepak Chopra, pelo domínio da não localidade. Ou seja, pelo vácuo quântico ou o espaço amorfo da realidade, onde existe o campo das infinitas possibilidades e você pode colapsar (produzir qualquer desejo) como riqueza, fortuna ou prosperidade imensurável.

A possibilidade dessa comunicação não local e instantânea do DNA demonstra, ainda, por que muitos sensitivos conseguem prever o futuro, acessar outras dimensões, conversar por telepatia ou ainda deter diferentes poderes de clarividência, clariaudiência ou mediunidade avançada, intuição, atos espontâneos de cura, autocura e muitos outros fenômenos. Assim, eu o invoco a refletir sobre todo esse conteúdo!

DNA RICO

Pesquisadores descobriram que o DNA possui uma linguagem própria, contendo uma espécie de síntese gramatical semelhante à gramática da linguagem humana. Por isso, ele responde a muitas ações humanas, como você verá a seguir. Esse fato nos leva a concluir que o DNA é influenciado por palavras emitidas pela mente, pela voz, confirmando a eficácia das técnicas de afirmação de hipnose e de visualizações positivas.

Quando utilizo a palavra voz, refiro-me às vozes de comando. E essa foi uma descoberta realmente impressionante porque, ao adequarmos as frequências da nossa linguagem verbal, das imagens geradas pelo nosso pensamento, o DNA se reprogramará, aceitando uma nova ordem e uma nova regra a partir da ideia que está sendo transmitida. O DNA, nesse caso, recebe informações das palavras e das imagens do pensamento, as transmite para as células e moléculas do nosso corpo, que passam a ser comandadas segundo o novo padrão emitido pelo DNA.

ENTENDA O PROCESSO

Para cocriar a realidade a partir do Modelo Quantum Hertz Ourives, um dos aceleradores é a frequência cerebral. Nosso cérebro é eletroquímico, nossas células trocam impulsos elétricos e geram campos eletromagnéticos que dão origem aos pensamentos, sentimentos e como a informação será organizada. Para tal, é preciso baixar o ciclo de onda cerebral, os padrões cerebrais mudam e ocorre a sincronização neuronal; em outras palavras, quando eu entro em relaxamento, baixando o ciclo de onda no cérebro, a atividade elétrica do cérebro é alterada, pois quando acessamos essa onda lenta, conseguimos acessar a mente inconsciente, onde todas as nossas memórias ficam armazenadas, o porão da mente ao qual ninguém consegue chegar.

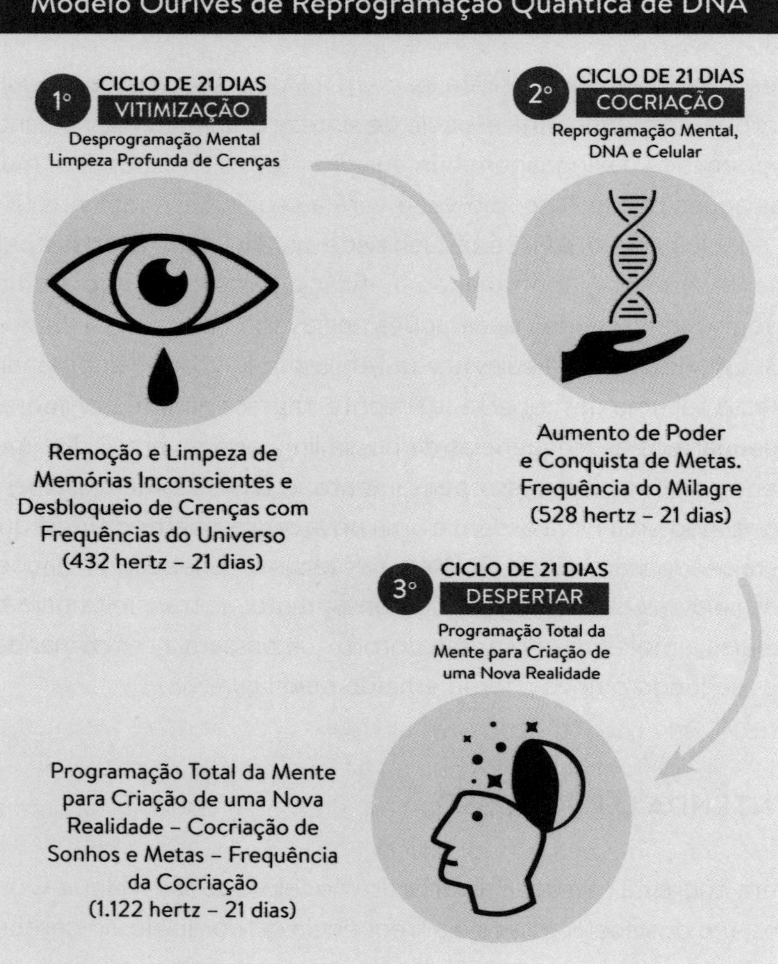

Essa frequência cerebral lenta é facilmente acessada ao dormir, quando sua mente entra em processo de relaxamento, de silêncio. Nesse momento, você está baixando o processo de onda cerebral para o nível Alfa e Theta. Quando explico isso, eu gosto de citar Einstein e a Equação da Teoria da Relatividade: $E = MC^2$, energia é igual a massa multiplicada pela velocidade da luz, emoção ao quadrado = Frequência Vibracional®. Na teoria, é necessário diminuir a frequência cerebral para aumentar a Frequência Vibracional®.

Quando a velocidade expande, a matéria dispersa perde coesão, em termos de emoções e desejos, quando você entra em relaxamento profundo, desacelera a mente e materializa. Você é o observador que colapsa sua realidade, porque retorna à frequência natural do espírito. Por isso os mestres meditam nessa frequência cerebral. Do contrário, colapsa o caos. Quanto menor o padrão da frequência, mais Frequência Vibracional® de materialização. Existe outro acelerador desse processo quântico: você só colapsa quando está no agora. O poder da sua presença, no silêncio da sua divindade de origem, emitindo ondas em forma de hologramas, unem você, Criador e Universo. Vou repetir, você é mente consciente, o Criador, mente inconsciente e o Universo inteiro, sua mente superior, em unicidade na Matriz Holográfica®. Essas ondas são níveis de ciclos de frequência baixa da consciência, em que você acessa a substância amorfa, o campo holográfico, a Matriz Holográfica®, entrando em ressonância com essa Mente Superior, porque a Matriz Holográfica® vibra em determinada frequência.

Ao baixar seu ciclo de onda cerebral, você entra em ressonância com essa frequência. Então, é como se ela moldasse, naquele momento, o seu sonho. Você pode alterar a vibração interior das células por meio da repetição (de decretos, mantras e orações), como também modificar a geometria do campo quântico para plasmar a matéria do seu desejo.

FREQUÊNCIA CEREBRAL E FREQUÊNCIA VIBRACIONAL®

No decorrer do dia você experiencia diferentes estados, e geralmente um deles é dominante. Você sabia que cada onda cerebral possui as próprias características que representam um estado particular de consciência? Cada um dos estados de ondas cerebrais ocorre em uma faixa de frequência específica que é medida em ciclos por segundo (Hz). Cada um dos tipos de ondas cerebrais desempenha um papel fundamental em nosso desenvolvimento mental durante a nossa infância, e hoje, eles exercem um papel importante na manutenção da nossa saúde e vitalidade como adultos. As cinco ondas de frequências cerebrais, emanadas pela nossa mente, afetam diretamente nosso estado de espírito.

Facilmente esquecemos que somos os cocriadores da nossa realidade, na maioria das vezes sequer sabemos disso e negligenciamos o fato ainda mais importante: "nossa realidade" não é composta de influências externas, consiste de nossos pensamentos, crenças e mentalidade, ou seja, aquilo que está dentro está fora. O que vibramos internamente é refletido em nosso mundo externo. Somos, recebemos e refletimos somente o que emitimos. Agora está fazendo sentido para você?

Quando estamos acordados, quando não estamos em sono profundo, nossa mente consciente emite uma vibração de ondas cerebrais (velocidade de conexões sinápticas), em que cada tipo de onda corresponde a um estado do nosso ser, representando um nível específico de atividade cerebral e um estado único de consciência.

Vamos explicar melhor, então, os níveis de consciência e as ondas cerebrais de maneira mais específica. São elas:

ONDA BETA Significa uma frequência de onda acelerada, de 14 a 30 Hz (ciclos por segundo). Essas ondas são do alerta, do estado de raciocínio crítico, da vigília. Elas são importantes para o funcionamento eficaz do nosso dia, porém, podem nos levar a um estado de estresse, ansiedade e inquietação. A Onda Beta pode ser descrita como aquele persistente sussurro interior que vai aumentando à medida que você muda de faixa.

Portanto, como a maioria dos adultos operam em Beta, é fácil compreender porque o estresse é um problema comum hoje em dia. Resumindo, ela é a onda do raciocínio. Através da Escala Hawkins, quando vibramos abaixo de 199, ou seja, quando vibramos entre vergonha, medo, raiva, desejo e chegamos à coragem, estamos utilizando uma frequência cerebral Beta. Nossa mente se conecta a um campo de sentimentos e emoções abaixo de 199.

ONDA ALFA Significa uma frequência de onda de 7 a 14 Hz (ciclos por segundo). Essas ondas se caracterizam por estarem presentes em estados de relaxamento profundo, quando nossos olhos estão geralmente fechados. Momento importante para programar a mente, utilizar-se da visualização e da aprendizagem. É quando estamos meditando ou entrando em um sonho lindo.

Alfa auxilia na intuição. Quanto mais você chegar perto de 7 ciclos por segundo, mais clara ela se torna. É a onda do relaxamento. Utilizamos dessa frequência de onda cerebral quando vibramos de 200 a 599 na Escala do dr. Hawkins. Nossa mente se conecta com sentimentos de frequência mais elevada, acima da coragem, como disposição, aceitação, razão, chegando ao amor e à alegria.

ONDA THETA Significa uma frequência de 7 a 3,5 Hz (ciclos por segundo). Essas ondas estão presentes quando estamos em meditação profunda ou entrando em sono leve, ou seja, semiacordados, praticamente dormindo, ainda com movimentos rápidos dos olhos. Onde o seu inconsciente começa a reinar. É uma experiência momentânea. Muitos programas e memórias de sua mente estão nessa onda. Suas visualizações são mais vivas, mais reais. Há profunda criatividade e conexão espiritual. Ao entrarmos em uma frequência de onda cerebral Theta, nossa mente passa a se conectar com sentimentos que vibram acima de 599, como iluminação, conexão com o divino, sentimento de pura paz e amor.

ONDA DELTA Significa uma frequência de 0 a 3,5 Hz (ciclos por segundo). É um estado de inconsciência. Para que Delta seja acessada, é necessário alto nível de consciência na Escala Vibracional de Hawkins, acima de 900. Há duas formas de atingir essa frequência. Primeiro, em sono profundo, inconsciente, quando estamos apenas regenerando nossas energias e, segundo, por meio da conexão consciente com sentimentos que vibram acima de 900, pela Escala do dr. Hawkins. Isso significa que seu ego não está ativo (ou está com poucos resquícios) e há apenas a conexão com o corpo intuitivo, com sua essência, ao Deus.

Somente ele está se manifestando por aquele Ser. Esse é o estado avançado de conexão com o divino, em que o pensamento não é mais necessário porque já houve a comunhão. Existem dois momentos no dia que multiplicam o poder de cocriação e reprogramação do DNA, quando acordamos e antes de dormir. Os dois momentos em que atingimos a frequência cerebral que cria a realidade. A dica é adormecer visualizando seu sonho e falando com o seu DNA. Ao acordar, antes de levantar da cama, criar sua projeção mental e afirmar com convicção seu decreto que reprograma mente, células, corpo e DNA.

COMO TUDO FUNCIONA?

Como ensinei na fórmula da assinatura vibracional, nossas frequências também são produzidas por meio das palavras que proferimos, que podem ser consideradas frequências hertz, como solfejos, sons binaurais, música. Além disso, imagens fractais holográficas, códigos e comandos quânticos, grabovoi, agestra, códigos e decretos multidimensionais, geometria sagrada, arquétipos de 3ª e 5ª dimensão, frequências hertz com informação, atração e energias ativadas em portais multidimensionais, que atuam na reprogramação da mente inconsciente. E, dessa forma, modificam holograficamente o DNA com recurso visual emissor de frequência, informação e energia, mais poderoso do que um arquétipo, pois entrelaça quanticamente com vários outros elementos.

A holofractometria é criada a partir da matriz da Flor da Vida. Essa geometria tem o poder de modificar o DNA e é o padrão de criação de toda a vida no Universo. Um desenho geométrico que nos leva para dentro e para fora da existência física. Há milhares de anos o segredo foi gravado em antigos artefatos e esculturas em todo o mundo e codificado nas células e moléculas com código da vida. Cada célula em nosso corpo humano e cada desenho na natureza conhece esse padrão geométrico e por ele é construído. Nosso DNA também tem esse formato em suas cadeias, é o padrão geométrico da criação e da vida em todo lugar. Na verdade, não há nenhum conhecimento no Universo que não esteja contido no padrão da Flor da Vida.

Ela é um código secreto que contém toda a sabedoria similar ao código genético impresso em nosso DNA. Esse código genético vai além das formas comuns de ensinamento e se encontra por trás de toda a estrutura da própria realidade. Todos os harmônicos da luz, do som e da música se encontram nessa estrutura geométrica, que existe como um padrão holográfico, definindo a forma tanto de células quanto de átomos e do Universo inteiro.

Criada e desenvolvida por mim, a imagem da Holofractometria@ atua como um transformador, gerador de bioenergia e transmutador energético. Tem o poder de atrair e converter energia negativa e estagnada em energia saudável e equilibrada. Ao usá-la, a partir da sua natureza tridimensional, você percebe o despertar completo de doze filetes do seu DNA em seu ser.

Atualmente, a média geral da humanidade tem apenas dois filetes do DNA ativado, vivendo o que muitos espiritualistas e mesmo cientistas denominam de 3ª dimensão, que é mais densa, pesada e aparentemente material, aprisionada ao ego. Os novos filetes ativados transmitem uma luz azul energizada para criar o novo ser humano luminoso, consciente do seu poder e desperto para essa nova realidade do planeta. Esse novo ser humano passará, a partir da ação desses novos filetes e da ativação completa do seu DNA, a viver na 5ª dimensão, em uma era de extremo conhecimento, amor, solidariedade, fraternidade e com muito mais domínio sobre poderes extrassensoriais e energéticos.

À medida que você se eleva, mudando suas emoções e pensamentos, passa a vibrar e a ressoar uma nova frequência vibratória. Nesse momento, os filetes de luz do seu novo corpo luminoso se ativam com mais facilidade e poder. Ao restabelecer sua frequência original, você ativa a força total das técnicas ensinadas por mim e também a energia orgone no seu DNA energético. Assim, os codifica (códigos genéticos) para receber o comando da sua frequência hertz, que é a técnica que você vai praticar a seguir.

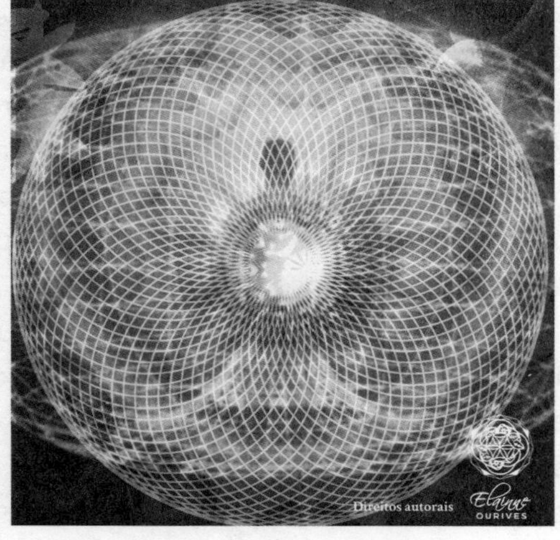

Use a imagem como uma tela holográfica e projete seu sonho como um filme em movimento (olhe para a imagem e veja seu sonho passando como se fosse uma tela de cinema). Você deve manter pensamentos e sentimentos fixos, em alta frequência, por no mínimo 5 minutos e 45 segundos. Repita o processo no mínimo duas vezes ao dia, por sete dias, obrigatoriamente antes de dormir e ao acordar.

Código Grabovoi 5 2 0 - alcance de dinheiro imediato

1. Visualize-se dentro da imagem.
2. Escreva frases e as repita em voz alta.
3. Imagine a imagem detalhadamente. Veja-se grande, com 5 metros de altura. Visualize a roupa que está vestindo.
4. Medite em silêncio; ponto zero (ausência total de pensamentos).
5. Faça afirmações positivas; decreto Eu Sou próspero.
6. Potencializador: fale e visualize dentro da imagem o código quântico Grabovoi 520 (cinco, dois, zero) alcance de dinheiro imediato. O código Grabovoi será duas vezes mais potencializado, pois todos esses elementos têm o poder de reconfigurar as informações e a vibração das células.

Nessa técnica use palavras em voz alta, quanto mais alta maior será a frequência. Mantenha toda a sua consciência focada na holofractometria. Utilize som acima de 432 hertz, minha sugestão é usar a frequência hertz do amor. E crie imagens suas em 3D. Por exemplo, imagine-se em um helicóptero sobrevoando seu sonho e se vendo dentro dele. Pode visualizar até mais de uma imagem sua, no mesmo ambiente, para que possa ver seu sonho por vários ângulos e dimensões. Olhe para si mesmo, de fora do sonho. É como sair da ilha para vê-la, como se você fosse um observador. Agora entre no seu corpo, vista seus olhos e veja através da sua consciência, sentindo a experiência de viver tudo como se fosse realidade agora.

Sugestão de comando quântico para usar durante os sete dias

> "Consciência divina, presença de luz,
> Eu (diga seu nome) decreto a partir deste momento:
> Eu Sou felicidade, Eu Sou amado, Eu Sou rico, Eu Sou próspero, Eu Sou abundante.
> Sou merecedor do meu sucesso e da vida extraordinária que possuo.
>
> Eu (diga seu nome) crio o meu mundo, crio minha realidade, sou amor, alegria e gratidão por tudo que tenho, eu sou divino, sou merecedor da vida incrível que estou criando, eu faço parte de Tudo o que É.
>
> Está feito! Está feito! Está feito." (Silencia em ponto zero.)

Repita, escreva, fale em voz alta, leia mentalmente quantas vezes desejar. Tanto palavras como sons ou imagens, têm a capacidade sublime de reprogramar a realidade interior e, consequentemente, os fatos do mundo externo.

Para ativar as propriedades fantásticas do seu DNA Milionário e Quântico, no movimento consciencial de cocriação ou manifestação da realidade, você deverá reprogramar a sua imagem interior, as imagens e memórias que estão guardadas na mente inconsciente, que é aquela que cria a realidade; para reprogramá-la você precisará mudar o seu holograma, sua imagem interior, criar seu novo eu, seu Eu Sou ideal e perfeito.

INCONSCIENTE DOMINADOR

A grande questão é que a nossa vida é comandada pelo nosso inconsciente ou subconsciente. Essa mente domina, de acordo com a neurociência, 95% dos nossos hábitos diários e automáticos, como andar, caminhar, comer, respirar etc. Apenas 5% é comandado por nossa mente consciente. O inconsciente é o coração e o consciente o cérebro.

No inconsciente ficam armazenadas todas as emoções do ser humano, sejam elas positivas ou negativas. Na maioria das vezes, sem perceber, depositamos todos os nossos medos, frustrações, culpas, arrependimentos, crenças e dogmas de todo tipo e gênero nesse manancial emocional e quântico de energia.

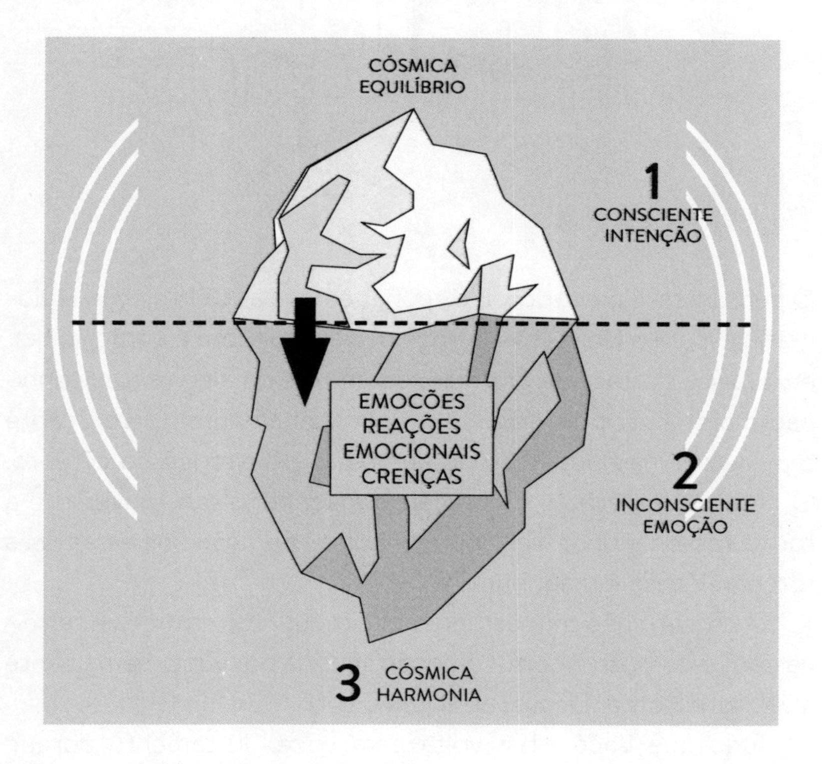

FATOR DETERMINANTE

Toda essa explicação é para que você compreenda a importância da reprogramação das emoções inconscientes, pois essas crenças armazenadas no hemisfério oculto da mente são enviadas diretamente ao Universo em forma de onda de energia informacional. Portanto, o que está impregnado no seu inconsciente determina e determinará a sua vida e os rumos da sua história.

COCRIE A REALIDADE POR MEIO DAS EMOÇÕES VIBRACIONAIS DO CORAÇÃO

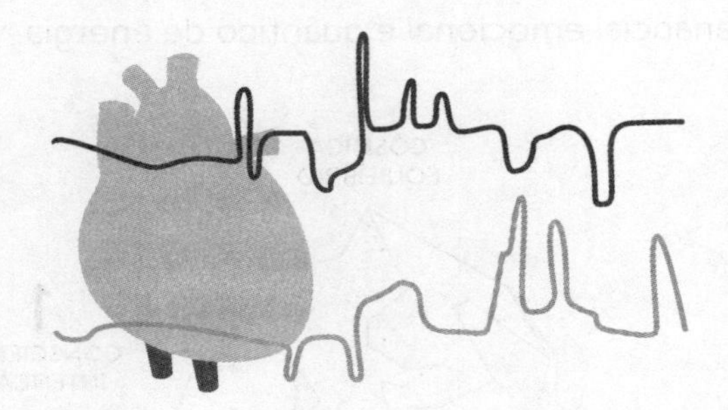

O pensamento é elétrico. Ele apenas emana a sua Projeção Holográfica® para o Universo. Se você não alinhar com o coração, que é vibrar na certeza da gratidão, do amor e da alegria, seu sonho não materializa, pois trata-se de um alinhamento. O coração é 5 mil vezes mais poderoso do que o campo elétrico do cérebro. O cérebro é elétrico, o coração é magnético e o Universo é a forma ressonante desses dois campos. O coração une essas duas forças: elétrica e magnética.

O cérebro não tem campo magnético. Tudo começa e termina com o coração e com a emoção sentida por você. Semelhante atrai semelhante. O igual atrai igual.

Tudo que você vibra volta para você. Justamente porque o coração é elétrico e magnético. De qualquer modo, cérebro e coração precisam estar alinhados para cocriar a realidade. Por exemplo: você pensa em comprar um carro. Seu coração precisa sentir que esse carro já é seu, já é realidade, para ativar a ressonância vibracional, ou seja, vibrar na mesma frequência. Do contrário, você tem um pensamento de prosperidade, mas mantém um sentimento de escassez, de pobreza, de que você não consegue. Para materializar, para esse carro estar na sua garagem, você precisa ter mais um comportamento, mais uma experiência, uma Cinesiologia (sentir como se já fosse real).

Por quê? O que é uma emoção? São histórias conectadas com sensações. E onde está a emoção? Está no coração. No entanto, se não houver uma ação congruente, conectada com essa sensação de emoção, a realidade não existe. Isso explica a emoção ao quadrado na fórmula. Resumindo, você quer um carro. O seu sonho holográfico já foi enviado ao Universo. Então, o que você precisa fazer? Sentir que esse carro já é seu. Você sente que já o possui, no momento presente, como se já fosse realidade agora.

"Viva como se fosse realidade."

Utilize esse decreto como um mantra em sua vida: "Viver como se fosse Realidade". Por quê? Porque você precisa ter a consciência de que o seu sonho holográfico já é real. Precisa sentir a realização do seu sonho. Esse é o combustível para o seu pensamento. Pensamento é elétrico, não tem magnetismo, somente dá a forma. Para ativar o campo elétrico e o campo magnético, você precisa estar alinhado. Porque o cérebro é racional, e o coração é emocional.

Como você sabe que o coração é elétrico? Quando você faz um eletrocardiograma, pode ouvir as batidas do coração vibrando. Quando você morre, essa vibração cessa.

Essa é a maior prova de que você é apenas vibração. Isso fica decodificado no eletrocardiograma. Para o coração entrar em ressonância com o pensamento, eles precisam estar na mesma frequência. Se o cérebro não tem magnetismo, o coração precisa pensar e sentir. Então, você traz novamente aquele sentimento e aquela emoção do carro que deseja em sua garagem, para que seus campos elétrico e magnético possam ser ativados.

Como se o coração pensasse e sentisse, você vai pensar e visualizar pelo cérebro do coração, projetando holograficamente tudo o que deseja.

CAPÍTULO VII

Segredos revelados para a cocriação universal do dinheiro e da prosperidade holográfica

Aqui vamos compreender que a prosperidade deve acontecer em todos os níveis de consciência. No Capítulo 4, falamos sobre os sete chacras elementais, agora que você já avançou alguns degraus nos níveis de consciência, vou apresentar poderosos pontos de energia que abrem todas as portas do cosmos e da cocriação da realidade. Logo, se sua realidade é ser próspero, bem-vindo ao meu mundo de infinitas possibilidades.

Cheguei aos estudos pioneiros da ligação dos quinze chacras cósmicos relacionando o poder da escala de consciência humana, os níveis de emoções e a Frequência Vibracional® seguindo as pistas que meus mestres me apresentavam; antes de chegar aqui, estudei arquétipos, geometria sagrada, Fibonacci, Pitágoras e até poderes ocultos da mente. O Universo me fornecia a senha da cocriação e a essência da vida humana. O poder superior, a magnitude da vida, o significado e a chave do Universo. Assim conheci os quinze centros de energia encontrados dentro e fora do corpo – poderes humanos que são configurações holográficas dos chacras no DNA humano – e pude desmembrar todo o quebra-cabeça que se apresentava desde o início para mim.

Esses quinze chacras estão localizados fora do corpo, em nosso corpo energético ou sutil (para alguns, o mesmo que alma ou espírito), acima do chacra coronário. São chacras que estão indo para o Universo, o Cosmos. Eles são considerados o trono da alma. São responsáveis pelo estado de harmonia e fluxo. Quando falo sobre entrar em fase com o Universo, isso representa o vazio após a resolução da limpeza e transmutação das energias densas. Percebemos o desbloqueio quando alimentamos a frequência e sentimos o fluxo da vida em todos os níveis. Um sentimento de desapego de todo lixo emocional, da dor carregada por anos, do não pertencimento a quem você era. Ao desapegar das coisas que não usa mais, sobram espaços vazios para preencher com coisas novas. Quando você limpa o sentimento de escassez, libera espaço para a riqueza entrar, pois abre caminho para prosperidade, riqueza, abundância e passa a sentir a totalidade, a unidade e a integração com o mundo. É a sensação de paz, harmonia e liberdade, de ter orgulho de si mesmo e de sua nova vida.

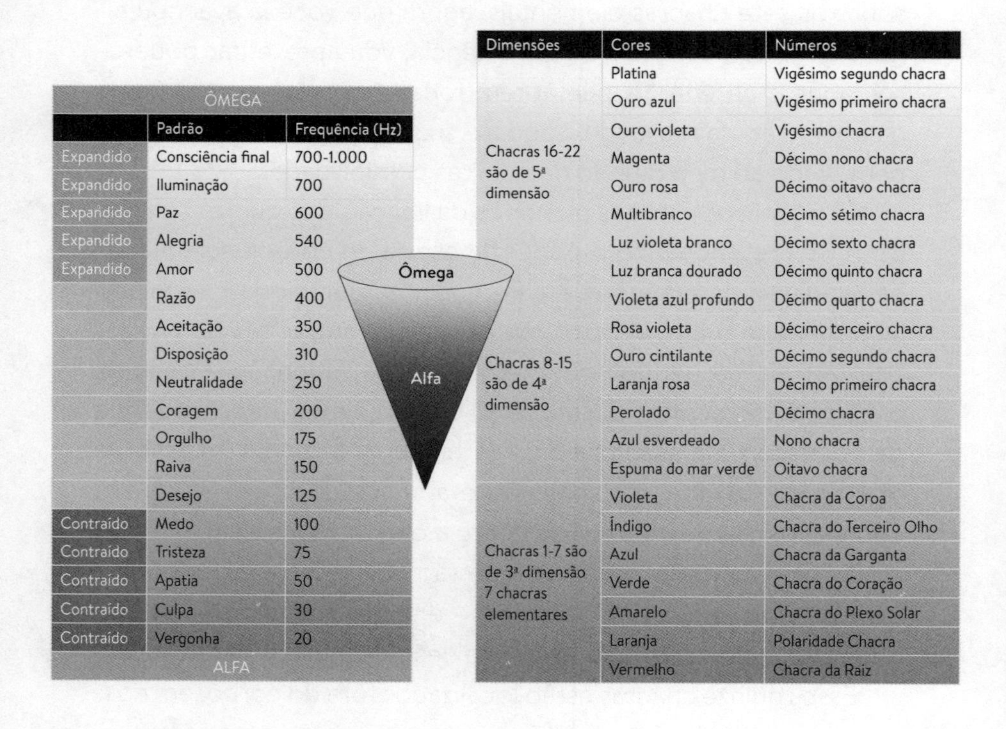

ÔMEGA		
	Padrão	Frequência (Hz)
Expandido	Consciência final	700-1.000
Expandido	Iluminação	700
Expandido	Paz	600
Expandido	Alegria	540
Expandido	Amor	500
	Razão	400
	Aceitação	350
	Disposição	310
	Neutralidade	250
	Coragem	200
	Orgulho	175
	Raiva	150
	Desejo	125
Contraído	Medo	100
Contraído	Tristeza	75
Contraído	Apatia	50
Contraído	Culpa	30
Contraído	Vergonha	20
ALFA		

Dimensões	Cores	Números
Chacras 16-22 são de 5ª dimensão	Platina	Vigésimo segundo chacra
	Ouro azul	Vigésimo primeiro chacra
	Ouro violeta	Vigésimo chacra
	Magenta	Décimo nono chacra
	Ouro rosa	Décimo oitavo chacra
	Multibranco	Décimo sétimo chacra
	Luz violeta branco	Décimo sexto chacra
Chacras 8-15 são de 4ª dimensão	Luz branca dourado	Décimo quinto chacra
	Violeta azul profundo	Décimo quarto chacra
	Rosa violeta	Décimo terceiro chacra
	Ouro cintilante	Décimo segundo chacra
	Laranja rosa	Décimo primeiro chacra
	Perolado	Décimo chacra
	Azul esverdeado	Nono chacra
	Espuma do mar verde	Oitavo chacra
Chacras 1-7 são de 3ª dimensão 7 chacras elementares	Violeta	Chacra da Coroa
	Índigo	Chacra do Terceiro Olho
	Azul	Chacra da Garganta
	Verde	Chacra do Coração
	Amarelo	Chacra do Plexo Solar
	Laranja	Polaridade Chacra
	Vermelho	Chacra da Raiz

CONEXÃO COM O UNIVERSO

Os centros de luz e energia mais conectados com a cocriação e a alteração da realidade estão localizados no Universo, dentro do campo eletromagnético, ativando e nos unificando com a fonte Eu Sou. Estão posicionados, especificamente, acima da coroa e abaixo dos pés, o chacra da Terra, é a conexão divina entre nós humanos, terra e céu. O sistema de quinze chacras cósmicos traz a visão de nossa conexão com o Universo inteiro. A prova de que somos todos um, de que todos os seres vivos são parte de um todo e que o Todo está em nós. Cada um de nós está ligado à terra e ao Universo por meio do entrelaçamento quântico, tudo e todos estão interligados. Esse cabo, que alguns chamam de cordão de prata, se estende cerca de três metros abaixo dos pés, a quilômetros e quilômetros de altura através da atmosfera e no espaço profundo, segundo Cyndi Dale, curadora energética e autora de *Advanced Chakra Wisdom*.*

PONTOS DE CONEXÃO

Chacra, em sânscrito, quer dizer roda e diz respeito a pontos de conexão pelos quais a energia flui de um corpo para outro. São centros cujas energias podem estar densas e bloqueadas, impedidas de fluir, ou desbloqueadas e com o fluxo vibracional livre no corpo físico, através do campo quântico em conexão harmônica com todo o Universo. Os chacras emitem energia eletromagnética quando ativados permitindo que os acontecimentos possam emergir, mas, quando o fluxo estiver bloqueado, a vida fica estagnada e emperrada.

Os fluxos energéticos criam vórtices de luz, tais quais redemoinhos por onde a energia vinda do Universo atravessa, assim a vibração dos sete chacras elementais ou físicos vibra com os quinze chacras cósmicos, permitindo que todos os acontecimentos cheguem até nós. A comunicação entre os chacras cósmicos e os elementais físicos acontece por meio do estímulo aos meridianos da acupuntura sem agulhas; esses vórtices em forma de

---

* DALE, Cyndi. *Advanced Chakra Wisdom:* Insights and Practices for Transforming Your Life. Sounds True, 2015.

pacote de energia fazem a liberação da energia densa e a ativação da energia de luz, pois são condutores de energia vital, por onde flui e pode ser alterada. Por eles passa a energia do Universo e, nesse ponto, obtive a explicação científica e a validação para o poder da Técnica Hertz®, em sua reprogramação de frequência e mudança de realidade. Esses pontos estão localizados tanto dentro quanto fora do corpo, posicionando cinco centros de energia adicionais entre os sete chacras que conhecemos.

Eles contêm memória e identidade, e cada um corresponde a uma fita de DNA. Os sete chacras principais encontram-se no nosso corpo, começando na base da coluna e se estendendo até a parte superior. Há outros cinco do corpo, perfazendo um total de doze vórtices, ou doze sóis, como gostamos de chamá-los. A oxigenação, a luz e a intenção consciente ativam esses centros de energia e, uma vez ligados, nosso desafio é traduzir todos os dados transportados por eles para as fitas de DNA. Os chacras podem liberar a memória desses centros de energia – a experiência do corpo nesta vida, bem como a de outras encarnações.

O primeiro chacra armazena a identidade essencial; está relacionado a quem somos e como sobrevivemos. Leva-nos à jornada dentro de nós mesmos e à base de nossas crenças essenciais.

SEGREDO MILIONÁRIO

Esse é o segredo do DNA Milionário, que me transformou em quem hoje sou. Meu grande salto quântico aconteceu quando adquiri essa compreensão. Os sete chacras físicos somados aos oito chacras cósmicos trazem a visão de nossa conexão com o Universo. Nós, seres humanos, somos o elo entre a Terra e o céu. Os chacras fazem a conexão, permitindo extrair energias poderosas fora do nosso corpo humano e entrar em contato com toda a gama de dimensões da experiência humana, nossas infinitas possibilidades, nosso eu quântico do futuro.

MUDANÇA DE REALIDADE

Isso também permite a mudança de vida, instantaneamente, tão ampla, como se pulasse para outra realidade paralela. Meu salto foi tão grande que sempre tive essa impressão. Eu queria ser milionária de fé, paz, espiritualidade, dinheiro, sim, mas também de saúde, amor, sucesso. Para alcançar isso, precisava investigar mais e compreender do que a realidade humana é feita, qual o sentido da vida.

A prosperidade é uma consciência, um direito humano da nossa herança divina.

Existem algumas passagens bíblicas que elucidam este tema, como: "Buscai primeiro o reino dos céus, e tudo será acrescentado" (Mateus 6:33). O Criador disse: "Haja luz." E houve luz. Ele disse: "Haja firmamento no meio das águas e separação entre águas e águas debaixo dos céus num só lugar, e apareça a porção seca", e a terra e os mares passaram a existir. Isto é Física da Cocriação! Ele pensou, focou sua atenção nesse pensamento, colocou energia nisso (sentiu) e acreditou (teve absoluta certeza) em seu pensamento (desejo/intenção de criar). Ele pensou, se manifestou, ou seja, passou a existir.

VIBRAÇÃO DA VIDA

"No princípio era o Verbo" (João 1:1). Verbo ou palavra, nessa frase bíblica, significa que tudo foi criado por meio da vibração. As palavras nasceram quando o som foi arranjado na harmonia. Quando o som ressona ou está em harmonia, ele produz a energia criativa. Você deve estar pensando que isso só se aplica a Deus porque somente Ele tem poder, mas veja o que dizem as Escrituras: "Vós sois deuses, e todos vós filhos do Altíssimo" (Salmos 82:6).

"Vós sois deuses." Isso mesmo. Você é um deus! Você tem cérebro, mente, pensamentos e sentimentos; você pode pensar, focar sua atenção no seu pensamento, sentir, declarar e acreditar, assim como a Bíblia diz que Deus fez para criar o mundo, então, você é um Criador, o Criador da sua própria realidade. Você emite vibrações. "E todos vós filhos do Altíssimo". Isso significa que você é uma extensão da fonte, e este fluxo de consciência é você. Você pode ter formado bloqueios ou separações, por isso está se vendo separado. E, nesse ponto, os problemas surgem. Imagine o mar. Ele é feito de gotas d'água e, sem elas, o mar não existiria. Isso também acontece conosco. Todos nós somos energia, centros de fluxo energético. Cada um de nós é uma extensão de Deus. Somos deuses. Não somos separados, pois somos uma coisa só.

> Todos nós somos energia, centros de fluxo energético. Cada um de nós é uma extensão de Deus. Somos deuses. Não somos separados, pois somos uma coisa só.

OBSERVADORES CRIATIVOS

Como já expliquei, na física quântica tudo é formado por anéis vibratórios de energia. Isso já foi confundido com matéria por Isaac Newton, porém esses anéis são formados por pulsos e vibrações de energia, obedecendo a consciência humana. Nós, como observadores, alteramos e criamos novas realidades o tempo todo, formando nosso destino, o futuro que vamos experienciar, pois sua energia acústica é amplificada com as vibrações eletromagnéticas dos nossos sonhos. Agora alinhadas e duplicando o seu poder de cocriar – para isso, é necessário o desbloqueio total desses centros poderosos de energia, tanto físicos, no seu corpo, como energéticos, no corpo cósmico, astral, ou espírito. Portanto, a matéria é composta por partículas, que são a manifestação de energia vibratória no espaço vazio.

OS QUINZE CHACRAS E A COCRIAÇÃO DA REALIDADE

Na minha primeira formação em ativismo quântico, fiz uma pergunta direta sobre Frequência Vibracional® ao físico indiano Amit Goswami. Para minha surpresa, ele respondeu que não se chama frequência, mas, sim, chacra. Confesso que fiquei decepcionada por muitos anos, porém segui minha linha de pesquisa com Gregg Braden, que já falava sobre esse conteúdo, mas o Universo continuava me guiando misteriosamente para a grande descoberta que deu origem a este livro. Em um curso em Portugal, aprendi mais sobre espiritualidade sagrada e lá entendi que "os chacras superiores desbloqueavam o poder de cocriação e do cocriador (da realidade)".

Eu já ensinava isso, falava sobre o assunto, mas foi uma compreensão diferente. Eu já estudava isso com a Escala de Consciência das frequências das emoções, e a Técnica Hertz® me provava com relatos tais resultados. Eu só não sabia como aconteciam, mas tudo que ensino tem como base as frequências hertz, o poder ou a força, que seria contração, neutralidade ou expansão. Logo, as emoções acima de 500 hertz, que vibram no sentimento do amor, eram o centro de expansão. E, abaixo, contraídos, os chacras inferiores. Então, se esses estiverem bloqueados, eu não sairia dessas frequências negativas.

SINAIS CIENTÍFICOS

A existência dos quinze chacras cósmicos tem relação direta com a cocriação da realidade, com a Frequência Vibracional® e também com a reprogramação do DNA. Foi meu grande *boom*, o qual eu chamo meu AHA cósmico, uma explosão atômica porque estava diante de algo muito poderoso. Ou seja, a chave que ninguém desvendou para materializar todos os nossos desejos, a reprogramação acelerada da mente e do DNA, para estabelecer um *mindset* de riqueza, mas também para a abundância ilimitada. Eu precisava ser meu próprio experimento. Foi quando desbloqueei meus chacras, criei as técnicas de ativação com o Universo e desenvolvi o Modelo Quantum Hertz Ourives. Na verdade, eu já usava o poder dos chacras através da Técnica Hertz®, mas com outra linguagem. Essencialmente, a Técnica Hertz® permite a conexão com a fonte, com o Eu Sou, ao desbloquear os chacras superiores. E isso acontece a partir do momento em que você conecta o chacra coronário – no topo da cabeça – com a fonte criadora. A nossa alma se conecta com o poder da criação, nossos chacras se tornam vórtices de energia e fótons.

A nossa alma se conecta com o poder da criação, nossos chacras se tornam vórtices de energia e fótons.

ANCORAGEM DA CONSCIÊNCIA

Os chacras são o ancoramento da consciência. É uma consciência criando consciências. E existe o chacra do desbloqueio do dinheiro. Dinheiro é energia, então essa energia precisa estar desbloqueada para que possa fluir em sua vida. Quando está bloqueado, é necessário um enorme esforço para internalizar essa luz abundante, também relacionada com as frequências hertz de contratação e força. Como tudo é movimento, a consciência também o é. O suporte da consciência são os chacras. E como aqui falamos de DNA Milionário e, neste capítulo, vamos falar de dinheiro e riqueza, vamos abordar o chacra básico quando bloqueado.

O desbloqueio promove o alinhamento e a ativação do DNA, libera nossa relação com a terra, os instintos primitivos, a vontade de viver, a vitalidade, a relação com o que é material. É onde se localiza a energia da kundalini. Portanto, quando há bloqueio desse chacra há problemas como pensamentos depressivos, escassez, falta, tristeza, depressão, dores na região lombar, problemas na coluna, esterilidade, problemas uterinos (envolvendo, inclusive, desequilíbrios no fluxo menstrual e cólicas), culpa, raiva, baixa autoestima e insegurança.

Esse chacra quando está bloqueado corresponde à insegurança e ao medo. O medo resulta da repulsa ao sofrimento, da resistência, da ansiedade que sentimos. Causa o sofrimento, seja da falta de algo ou alguém, ou do excesso algumas vezes. Essa sensação gera sentimento em forma de Frequência Vibracional® e se espalha pelos hormônios produzidos pelas glândulas suprarrenais, que são a noradrenalina e os corticosteroides. Ou seja, provoca estresse e desequilíbrio. Em desarmonia, com o chacra bloqueado, a pessoa para de agir, paralisa ou age baseando-se no medo e na escassez. Existe a sensação de desamparo, abandono, desespero. A ansiedade e a sensação de que tudo vai dar errado tomam conta.

Ele é um chacra de aterramento, portanto só há prosperidade quando ele é elevado à expansão com o Universo. Para isso, ele e os demais precisam ser desbloqueados com o aumento de frequência. Ele é a raiz de todo desequilíbrio, mas, quando bem alinhado e equilibrado, traz o poder de ação, confiança, motivação, determinação e aceitação. Também é necessário para aumentar a força de vontade e a perseverança na concretização dos objetivos. Esse chacra, quando ativado, vibra na frequência de 500 a 600 hertz, o que representa informação de riqueza, prosperidade, abundância, sucesso, dinheiro, clientes, negócios, felicidade, paz, amor total e plenitude, pois esse é o primeiro dos três chacras físicos, ou seja, aqueles que determinarão nossa relação com a matéria e as pessoas em nível físico. É a energia criativa, energia de luz, aquela que brota e começa a tomar forma antes de ser concretizada. Ele leva o combustível para a materialização. É a energia da paixão, do sexo primal, a criação em nível primitivo, a energia da terra. Tem o vórtice de energia aberto para baixo, em direção ao solo. É a principal conexão energética do ser humano com o planeta.

Nossos chacras são vórtices de energia que criam as condições para o aporte e o desenvolvimento da consciência. O chacra é o "corpo" da consciência. Assim, o primeiro chacra é o embrião do Universo e do DNA holográfico. Quando desbloqueado, o corpo vibra em uma energia pulsante e alta, que dirige seu destino. Portanto, é necessário o desbloqueio dos chacras extrafísicos para fazer a ativação do DNA, de todos os filetes. Essa liberação promove a mudança molecular e a reprogramação celular. Eles têm total relação com a natureza do amor, da gratidão, da paz e da harmonia por terem padrões vibracionais e emocionais elevados, de 500 a 1.000 hertz de potência.

Nossos chacras são vórtices de energia que criam as condições para o aporte e o desenvolvimento da consciência.

CHACRAS DA QUARTA DIMENSÃO

SEDE DA ALMA Chamado de oitavo chacra, é classificado como o primeiro da quarta dimensão e é a sede da alma. Está ligado à natureza e ao planeta. Representa a existência física, terrena. Suas cores são verde e púrpura. Realiza a conexão espiritual e energética com o nosso mundo.

CORPO DE LUZ É o nono chacra. Corresponde ao chacra base da terceira dimensão e tem relação com o corpo de luz ou aura. Tem sintonia direta com a frequência e o sentimento da alegria. Sua cor predominante é o verde-azulado.

INTEGRAÇÃO DAS POLARIDADES Está associado ao centro de energia da polaridade na terceira dimensão. É o espectro elétrico entre os aspectos masculino e feminino dentro do próprio ser. A cor desse chacra é madrepérola.

ENERGIAS DA NOVA ERA Também conhecido como o 11º chacra, tem conexão com as energias da Nova Era. Tem relação com o plexo solar em sua terceira dimensão. A cor desse chacra é o laranja-rosado, e sua ativação promove uma profunda sensação de bem-estar e de liberdade emocional.

CONSCIÊNCIA DO CRISTO Simplesmente uma energia revigorante e renovadora. Tem ligação com todas as demais formas de energia e está associada ao chacra do coração. É o Universo inteiro dentro de você em forma de amor puro e incondicional, na mesma frequência da criação do Todo. Tem o dourado como cor fundamental e vibrante.

MANIFESTA COMUNICAÇÃO VIBRATÓRIA É o 13º chacra extradimensional e se relaciona com a comunicação vibratória da consciência. Tem poder para a materialização e desmaterialização da matéria, de objetos e também na ação de teletransporte. Leva um tom claro de rosa-violeta em sua cor.

PLANO DIVINO Conexão direta com Deus. Linha direta e exclusiva com a fonte da vida. Está ligado ao plano divino. Tem conexão com o terceiro olho e o chacra frontal da terceira dimensão. A cor característica é o violeta-azulado.

LIGAÇÃO MONÁDICA É o 15º chacra multidimensional. Está localizado no topo da cabeça, correspondente ao chacra de terceira dimensão. Permite acessar as portas da fonte, toma para si o poder essencial para manipular energia e acessa as informações originais da criação. A cor que prevalece é o branco-dourado-claro.

CHACRAS DA QUINTA DIMENSÃO

ASCENSÃO – SER UNIVERSAL Você se integra ao Universo, ao cosmos e à matriz divina. Torna-se um ser uno com Deus e retorna à casa do pai. Você parte para a ascensão e pode descartar toda a vida física para sempre. Não precisa mais reencarnar. Vira um ser de luz, puro fóton e eletricidade essencial. Não há mais limites de tempo, espaço, dimensão ou existência material. Você, ao ativar definitivamente esse chacra, retorna à sede da alma e passa a ser um Criador universal. A cor desse chacra é um branco-violeta-claro.

INTENTO DIVINO HEXADIMENSIONAL Esse chacra se relaciona com a luz universal, com a própria frequência de Deus e corresponde ao nono chacra da quarta dimensão, conhecido como corpo de luz. Representa pura luz, energia primordial e eletricidade em alta voltagem. Tem cores variadas, tons diferenciados de branco.

ENERGIA UNIVERSAL É o 18º chacra da quinta dimensão existencial, mas está relacionado ao intento divino da sexta dimensão. Quando ativado, possibilita ascender e acessar a sexta dimensão da realidade multidimensional. Sua cor é o rosa-dourado.

ENERGIA DO CORAÇÃO Esse chacra transita entre a terceira, a quarta e a quinta dimensão. Faz a conexão das três mentes, do coração e da mente do Criador com a nossa alma. É o alinhamento perfeito e sublime com Cristo e a energia do Criador.

EXISTÊNCIA (ESSÊNCIA DO SER) É o vigésimo chacra. Tem conexão com a própria existência ou essência da personalidade, do ser em si. Com ele, você se manifesta como energia primária, em essência e em alta vibração, na mesma sintonia da consciência primária. Sua cor é dourado-violeta.

ESTRUTURA DIVINA Você é um cocriador universal. Pensa e cria todas as coisas a partir do momento que libera o fluxo desse chacra divino. Está no fluxo incessante de amor do Criador e do Universo. Está dentro da estrutura divina da criação. É a estrutura em si, o Criador de tudo o que é. Sua cor é dourado-violeta.

LIGAÇÃO À FONTE Ligação definitiva com a divindade que existe em você. Com o Deus que habita o seu ser. Com o Criador do Universo, com a centelha divina e a essência em si. A cor desse chacra é a platina.

Essa compreensão nos leva a aprender a cocriar riqueza. Tudo é uma onda abundante de riqueza em forma de infinitas possibilidades de prosperidade. A seguir, vou apresentar outros segredos poderosos para manifestar riqueza. Todos estão conectados com a força do seu campo vibracional, a liberação quântica e energética dos seus chacras e a expansão da sua consciência quanto ao seu poder natural para cocriar a realidade e seus desejos de prosperidade.

OS SETE PRINCÍPIOS DA COCRIAÇÃO DA RIQUEZA

Agora, tudo depende de você, de seu nível de consciência, da ação de seu poder para cocriar a riqueza em sua vida. Você tem mais sete passos curtos, práticos e totalmente eficientes para cocriar a realidade e manifestar a riqueza e plena abundância.

1. **PERDÃO** O perdão é o primeiro princípio para cocriar dinheiro. Sem o perdão, você não prospera nem conquista a riqueza que vislumbra. Não consegue porque mantém todas as emoções negativas no seu inconsciente, que embruteceram o seu coração e congestionaram a vibração do seu campo eletromagnético. Por isso, o perdão remete à limpeza profunda de todas as suas crenças limitantes. Ele vai fazer você subir de patamar na Escala das Emoções Humanas e vibrar na sintonia do amor e, consequentemente, da abundância do Universo. O processo é simples. Você limpa primeiro para depois vibrar na frequência cristalina da prosperidade.
2. **CONEXÃO COM A FONTE "EU SOU"** Ao perdoar, você sobe a frequência automaticamente, pois libera espaço mental e emocional para isso. Também abre o canal no campo quântico para se conectar com a fonte Eu Sou. As afirmações do Eu Sou, por Saint Germain, são frases que nos ajudam a magnetizar nossos pedidos, são como mantras de atração e, como tal, devem ser repetidas até que façam parte de uma nova consciência. São no total 301 afirmações que evocam

cura, abundância, sabedoria, amor, coragem, força, dentre outros aspectos. Devemos estar sempre em sintonia com a sua presença. O Eu Sou é nossa essência. É possível utilizar as afirmações, por exemplo, na Técnica Hertz® – Reprogramação da Frequência Vibracional®, onde elas estão inseridas. Ao meditar, ao acordar, antes de dormir... não há limites para o uso, ao contrário, quanto mais as usamos, mais invocamos a presença divina em nossa vida, na mente e no coração, ancorando nossos sonhos e atraindo para nós aspectos positivos, luz, harmonia e bem-estar. Ao acordar ou antes de dormir, pronuncie estas frases: "Eu Sou próspero", "Eu Sou rico", "Eu Sou abundante".

3. INTENÇÃO No terceiro passo, você vai criar a intenção do seu desejo. A intenção é o pensamento, a Matriz Holográfica®, o protótipo mental do seu sonho. O pensamento é essa intenção e define a imagem, o arquétipo, o holograma do seu sonho.
4. FREQUÊNCIA DAS EMOÇÕES Após a intenção, crie o sentimento desse holograma. Você deve visualizar a imagem do sucesso, do seu carro novo, da independência financeira e da prosperidade em sua vida. O sentimento gera a vibração no campo quântico para iniciar o processo de materialização da realidade. Entretanto, para gerar essa frequência elevada, é preciso harmonizar pensamentos e sentimentos com relação a dinheiro e riqueza. Precisa haver congruência. Sentir e, mais do que isso, ser próspero. Na mente e no coração. Isso o coloca em conexão com a fonte suprema e no fluxo de abundância do Universo. Afinal, essa é a essência da sua natureza cósmica.
5. FREQUÊNCIA DA ALEGRIA Nessa etapa, para cocriar a riqueza, ao alcançar o equilíbrio e a harmonia entre emoções, pensamentos e atitudes, você já passa a vibrar na alegria e no amor, em frequências de luz, acima de 500 a 600 hertz. Você passa a vibrar na mesma frequência do Universo, do Todo. Navega na energia vibrante do dinheiro e de tudo que esse valor de troca vibracional pode lhe proporcionar.

6. EXPERIÊNCIA, AÇÃO E COMPORTAMENTO Experimente a riqueza dentro de si, por meio do exercício da gratidão. Agradeça mesmo sem ter motivo aparente. Viva a experiência. Sinta. Vibre em 900 hertz. Todo o campo de agradecimento gera mais energia de gratidão e motivos para você receber amor, mais dinheiro e prosperidade.
7. SOLTAR Você não precisa pedir nada, pois você já tem. Há uma versão de você com todos esses recursos disponíveis. Existe uma versão do seu "EU" rica, milionária, saudável, perfeita e totalmente abundante na não localidade. Basta experienciar, internamente e, depois, delegar. Você não precisa se perguntar como será cocriada sua riqueza, nosso trabalho é compreender como a mente inconsciente é reprogramada. O Universo vai apresentar as soluções no campo das infinitas possibilidades. Solte, se deseja cocriar a realidade dos sonhos e a riqueza ilimitada em sua vida, acionando o poder do seu DNA Milionário.

OS SEGREDOS OCULTOS DA MENTE INCONSCIENTE

Certo *versus* Errado

A mente não distingue o que é certo e o que é errado. Existe o seu certo. Existe o seu errado. A outra pessoa tem o certo dela e o errado dela. Porque todos estamos olhando com os nossos óculos. Ou seja, você está olhando a realidade de acordo com com sua visão de mundo, com seus óculos, com a consciência que você tem. Uma pessoa que está em processo de vitimização – culpando o outro pelo problema dela, culpando marido, mãe, pai, chefe, o sócio que a enganou – está olhando para aquela história com os óculos dela. E ela interpreta essa realidade de acordo com o conhecimento de que dispõe. O que você pensa sobre qualquer coisa será interpretado pelo Universo apenas como uma frequência. O Universo só sabe o que você emana; se emanar indignação e ódio, isso voltará para você. Por isso, na compreensão da mente inconsciente e no processo de cocriação da realidade, especialmente da riqueza, nunca emita julgamentos ou condenações. Aprenda a colocar-se no lugar do outro.

Realidade *versus* Imaginação

A mente não distingue realidade e imaginação. Precisamos sentir e viver a experiência. Você deve viver dentro de si a experiência real do seu desejo. Por exemplo, você tem o sonho de viver em uma linda casa. Então, percorra mentalmente todos os cômodos, visualize a porta de entrada, tome banho no chuveiro que deseja. Você deve ser para ter.

O campo eletromagnético do seu coração, que tem 5 mil vezes mais força do que o campo do cérebro, vai impulsionar a vibração dessa emoção para o Universo. Sinta para viver. As mesmas redes neurais serão ativadas na sua mente, assim como ocorre quando você visualiza holograficamente ou imagina. A consciência cria a realidade, o observador projeta os acontecimentos do seu mundo. Então, toda vez que você fechar os olhos e sentir como verdade, está se tornando realidade. A mente não sabe o que é verdade.

Agressor e Agredido

No Universo não existe quem prejudicou você. Existe aquilo que você sente em relação a isso. Só existe você, seu padrão, sua vibração e frequência. Agressor e agredido são uma coisa só. Aquilo que você está sentindo volta para você. É por isso também que você deve usar o poder da gratidão, sob qualquer circunstância. Porque se você se mantém grato, o que volta? Mais daquilo que você está emanando. Gratidão, abundância e cada vez mais motivos para ter gratidão.

Não

O Universo não entende a palavra "não". Por exemplo: "Não quero ficar pobre, não quero ficar doente, não quero que isso não aconteça". O "não" inexiste. O melhor a fazer é pensar positivamente e sentir, no presente, o sonho que deseja realizar. Além disso, não deixe a mente sucumbir aos medos e dramas conscienciais. Além de emitir negatividade, repetir frases em negação só faz reverberar o contrário do que você deseja. Mude seu vocabulário: em vez de "não quero ficar pobre" diga "eu sou rica". Afirme o que já é realidade para você.

Atemporal

A mente é atemporal. Não existe passado ou futuro. Isso é uma invenção dos seres humanos. No Universo, neste instante, não há correspondência com o horário marcado em um relógio. No Universo não existe horário. Na prática, você deve imaginar e projetar seus sonhos agora. Feche os olhos e viva essa realidade, vibre na emoção de todos os seus desejos.

Emocional/Coração

A mente é totalmente emocional. É o pulso elétrico do coração que magnetiza o campo eletromagnético. Ou seja, é o sentimento, é a emoção, é o coração que colapsa a realidade. Nessa analogia, o pensamento é o carro. O sentimento é o combustível que faz o carro andar. Então, o pensamento dá a forma, e o sentimento colapsa a realidade. A mente inconsciente é emocional e, quando ativada, você muda os registros no inconsciente e mostra para o Universo aquilo que você quer, verdadeiramente, através do pulso eletromagnético do coração. "Sinta, viva como se fosse verdade."

Congruência/Alinhamento

Tudo está em congruência. O que você fala, a maneira como se veste. Aquilo que você está vendo, assistindo, estudando, lendo, tem de haver congruência entre tudo. Você deve se portar como alguém bem-sucedido, de sucesso, rico, próspero e abundante, se quiser vibrar as moléculas da riqueza e construir um *mindset* milionário. Não importa sua situação atual, vibre na frequência em que seu sonho está. É ser para ter!

Imagens mentais/Arquétipos

As imagens também são arquétipos. Por que as imagens são um segredo da mente? Quem inventou as palavras? Seres humanos. Qual a primeira emanação do Universo? Arquétipos. Qual o sentimento de ter a vida de seus sonhos, o sucesso, a carreira que tanto deseja e a abundância financeira? De viver um relacionamento extraordinário, a família que sempre quis? Amor, alegria. Percebeu como o sentimento cria diferente? Você deve criar um pensamento, um sentimento e soltar. Um por vez. A isso, associe uma imagem correspondente. A imagem do seu sucesso, da riqueza e da prosperidade. Um arquétipo que simbolize e represente tudo o que deseja. Você não deve fracionar os sentimentos nem as imagens de seus desejos. Tudo deve estar alinhado e acessado de maneira uníssona. Quer dinheiro? Concentre-se totalmente nisso até cocriar. Quer riqueza, concentre-se nisso. Quer sucesso? Saúde? Amor? Faça o mesmo. Um de cada vez até alinhar tudo e conquistar seus objetivos. A imagem da riqueza vai criar a Matriz Holográfica® do seu desejo.

COCRIE NA MESMA FREQUÊNCIA DOS DESEJOS

Todo mundo quer ter sorte, bons amigos, bons parceiros, bons filhos, mas muitos parecem não ter sorte, sofrer de falta de dinheiro, ter maus amigos, parceiros ruins, problemas nos relacionamentos. Tudo está associado, e, neste capítulo, você já deve ter percebido isso. Há o entrelaçamento de vários métodos e técnicas para você aplicar e passar a cocriar tudo o que deseja em termos de dinheiro e riqueza. Agora, quero apresentar mais dez segredos poderosos para fortalecer ainda mais o seu poder como cocriador da realidade e impulsionar a vibração de seus sonhos ao campo quântico para manifestá-los.

INTERFERÊNCIA POSITIVA

AVATAR	FREQUÊNCIA	ATINGE
1	300 (otimismo)	90 mil pessoas
1	500 (amor)	750 mil pessoas
1	600 (iluminação)	10 milhões de pessoas
1	700 (estado de graça)	70 milhões de pessoas
1	1.000 (consciência final)	Toda a humanidade

Antes de comentar os dez segredos definitivos para cocriar a riqueza e abundância, quero falar um pouco da tabela acima. Mais do que o seu poder para a cocriação da realidade, ela demonstra a amplitude da sua influência vibracional sobre as demais pessoas e o planeta, à medida que eleva a potência da sua energia. Quanto mais elevada a sua frequência, como pode observar, mais pessoas você impacta e pode transformar no mundo. Compreender isso é essencial para potencializar a ação dos dez segredos sobre a cocriação da realidade, porque comprova alguns princípios da física quântica, como a não complementariedade, o entrelaçamento quântico e o campo de ressonância. Ou seja, você afeta o outro, e vice-versa. Nada está dissociado vibracionalmente e energeticamente. A cocriação opera por emaranhamento quântico.

> Quanto mais elevada a sua frequência mais pessoas você impacta.

OS DEZ SEGREDOS PARA A COCRIAÇÃO DA REALIDADE

1. Esvaziar a mente para recuperar a intuição divina que pulsa e vibra por todo o seu ser. Esvaziar significa, essencialmente, limpar toda a carga emocional armazenada na mente inconsciente. Se você de fato deseja ter prosperidade, abundância e riqueza em todas as áreas imagináveis, deverá extrair da sua mente inferior ou inconsciente todos os aprendizados errôneos e equivocados sobre vida, dinheiro, prosperidade e relacionamentos afetivos, apagando e eliminando as crenças limitantes. Com isso, você abre espaço para o novo entrar, pois terá limpado, esvaziado e apagado todas as emoções negativas da sua lixeira interna.
2. Trata-se do gesto universal da gratidão. A gratidão, segundo a Escala da Consciência e a Roda da Gratidão, gera uma frequência muito elevada, acima de 900 hertz. Ela é uma força motriz e a potência essencial para a cocriação da realidade.
3. O vácuo quântico é você, o vácuo, a Matriz Holográfica®, é a própria consciência universal. Portanto, se você deseja cocriar ou manifestar seus desejos de riqueza, deverá se purificar para alcançar a frequência primária.
4. Solte e nada mais. Você deve apenas liberar, esquecer preocupações, abandonar os medos, as crenças sobre a vida e voar livre no espaço, nos céus da cocriação. Parece simples de executar, porém talvez seja o passo mais difícil para a maioria das pessoas.
5. Para cocriar a realidade sonhada, você não precisa pedir desesperadamente ao Universo. Em vez disso, apenas silencie a mente, esvazie os pensamentos e elimine sentimentos negativos que confundem a sua consciência. O poder da meditação possibilita o acesso ao campo dos sonhos e a infinitas possibilidades para arquitetar qualquer realidade no cosmos e, naturalmente, na sua vida. Quando você alcança esse estágio de

neutralidade dos pensamentos, abaixa o ciclo das ondas cerebrais para a frequência theta. As ondas theta, situadas na faixa de 7,5 hertz ou ciclos por segundo, são acessadas quando aquietamos a mente e permanecemos no silêncio absoluto

6. O segredo dos segredos é você mesmo. A consciência. Ela tem o poder para manifestar qualquer realidade, qualquer desejo, qualquer sonho. E quem é a consciência? É você, o observador da realidade. Você tem o poder para transformar a energia quântica e vibracional do Universo em matéria, em eventos e em todos os acontecimentos da sua vida. Isso porque você é a representação e a expansão máxima do amor de Deus, do Todo, multidimensionalmente. Você é energia, pura luz e tem habilidades para concretizar tudo o que quiser ao se alinhar com Deus e ao se alinhar vibracionalmente. Isso significa agir, pensar e sentir tudo na mesma sintonia do amor de Deus.
7. A glândula pineal tem propriedades químicas e neuroquímicas especiais, que ampliam as capacidades humanas. Localizada na região central do cérebro, entre os olhos, muito perto do meio da testa, a pineal seria a nossa linha direta de conexão com o nosso Eu Superior ou com a Mente de Deus. Por meio dessa antena extrassensorial, conseguimos visualizar, mentalizar e projetar a vibração necessária para fabricar qualquer sonho, sobretudo aqueles atrelados a riqueza, prosperidade, abundância e toda a fartura e fortuna garantida pelo Universo.
8. Você pode usar o poder da visualização para produzir a energia da riqueza ou criar as condições vibracionais adequadas para a manifestação da abundância. Tudo aquilo que você visualizar por meio dos cinco sentidos com o potencializador da pineal. Isso lhe permite acessar o seu "eu do futuro", na não localidade, dentro da sua mente superior. Então, com esse atributo divino em poder, você pode trazer para essa consciência, para essa localidade, aquilo que deseja e todos os seus mais profundos sonhos. Portanto, toda a sua ideia de riqueza, abundância, prosperidade, amor e sucesso pode ser

acessada e, consequentemente, materializada na sua vida por meio da força e do poder interdimensional ativado pela glândula pineal e da prática regular da visualização criativa e mental, todos os dias, se assim você desejar.

9. Trata-se do poder dos Códigos Grabovoi. Eles são elementos fantásticos no processo de cocriação da realidade e podem potencializar o poder para cocriar a riqueza. Grigori Grabovoi, numerólogo e matemático russo, diz que cada sequência dos números Grabovoi, sequências numéricas criadas por ele como códigos, funciona como uma referência geográfica dentro do cérebro, como se fosse um aparelho de GPS. Ao olharmos, escrevermos, fixarmos o pensamento, nos concentrarmos e repetirmos essas sequências, nossos olhos captam a informação que chega instantaneamente ao cérebro, o qual localiza e encaixa a informação. Existem inúmeras formas de auxiliar em seu processo, nas situações conflitantes do seu dia a dia. O que eu mais gosto e uso é o código da cocriação: a aplicação do 10 elevado à frequência menos 17 (10^{-17}). Para isso, basta pronunciar esse decreto. Então, repita mentalmente, ou em voz alta, escreva, concentre-se nele. Para a física quântica, a cada número 10 elevado à potência de menos 17 segundos, a mente cria uma nova realidade, por meio de um pensamento.

10 elevado à potência menos 17

COMO UTILIZAR A POTÊNCIA DE GRABOVOI?

Visualize o evento negativo (analise-o sozinho, sem julgamento, como se fosse algo estranho para você), em seguida, repita em voz alta ou mentalmente: "10 elevado à potência menos 17". Sinta como o evento é imediatamente neutralizado pela potência. Ao utilizá-la, você abre uma fenda, coloca luz em um espaço denso, que foi criado entre você e o Criador, ou Universo. Colocando luz, quebra-se o ciclo com a chance de recriar uma nova realidade em uma fração de segundo apenas.

10. Refere-se ao decreto para alinhamento imediato. Quando você pensar em algo negativo – como "Não mereço", "Não vai dar certo", "Isso não é para mim", "Tenho dificuldades de ganhar dinheiro", "Nunca serei rico", "É impossível conseguir esse valor" –, use a mão direita, no sentido cinestésico na sua frente, como se estivesse cortando o pensamento e a emoção negativa, e diga: "Cancelado, Cancelado, Cancelado". Você pode interromper, automaticamente, pensamentos e sentimentos negativos contrários à prosperidade com esse comando quântico de luz. Sempre que pensar ou sentir esse movimento interno oposto à realização de seus sonhos, alinhe-se, acalme-se e decrete, novamente, para si, a partir de uma ótica positiva: "Eu Posso", "Eu Consigo", "Eu Tenho". Isso deve reverter, imediatamente, a polaridade dos átomos e de sua vibração, de um estado negativo para o positivo.

CAPÍTULO VIII

A energia vibrante do dinheiro e da abundância no campo das infinitas possibilidades

O dinheiro, assim como todas as coisas no Universo, é formado por energia – das cédulas de papel e moedas às ações, todas as formas físicas e também simbólicas do dinheiro são constituídas dessa maneira. Valores monetários, recursos financeiros e econômicos, rendimentos bancários, transações financeiras, investimentos e tudo o que conhecemos como dinheiro, tudo se trata apenas de uma forma organizada de energia, frequência e vibração. Isso mesmo! O dinheiro também tem frequência e vibra em uma voltagem específica. E sabe qual é essa energia e em qual frequência ele vibra? Esse segredo vale a sua liberdade financeira, independência econômica e a realização de grandes sonhos. Calma, vou revelar logo a seguir.

CONSCIÊNCIA INTERIOR

Gregg Braden, em sua obra *Efeito Isaias*, mostra as chaves da mente, que foram escritas em torno de trezentos anos após o tempo de Jesus. Ele ensina consciência e unidade por meio de metáforas bíblicas. Cita: "Quando fizerdes de dois por um, vos tornareis filhos do homem". Nessa frase ele relaciona pensamento e sentimento, dois por um, exemplificando a união com a fonte, com o Criador. Braden cita também: "Quando disser: Montanha, mova-te, ela se moverá; montanha, afaste-se, e a montanha se afastará". A ideia central, é que, ao conseguir conciliar pensamento e emoção em uma única força potente, você poderá conquistar o poder para falar o idioma do mundo. Pensar e criar. Quando os dois, pensamento e emoção, se tornam um em nosso coração, criamos os sentimentos em nosso corpo. E quando o pensamento e a emoção se tornam um?

Você é a casa, é o templo, se os dois fazem as pazes nessa casa, se pensamento e emoção se tornam um, eles dirão para a montanha se afastar, e ela se afastará. E como se faz isso? Na Bíblia está escrito o que a física quântica comprova "Peça e receberás". "Peça, e vos será concedido; buscai, e encontrareis; batei, e a porta será aberta para vós. Pois todo o que pede recebe; o que busca encontra; e àquele que bate, se lhe abrirá" (Mateus 7:7-8). Nesses versículos, vejo milagrosamente pensamento, sentimento e ação em alinhamento total com as três mentes. A Matriz Holográfica®, Deus ou Universo, fala um idioma, o das vibrações. Então você deve falar com o campo holográfico, para a matriz divina, na linguagem que ele reconhece. Nessa linguagem, não é a voz humana que é reconhecida pelo campo, mas, sim, o poder do coração quando em ressonância com o Eu Sou, que é a assinatura vibracional. O coração cria ondas elétricas, ondas magnéticas, que são a linguagem que o campo reconhece quando está alinhado com a imagem formada na mente e com as ações, tudo ao mesmo tempo. Você deve sentir em seu coração como se o seu sonho estivesse acontendo! Seu Unoholograma® já foi respondido. É isso que cria ondas eletromagnéticas e magnéticas que o materializam para você.

> Você deve falar com o campo holográfico, para a matriz divina, na linguagem que ele reconhece.

UMA NOVA CONSCIÊNCIA

É isso que o Mestre veio nos ensinar, e essas novas escrituras sagradas encontradas revelam ainda mais essa verdade: que todos nós estamos conectados, somos todos um. Então, diante disso, saiba que você sempre está emitindo um padrão de energia, uma assinatura energética, que comunica ou escassez ou prosperidade e corresponde à sua consciência do momento. Saiba que essa consciência está criando tudo o que você está experimentando exatamente agora.

EM QUE FREQUÊNCIA VIBRA O DINHEIRO, A ABUNDÂNCIA E A PROSPERIDADE?

Para cocriar e materializar riqueza e atrair recursos financeiros para sua vida, você deve entrar no mesmo fluxo dessas energias. Se o dinheiro é uma energia, naturalmente, possui uma frequência e uma vibração específica. Quando elevamos nossa frequência, alcançamos esferas superiores nos mesmos estágios da manifestação ou cocriação da realidade, sobretudo de dinheiro e riqueza. O dinheiro, no entanto, é uma energia que precisa circular, vibrar, estar em movimento. Ele vibra em ressonância com você e com as suas crenças. Se você vibra riqueza, ele aumenta a sua riqueza. Se você vibra pobreza, ele tem uma frequência de pobreza.

O dinheiro está na escala da alegria, do amor, da abundância, acima de 500 a 700 hertz. Quando você também vibra nessa frequência, significa que já passou a se amar, aceitou a sua história, desfez muitos bloqueios, medos, inseguranças e traumas, está em harmonia com todas as coisas, está em paz e não se preocupa com dinheiro. Esvaziou a mente inconsciente das preocupações excessivas.

Nesse sentido, então, o que é ser abundante? Ser abundante é ter somente um ovo para comer, mas se sentir grato por isso, abundante. Se eletricamente sentir abundância, você magnetiza mais motivos para sentir-se abundante. Se envia para o Universo ondas de abundância, o que retorna para você é mais abundância, ou seja, eletromagneticamente abundância na mesma frequência hertz. Então, o dinheiro tem essa energia, tomando forma e entrando em ressonância vibracional com a informação que você transmite, com as suas crenças positivas ou negativas em relação a ele.

ALINHAMENTO PARA A RIQUEZA

Você deseja a riqueza, por isso precisa sentir e agir de acordo. Quando está desalinhado, você quer riqueza para ir a restaurantes melhores, mas sente escassez e age passando longe de estabelecimentos mais sofisticados. O que isso significa? Você está em contradição. Lembra-se das três mentes? Inconsciente, consciente e superior? Elas precisam estar alinhadas. Ou seja, as emoções (inconsciente), a mente consciente (pensamento) e a mente superior (Deus) precisam estar vibracionalmente alinhadas. E de que forma? Pensamento, sentimento e Universo devem agir de modo congruente.

Você deve pensar na riqueza, desejar, sentir e acreditar no poder do Todo, do Universo. Na prática, isso significa sentir-se rico e merecedor de frequentar um bom restaurante, pensar como alguém rico, como se isso fosse realidade, e agir para conquistar seu propósito de se tornar milionário, diariamente, com fé, dedicação e amor dentro de si.

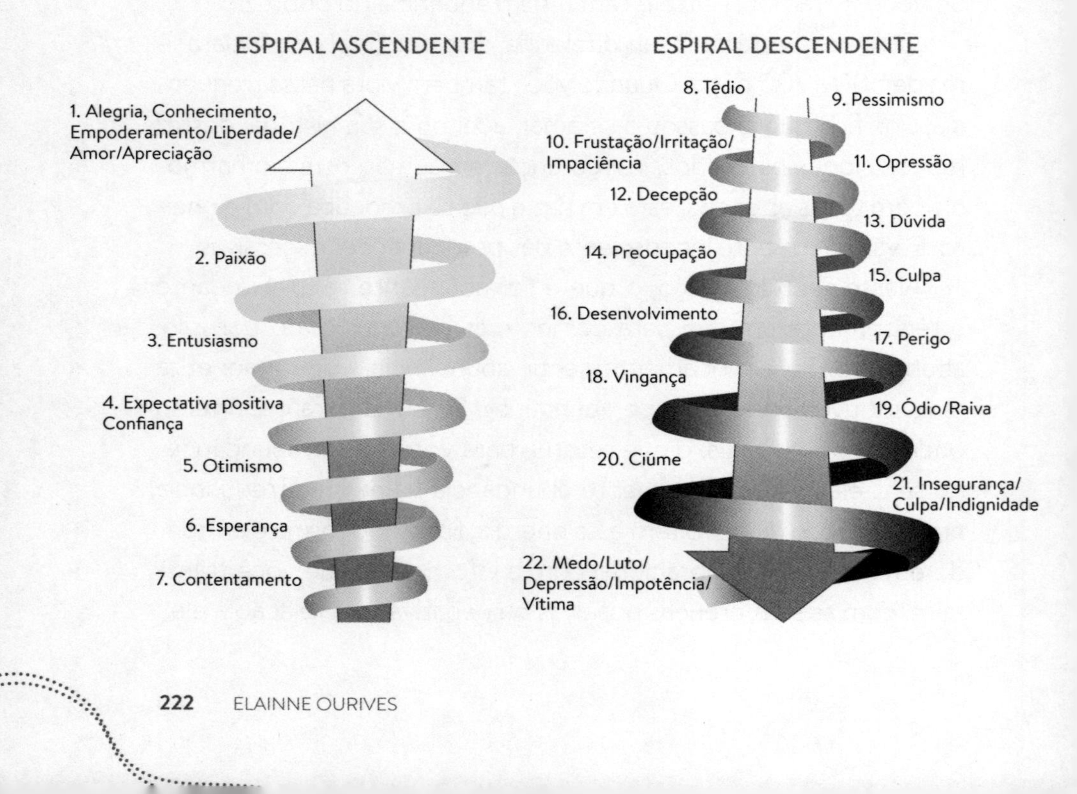

ÁTOMOS VELOZES

Para acessar a energia do dinheiro, você precisa, naturalmente, se elevar a essa vibração, elevar essa frequência. E como fazer isso? Movimentando-se, agindo. A frequência aumenta quando você vive a experiência, quando o que pensa e sente passa pelo comportamento, pela ação. Agir como se fosse realidade! Seja grato por já ser realidade. Está percebendo a lógica e o sentido de tudo isso? A lei da atração deveria ser compreendida como lei da ação. Para aumentar a frequência, aumente o movimento dos seus átomos, da sua energia, do seu campo vibracional. Você não vai conseguir entrar no elevado fluxo do Universo e da energia do dinheiro numa vibração baixa e lenta. Porque, quanto mais baixa a vibração, mais denso o seu campo quântico de energia.

A ESCADA DA FORTUNA, ABUNDÂNCIA E RIQUEZA

Qual é a escada para a fortuna? A escada para a fortuna tem relação com as emoções. Você está na vergonha. A vergonha é uma frequência de escassez, de pobreza, de falta. Se você tem culpa e não se sente merecedor, o mundo também não vai lhe dar aquilo que você deseja. Você não vai merecer a prosperidade enquanto não se sentir merecedor. Enquanto não se ama, o dinheiro também não o ama. Se você não se aceita, o dinheiro também não o aceita. O dinheiro não vai até você. Então, você precisa se aceitar do jeito que é. Se você sai dessa frequência de escassez, que é uma frequência de 20 hertz, e a eleva, começa a perdoar as pessoas, passa pelo perdão, pelo merecimento e pelo amor-próprio, sendo capaz de reverter a polaridade dos átomos para o *spin* positivo e mudar a realidade. Você alcança a aceitação, um sentimento maior, e como consequência o amor incondicional, que engloba o amor-próprio, a autoestima. E esse amor o conduz ao amor do Todo.

SINTONIA DE DEUS

Para chegar ao amor do Todo, você precisa sentir amor-próprio. A escada o leva para o degrau do salto quântico porque, senão, você não vibra na sintonia de Deus. E como você entra na sintonia de Deus, do Todo? Por meio do amor incondicional. E o amor incondicional é o amor-próprio. "Amais o teu próximo como a ti mesmo" (Marcos 12:31). Para sintonizar Deus, você precisa amar a si. Por que, como já vimos, quem é Deus? Eu! Você!

MERECIMENTO

Se você não se amar, não vai prosperar e não vai se conectar com Deus. Se você não se conectar com Deus, nunca vai se sentir merecedor. O sentimento de merecimento e de pertencimento só aflora quando existe conexão com Deus. Se você receber hoje 1 milhão de reais e se sentir merecedor, vai celebrar verdadeiramente. Mas se achar que não merece, vai fazer de tudo para destruir o acontecimento. Não vai nem aceitar, porque quem sente culpa, e não merecimento, precisa se autodestruir. É como desejar ter um relacionamento dos sonhos, mas, quando a pessoa certa chega, fazer de tudo para expulsá-la, porque não acredita ser merecedor desse amor. Ou querer ter grande sucesso profissional, mas, quando o sucesso começa a chegar, ter medo de cobrar e de crescer porque também se julga não merecedor.

POSIÇÃO PERIGOSA

Lembre-se de que o Universo vibra acima de 500 hertz. Portanto, se você estiver em um estado de letargia, tristeza, culpa, ódio, mágoa, solidão, entre tantos outros sentimentos negativos, não produz quase nada, pois permanece em uma vibração baixa, menor que 100 hertz, seus átomos ficam preguiçosos, lentos, fora do ritmo intenso do Universo e das altas instâncias vibracionais da manifestação da realidade, do dinheiro e da prosperidade potencial emanada pelo vácuo quântico. Nessa posição, você, sem dúvida, não vai conseguir acionar o poder do seu DNA Milionário. A seguir, vou revelar algo essencial para garantir a riqueza e a abundância em sua vida. São as leis universais da cocriação. Elas serão sua bússola e seu instrumento de navegação no oceano infinito de energia cósmica para potencializar o seu poder da cocriação da realidade e de prosperidade. Você perceberá que cada lei se complementa e como tudo, de fato, está entrelaçado quanticamente. Tudo se afeta.

CHAVES CÓSMICAS DA COCRIAÇÃO

1. CHAVE CÓSMICA DA COCRIAÇÃO O mentalismo, que é o pensamento, já foi estudado quando falamos sobre consciência. Nesta lei, a mente tem o poder de pensar. "O Todo é Mente; o Universo é mental" (em *O Caibalion: Estudo da filosofia hermética do Antigo Egito e da Grécia*). O Todo é uma grande mente holográfica onde tudo já existe. Ele opera como se o Universo fosse os neurônios da grande mente consciente, aquela que pensa. E nós fazemos parte dessa mesma mente coletiva, ou consciência superior. Por isso, a nossa mente tem acesso livre a todas as possibilidades, a esse campo quântico e vibracional, reconhecido como a não localidade. Nesse espaço amorfo, tudo o que desejamos já existe. Você já tem tudo. Só precisa sintonizar e pensar, desejar, intuir criativamente o que quer. Estamos todos

> Estamos todos entrelaçados quanticamente à mente de Deus, como um fio invisível.

entrelaçados quanticamente à mente de Deus, como um fio invisível, a qual contém todo conhecimento e sabedoria como uma torre de comando cósmico. A lei do mentalismo confirma isso, o emaranhamento com a mente de Deus, o poder do pensamento, as realidades múltiplas e as diferentes escolhas que você pode fazer para definir o melhor futuro possível para a sua existência, por meio da cocriação da realidade. Você pode usar a força criativa da sua mente para cocriar a realidade, especialmente riqueza, prosperidade e dinheiro em abundância. Mente consciente é o mentalismo. Mente inconsciente é o quê?

2. CHAVE CÓSMICA DA COCRIAÇÃO DA VIBRAÇÃO Você não atrai nada, você cocria tudo. Você precisa vibrar para magnetizar seus sonhos. É a lei da vibração: "Nada está parado, tudo se move, tudo vibra". Toda matéria é feita de átomos, e a enorme variedade de estruturas moleculares não é rígida ou imóvel. Também é energia, mas oscila de acordo com as temperaturas e com o fator harmonia. Você só entrará em ressonância com seu sonho ou com a prosperidade desejada quando estiver em harmonia no próprio fluxo do Universo. No caso do dinheiro, a vibração também é determinada por você. Por isso, de acordo com a lei da vibração, para cocriar riqueza, você deve vibrar intensamente e de maneira consistente, numa faixa superior a 500 hertz, nas frequências da alegria e da gratidão, em sintonia e harmonia com a própria abundância do Universo que é amor, Deus é amor, a consciência é amor, mas este amor precisa ressoar com o seu amor-próprio. "Amai a teu próximo como a ti mesmo", mas quem é o mais próximo que está próximo de nós? Somos nós mesmos, portanto, devemos nos amar até o amor transbordar, e isso é a frequência

> O amor-próprio é primordial para ativar essa lei, ela é comparada com a maior de todas as leis, a da criação.

do amor. Começa com amor-próprio para que assim seja possível envolver tudo e todos a nossa volta. O amor-próprio é primordial para ativar essa lei, ela é comparada com a maior de todas as leis, a da criação. Quanto mais você dá, mais recebe. Quanto mais amor por você, mais é capaz de dar, portanto mais receberá.

3. **CHAVE CÓSMICA DA COCRIAÇÃO DA CORRESPONDÊNCIA**
"O que está em cima é como o que está embaixo. E o que está embaixo é como o que está em cima" (em *O Caibalion: Estudo da filosofia hermética do Antigo Egito e da Grécia*). Tudo começa de dentro para fora, do invisível para o visível, do crer para o ver, da fé para a realidade, bem como do microcosmos para o macrocosmos. Essa lei nos lembra que vivemos em mais que um mundo. Nas infinitas possibilidades no Universo paralelo, na não localidade, no domínio da potencialidade pura ou no campo quântico. Vivemos nas coordenadas do espaço físico, mas também em um mundo sem espaço nem tempo. Na menor partícula, existe toda a informação do Universo. As partículas criam a eletricidade e embasam cientificamente o processo da cocriação. Essa é a síntese da cocriação da realidade para manifestar a riqueza elétrica – eletromagnética – da prosperidade. Tudo está contido na vibração das partículas, no núcleo de cada molécula e do seu DNA. Você só precisa ajustar a frequência para encontrar a correspondência vibracional adequada com o Universo.

4. **CHAVE CÓSMICA DA COCRIAÇÃO DA DUALIDADE** A lei da dualidade pressupõe que não existe antagonismo em nada. O ABSOLUTO está em você, e você está no Todo. Há um perfeito equilíbrio em tudo. Existe uma unidade perfeita, e tudo é fundido pelo amor. Essa fusão está retida no núcleo das suas células e no seu DNA. "Eu e meu Pai somos um", glorificou Cristo em João 10:31. Essa unicidade acontece pelo amor. Na cocriação da realidade, tudo se funde também na dualidade entre coração e mente. Consciente e inconsciente. Há um

terceiro componente, a mente superior, Deus. Isso remete ainda ao cérebro triuno, que é a unificação perfeita entre o inconsciente, o consciente e a mente superior. Essa unicidade acontece na frequência elevada do amor, do amor por si mesmo, por Deus e pela humanidade. Na vibração superior a 500 hertz, segundo a Escala da Consciência, existe a harmonia de todas as coisas e a integração perfeita, que permite cocriar prosperidade, riqueza, fortuna ou abundância.

5. **CHAVE CÓSMICA DA COCRIAÇÃO DE RIQUEZA** Existe uma chave que potencializa as quatro anteriores, mas, se não aplicada, ela anula todas as chaves: é a lei da resistência. Tudo que resiste persiste em sua vida. Você atrai tudo aquilo a que resiste e receia. Assim, procure se livrar dos seus medos lidando com eles. É na resistência que está a causa de todos os nossos sofrimentos e todo o caos. Seguramos, resistimos com apego e criamos mais daquilo que não nos faz bem. A aceitação das coisas e de sua mutabilidade traz paz por sabermos que nada possuímos e tudo "desaparece", pois lentamente tudo se transforma. Deepak Chopra chama de lei do distanciamento. Em física quântica, chamamos de soltar, entrar no fluxo da não resistência. No micro e no macrocosmo existe uma harmonia de forças, de movimentos, de ritmos, de equilíbrio de energias e a harmonia é a unidade na variedade, sendo alcançada somente quando soltamos, nos distanciamos dos problemas e permitimos que a energia volte para sua frequência de origem. O Universo é um todo, em harmoniosa evolução; os elementos que quebram essa harmonia cósmica se destroem.

Então, o segredo é soltar, ter fé, agir em direção. Essa é a lei de Newton. Porém, soltar não significa ficar parado, esperando os sonhos caírem do céu! Não é nada disso. Soltar é deixar ir. Ação através da não ação, sem nenhuma resistência. Isso é harmonia. É não gerar ansiedade, não ter a menor sombra de dúvida de que você é merecedor de tudo o que deseja, de que é possível, é real! É não se perguntar a todo momento quando o seu sonho vai se concretizar. Não reclamar por achar que está demorando demais. É ter a mais absoluta certeza de que sua parte já foi feita e o restante cabe unicamente ao Universo, no tempo certo. Requer constância e disciplina.

Ninguém faz sucesso na vida, em qualquer área, sem equilíbrio, serenidade e entusiasmo. Isso mesmo! O entusiasmo é importantíssimo, tanto quanto a serenidade. Ambos trazem o equilíbrio para as emoções e para tudo na vida. Quando você não está em harmonia, obviamente está em desequilíbrio, portanto, não consegue trazer à tona uma realidade expandida em abundância e sucesso. Daí a importância de estarmos sempre alertas para manter a mente positiva e o coração entusiasmado.

> Ninguém faz sucesso na vida, em qualquer área, sem equilíbrio, serenidade e entusiasmo.

RESUMO SOBRE MAGNETISMO DA ENERGIA DO DINHEIRO E SEGREDOS UNIVERSAIS PARA ATRAÍ-LO

Afinal, do que o dinheiro gosta? Você já sabe que o dinheiro tem uma energia neutra e que essa frequência depende da sua vibração. Além disso, o dinheiro é um valor de troca energética. Por isso, ele precisa circular, transitar e passar adiante. Dinheiro estagnado trava a vida, seja a área que for. Então, aqui vão algumas dicas para prosperar, compreender um pouco mais o verdadeiro sentido do dinheiro em sua vida e como utilizá-lo de modo que nunca cesse e siga o fluxo natural do Universo.

1. Dinheiro é um valor de troca energética. Ele tem frequência, e quem determina seu padrão vibratório é você. Se você se sente próspero, assim será sua vida financeira e o valor desse

recurso em todos os setores, proporcionando coisas maravilhosas e incríveis.

2. Por ser um valor de troca material ou energética, o dinheiro precisa fluir. E uma forma bacana e essencial para fazer isso é usar o dinheiro para satisfazer seus desejos e vontades. Ao aplicar com essa finalidade, de sentir prazer e satisfação, você demonstra para o Universo que deseja mais desse recurso, passa a magnetizar outras formas de prosperidade e gera, em você, um campo vibracional elevado, ancorado em emoções positivas que vibram acima de 500 hertz, liberando hormônios como serotonina e dopamina e potencializando seu campo atrator de riqueza.

1. Ser para ter

Antes de receber e ter o dinheiro que deseja, você precisa ser. Deve experimentar a riqueza, a prosperidade, a fartura e a abundância propiciadas pelo Universo e que lhe pertencem por direito, como filho do Criador e parte expressa e viva da criação. Isso tem a ver com mentalidade, atitude e sentimento. Como diz o título do livro de Bob Proctor, *Você nasceu rico*,* tudo está dentro de você.

2. Autoapreciação

A autoapreciação tem tudo a ver com autoestima, amor-próprio, contemplação interior, aceitação, perdão. Cultivando esse sentimento, você sobe na Escala Hawkins para acima de 500 hertz, faixa vibratória em que se alojam nossos sonhos, a riqueza e o fluxo da prosperidade e do dinheiro.

---

* PROCTOR, Bob. *Você nasceu rico*. São Paulo: Editora É Realizações, 2013.

3. Autoconsciência responsável

Agir com autoconsciência responsável é compreender que não existem vítimas nem culpados e que cada pessoa manifesta a própria realidade. Você é o arquiteto da sua vida e tudo depende da sua vibração, da sua frequência, do domínio das suas energias e dos seus sentimentos para manifestar a riqueza tão desejada.

> Agir com autoconsciência responsável é compreender que não existem vítimas nem culpados.

4. Dinheiro emocional

Você pode criar um mundo virtual e imaginário na sua mente, onde poderá comprar e adquirir tudo o que realmente deseja. O seu cérebro não distingue realidade e imaginação. Ao estabelecer esse mundo milionário, você vai gerar a vibração da riqueza dentro de si.

5. Pense em riqueza e dinheiro

Mais do que pensar em riqueza e dinheiro, você deve experimentar isso de maneira íntegra, a todo o tempo. Durma pensando na prosperidade que tanto deseja. Sinta isso vibrar nas suas células. Não se esqueça de agradecer, pois tudo já foi atendido. Nós estamos em um Universo de infinitas possibilidades, lembra?

COMPREENSÃO SISTÊMICA DO DINHEIRO

Para magnetizar dinheiro e abundância, você deverá apreender, essencialmente, como as leis do Universo operam nesse sentido, assumir a responsabilidade sobre todos os episódios da sua vida e manter uma nova postura proativa com o mundo, consigo e com as pessoas, apoiado no sentimento universal do amor. Assim, deixo a seguir mais algumas dicas importantes para manifestar toda a prosperidade desejada e ativar o poder supremo do seu DNA Milionário.

1. O que eu penso a respeito do dinheiro?

É fundamental compreender o que você pensa a respeito do dinheiro. Isso tem a ver com suas crenças, pois elas formam um campo repelente da prosperidade ao seu redor. Limpe esses condicionamentos para entrar no fluxo da prosperidade e acessar a fortuna garantida pelo Universo a você. Pegue agora uma cédula de qualquer valor na mão e observe o que pensa a respeito dela. Essa prática, certamente, vai revelar se você ainda tem algum condicionamento ou crença sobre dinheiro guardados dentro de si.

É fundamental compreender o que você pensa a respeito do dinheiro. Isso tem a ver com suas crenças, pois elas formam um campo repelente da prosperidade ao seu redor.

2. Tudo o que penso é verdade ou é coisa da minha cabeça?

As crenças limitantes aparecem em qualquer âmbito e geralmente são criadas na infância ou até na fase adulta, como algumas frases bem clássicas que escutamos desde muito cedo: "Dinheiro é sujo"; "Dinheiro corrompe as pessoas"; "Dinheiro afasta as pessoas"; "Dinheiro é a maior causa das brigas entre famílias". Então, você precisa discernir e separar as coisas. Tente compreender o que realmente existe dentro de você, qual é a emoção que carrega sobre dinheiro. Se isso é genuíno ou foi imposto como crença em sua vida.

3. O que eu ganho e perco? Como funciona manter esses pensamentos sobre o dinheiro?

Quantas pessoas perdem tudo aquilo que ganham? Questione-se a respeito disso. Eu entendo que esse movimento é realmente diferente. O que eu ganho e perco mantendo esse pensamento sobre dinheiro?

4. Conheço alguém que tenha obtido sucesso financeiro pensando como eu?

Pense nessas crenças, passe um tempo investigando essas perguntas de autorreflexão. Procure mudar o seu comportamento. O que eu penso a respeito do dinheiro? O que eu penso é verdade ou coisa da minha cabeça? Procure pessoas em quem se inspirar. Lembre-se daquela frase que diz: "Você é a média das cinco pessoas com quem mais convive". Que tipo de pensamentos as pessoas ao seu redor emitem? Como é a vida dessas pessoas? Você gostaria de ser como essas pessoas? É algo importante a se analisar. Esteja cercado de relacionamentos que impulsionem sua vida, pelo simples fato de desafiá-lo a ser cada dia melhor.

5. Alguns sabotadores da riqueza

Se você deseja um carro e questiona que vai estar na garagem, que ele já é seu, você passa uma onda de dúvida ao Universo, e o que você vai ter de volta? Insegurança, medo, falta e não conseguirá materializar seu carro. Se você sentir inveja ou raiva do vizinho, está emitindo uma onda que porta frequência, feita de átomos. Então, você emite uma onda de raiva e vai receber de volta mais eventos que o façam sentir raiva. Portanto, tenha pensamentos de riqueza e de prosperidade para que isso seja colapsado o mais rápido possível.

INDEPENDÊNCIA SUPERIOR

Sua riqueza depende apenas de você e mais ninguém. Portanto, não existem fatores externos para determinar ou não que você se torne um milionário e se beneficie de todas as grandes possibilidades de uma vida plena e cheia de prosperidade proporcionada pelo dinheiro. Tudo só depende de você, do que reflete para o Universo, do padrão da sua energia, da qualidade dos seus pensamentos e sentimentos e da sua proatividade perante a vida.

EMOÇÕES POSITIVAS	EMOÇÕES OPOSTAS
Alegria	Tristeza
Gratidão	Raiva/Ingratidão
Amor	Ódio
Autoconfiança/Valorização	Constrangimento/Vergonha/Culpa/Remorso/ Desvalorização/Insegurança
Liberdade/Alívio	Impotência/Sobrecarga/Desapontamento
Paz	Irritação/Impaciência
Paixão/Entusiasmo/Animação	Desânimo/Tédio
Felicidade	Sofrimento/Depressão
Fé	Dúvida/Preocupação
Otimismo/Expectativa positiva	Pessimismo/Desespero/Medo
Esperança/Contentamento	Frustração/Irritação

SENTIMENTO VIVIDO	SENTIMENTO CONTRAPOSTO
Detesta seu trabalho	Ama seu trabalho
Nunca tem dinheiro	Sempre tem dinheiro sobrando
Vive doente, saúde frágil	Pessoa supersaudável
Relacionamentos instáveis	Relacionamentos harmoniosos

Lembre-se de que frequências baixas referem-se a pobreza, escassez, caos, problemas. Frequências altas são as da alegria, do entusiasmo, da gratidão e do amor. Bem, em qual dessas frequências você acha que se manifesta a energia do dinheiro? O primeiro grupo vibra abaixo de 100 hertz, bem devagar. E a segunda turma, de emoções elevadas, acima de 500 hertz. Então, qual frequência você escolhe para a sua vida? Diria que faz muito mais sentido tentar elevar a própria Frequência Vibracional® para as sintonias do amor, do entusiasmo, da alegria e da gratidão, acima de 500 hertz, se você realmente deseja atingir a energia do dinheiro e receber todos os frutos que esse recurso imprescindível pode proporcionar.

CAPÍTULO IX

Práticas vibracionais de Meditação Holográfica® do DNA

Para manifestação de desejos, reprogramação quântica e ativação de DNA e para dissolver crenças limitantes e criar crenças fortalecedoras

Neste capítulo, irei apresentar técnicas revolucionárias no campo da manifestação e cocriação da realidade. Elas vão potencializar o seu poder para fabricar, quântica e vibracionalmente, os seus desejos iminentes de prosperidade ou qualquer outro objetivo e meta que esteja latente em sua mente e radiante em seu coração. Também vão, certamente, ativar as propriedades impressionantes do seu DNA Milionário, o reduto quântico e hiperdimensional de sua consciência, para traçar e pavimentar uma nova rodovia no percurso do seu destino. Essa estrada iluminada, a partir de agora, com todos esses recursos potencializadores à sua disposição e o impulso das técnicas seguintes será de muita riqueza, prosperidade, abundância, amor, paz e evolução consciencial.

Você vai restabelecer a sua frequência original, perfeita e sublime, numa vibração estelar, acima de 500, 600, 1.000 hertz de força eletromagnética, retomando sua conexão sublime com a fonte criadora, Deus, o Todo, o vácuo quântico ou a substância essencial da vida. Em poucos instantes, ao aplicar essas ferramentas, você sentirá a essência de luz que existe dentro da sua alma, o pulsar sideral da mente de Deus e perceberá a leveza brilhante dos fótons que existem no seu corpo, na natureza divina de sua existência, como uma consciência cósmica imersa na própria Matriz Holográfica® da criação humana. Pleno e integrado ao oceano infinito de inteligência suprema, o próprio Universo, você se torna capaz de produzir qualquer coisa, qualquer forma de riqueza, fortuna e abundância.

Você terá o poder para interferir construtivamente no Unoholograma®, a imagem projetiva do seu sonho realizado, no campo quântico da matriz divina, acionando o seu poder inato para manifestar qualquer desejo a partir de uma nova frequência de luz, um novo e poderoso campo quântico e eletromagnético de energia, condizente com todos os seus sonhos.

Diante de tudo isso, convido você a praticar as técnicas a seguir, para produzir a realidade rica e milionária que tanto sonhou, bem como para eliminar traumas, crenças e toda a dor que ainda habita sua alma e está presa no calabouço escuro do seu inconsciente. Chegou a hora de iluminar a parte escura da sua mente para entrar em fase com todo o ouro, o diamante e as imensas riquezas naturais do Universo garantidas por Deus, o Absoluto Infinito.

Observação: as técnicas não têm contraindicação. O ideal é que sejam ouvidas durante 21 dias. Porém, não existe jeito certo ou errado de praticar. Você pode ouvir apenas uma vez ou praticar durante 21 dias. Você pode escolher cinco técnicas com que mais se identificar e realizar durante sete dias cada uma, ou pode fazer uma por sete dias e então outra por mais sete dias e assim por diante. É possível ouvir uma única vez, como todas elas simultaneamente. Minha única indicação é fazer a Técnica Hertz® durante 21 dias seguidos, as demais, pode fazer como desejar!

Para todas as técnicas a seguir, faça a leitura do QR code da p. 5 deste livro para fazer a meditação guiada por Elainne Ourives. Use fones de ouvido.

1. TÉCNICA ACCR – DNA HEALING®

Criada por Elainne Ourives
Atenção concentrada e consciente da realidade
Holofractometria Sagrada®

Nessa Meditação Holográfica® do DNA, você vai passar pelo processo de cura da sua criança interior a fim de limpar todas as emoções negativas e impurezas guardadas no seu DNA e na programação das suas células. Essa técnica promove um processo de libertação cármica, vibracional e de memórias ancestrais compartilhadas, que mantêm a sua vibração baixa e o impedem de prosperar, enriquecer ou viver as maiores e mais extraordinárias experiências proporcionadas pelo amor do Todo e a si mesmo. Ao praticar, você vai encontrar a luz do Criador dentro de você, que é a chave para acessar as portas quânticas do Universo e viver uma história de abundância, dinheiro, prosperidade e alegria incondicional, ressignificando todas as tristezas e mágoas passadas que ainda bloqueiam a sua felicidade. A técnica atua na reprogramação do DNA, no âmbito do perdão e do amor, elevando a frequência do seu campo vibracional para acima de 500, 600 e 700 hertz.

2. TÉCNICA ACTURI DNA HEALING®

Meditação Holográfica® para eliminar o sistema de crenças
Meditação guiada por Elainne Ourives

Essa técnica traz cinco passos definitivos para dissolver, dentro de si, todas as crenças limitantes que impedem a sua prosperidade. São exercícios práticos e eficientes para eliminar todos os obstáculos mentais, sentimentos de inferioridade, de não merecimento e autodestrutivos, alojados na mente inconsciente. Extrai toda forma de medo, falta, rejeição e miséria que ainda permanece vibrando na sua alma.

3. KRYON DNA HEALING®

Como falar com as células e o DNA

A técnica ativa a integração energética e vibracional entre você, suas células e a conexão com a partícula de Deus. Nessa

Meditação Holográfica® acompanhada de Visualização Holográfica® projetiva, cada célula do nosso DNA está ligada à herança divina do Eu Sou, que é nossa alma, a maior essência de quem somos como seres espirituais. Como nossos corpos são hologramas, só precisamos falar com uma das células, a fim de nos comunicar com todas as demais, e isso expande o campo eletromagnético das células, aumentando também a sua luz. Aprendi com Kryon a consciência multidimensional e adaptei para a Técnica Hertz®, criada e desenvolvida por mim.

4. DNA TERAPIA HOLOGRÁFICA DO CÉREBRO QUÂNTICO

ARCHE DNA Healing®
Reprogramação quântica de DNA
Criado por Elainne Ourives

Reprogramação das memórias celulares e transformação quântica do DNA, criada para ativar a energia desses arquétipos, vibrando em sua vida, entrelaçando as ferramentas aprendidas até agora, uma holofractometria DNA Mind sagrada com outros elementais da natureza e do cosmos (arquétipos, geometria sagrada, reprogramação quântica do DNA e ativação do *mindset* próspero, harmonioso e abundante).

Arquétipos da riqueza infinita

A primeira emanação do Universo é a Flor da Vida (ver Capítulo 3), ou geometria sagrada. Tudo partiu de uma imagem, de um arquétipo, da representação quântica e ilustrativa da realidade maior, a Matriz Holográfica® que contém toda a criação. Com dinheiro, riqueza e fortuna, vale a mesma premissa e concepção. Existem arquétipos e imagens específicas que abrem canais sensoriais e estelares para magnetizar e criar a vibração necessária em seu campo informacional a fim de cocriar abundância. Alguns arquétipos, especialmente aqueles ligados a animais, representam poder, força, comando, inteligência, direção ou determinação. Posso citar a águia, que representa o poder e a supremacia.

Os arquétipos estão relacionados com a existência da humanidade e com o próprio Universo. Eles são a forma real como nos comunicamos com tudo e todas as coisas, inclusive com o Universo. Você não consegue pensar em uma maçã sem registrar sua imagem na mente. Tudo é representado por arquétipos e estruturas holográficas, com sentido, significado e também com determinada vibração.

E por que entrei, especificamente, no assunto dos arquétipos? Porque esse tema tem relação com dinheiro e riqueza dentro do aspecto da ressonância harmônica, além da própria reprogramação quântica do DNA. A ressonância é o espelhamento de campos vibracionais similares. Todo mundo tem um campo eletromagnético, e esse campo pode ser refletido e se fundir a outros, sinergicamente, em total profusão. No caso dos arquétipos, essas imagens holográficas e quânticas têm o poder de ativar mecanismos internos do organismo e liberar hormônios específicos como dopamina, para ajudá-lo a produzir a química e a vibração específica para manifestar a riqueza e a fortuna.

A seguir, veja como atuam alguns arquétipos e símbolos de riqueza infinita.

ALCE Representa decisão, poder de escolha, firmeza e determinação. Traz a vibração da prosperidade imantado em si. Também representa o *status* e o poder. Muitos caçadores possuem cabeças de alce empalhadas na parede, embora seja um animal muito difícil de ser abatido, pois é perspicaz e inteligente. É um excelente arquétipo para manifestar a prosperidade e a abundância.

ÁGUIA Representa iluminação, visão aguçada, elevação de espírito, independência. Simboliza a renovação, encarar o medo do desconhecido, ultrapassar barreiras, "voar além dos limites".

É um símbolo de poder e autonomia. Experimente olhar profundamente para os olhos de uma imagem representativa da águia. Você vai entorpecer seu cérebro e seu corpo de dopamina, que é o hormônio da alegria e da felicidade, situados em frequências superiores a 500 hertz, a vibração necessária para acessar o fluxo de abundância e prosperidade do Universo.

CORUJA Revela habilidades ocultas, simboliza sabedoria, vigília, visão interior. A coruja traz a sabedoria necessária para encontrar o equilíbrio entre as três mentes (inconsciente, consciente e superior), bem como melhorar a gestão das emoções e agir com um planejamento estratégico em todas as áreas da vida, especialmente se você deseja se tornar um milionário e viver em plena abundância. Para ser rico, você precisa de sabedoria e, sobretudo, de uma consciência de riqueza.

CAVALO Representa o desenvolvimento da força pessoal do campo de energia. No mundo dos negócios, desperta energia, vibração e destreza para fortalecer laços empresariais, fechar negócios e liderar empreendimentos criativos. Se você quer prosperar e atingir a bioquímica da intensa riqueza, esse é um arquétipo do mundo animal e da natureza propício para essa finalidade.

5. TÉCNICA HERTZ®

Reprogramação da Frequência Vibracional® e reprogramação de DNA
Hertz Holofractometria DNA Healing®

É um fractal holográfico multidimensional subliminar, emissor de frequência hertz, entrelaçado quanticamente com poderosas geometrias sagradas e terapias vibracionais. É um acelerador quântico de partículas para o processo de reprogramação em níveis celular, biológico e DNA, criado por mim para aumentar o poder da Técnica Hertz®, uma versão avançada com recursos de áudio, visual e sinestésico. Nessa versão, a técnica é feita de olhos abertos e usamos Holofractometria®. Transforma, transmuta, apaga, cancela memórias, desbloqueia, limpa, desprograma, programa, reprograma, aumenta a Frequência Vibracional® e blinda o campo quântico, deixando-o em total conexão com a frequência do milagre. Seus resultados são sentidos minutos depois da autoaplicação da técnica. Por meio dela, você aprende a se equilibrar emocionalmente, programar o seu futuro, colapsar a sua função de onda, criar o seu Unoholograma®, desbloquear todos os chacras e ativar a Holofractometria® da riqueza em seu DNA. A técnica, quando aplicada durante 21 dias seguidos, reprograma as memórias celulares armazenadas na mente inconsciente. Você aprenderá a desbloquear todos os programas negativos, eliminar ansiedade, traumas, bloqueios com dinheiro ou qualquer outro tipo de emoção nociva relacionada a qualquer situação travada em sua vida.

Você aprenderá a desbloquear todos os programas negativos.

Aqui se encerram as técnicas que disponibilizei em áudios para você baixar no QR code da p. 5. E a seguir seguem oito técnicas passo a passo para autoaplicação.

TÉCNICAS PARA OS PILARES DA COCRIAÇÃO DE DINHEIRO E ABUNDÂNCIA

Faremos agora um entrelaçamento quântico com tudo o que vimos até o momento. São dez pilares e dez técnicas aceleradas e totalmente eficazes para reprogramar a vibração das células, modificar a estrutura do DNA de riqueza e mudar toda a atmosfera vibracional do seu campo pessoal de energia, proporcionando coisas maravilhosas em sua vida e o acesso ilimitado à abundância do Universo.

FREQUÊNCIA DA GRATIDÃO

A gratidão vibra nas altas esferas (frequência de 900 hertz). Correlaciona-se com harmonia, aceitação, paz e amor na Escala Hawkins. Ao sentir essa emoção, você reconhece a sua natureza cósmica, a sua origem divina e energética. Entra em fase e em união com o Todo. Dois são um. Você e o Todo, em plena sinergia magnética. Ao agradecer pela prosperidade como se já fosse real, mais motivos terá para prosperar, enriquecer e viver a abundância plena do Universo. Agradeça sempre, invariavelmente.

Prática da gratidão sagrada

Una as mãos em direção à boca, feche os olhos e faça cinco respirações profundas, bem devagar. Comece a silenciar os pensamentos e pense em todos os motivos que você tem para ser grato em sua vida.

Observe a si mesmo, sinta as coisas que lhe fazem sentir a gratidão, o seu alimento de hoje, o canto dos pássaros que acalma sua mente, o brilho do sol, a perfeição do corpo, o funcionamento correto de suas células, de seu organismo. Perceba, compreenda, sinta a gratidão, sinta a emoção e a vibração ao pensar nas coisas que lhe fazem feliz, no que deseja conquistar, nos seus motivos para mudar e melhorar como ser humano. Agradeça quem você é hoje, como se comporta, e entenda que, se deseja sentir o efeito da gratidão, você precisa se amar e se respeitar da maneira como é.

Dessa forma, você muda e vivencia a plenitude da vida. Você é especial e importante para as outras pessoas, permita-se acreditar na força da gratidão, seja feliz por ser grato.

"Nós temos de mudar o que desejamos e não nos concentrarmos totalmente nesse intento a ponto de perdermos a consciência de quem somos, a ponto de perdermos a noção de tempo e de identidade. No momento em que estamos determinados a viver essa experiência, perdemos a noção de quem somos e aquilo que estamos vivendo. E nós somos, de fato, a única coisa real que existe."

"Você é um cocriador, você é o cocriador do seu futuro."

FREQUÊNCIA DO SILÊNCIO

Quando acessamos a fonte da criação por meio da meditação e do silêncio, também acessamos, verdadeiramente, as infinitas possibilidades para materializar qualquer sonho. Nesse ponto, deixamos a dualidade ou dissociação com a matriz divina. A frequência do milagre reside no silêncio. Ao silenciar, você ouve a voz do Criador. Medite em ponto zero ao menos durante dez minutos por dia para mudar definitivamente a química do seu cérebro. Para alcançar o ponto zero, existem algumas técnicas, como a **respiração Há**, praticada como um método para acumular energia vital e acalmar a mente. Com ela, você restabelece e equilibra toda a energia divina do corpo e da mente.

Meditação Há do ponto de atração

Essa meditação tem o poder de eliminar nossas memórias e nos manter em silêncio e ponto zero. A **respiração Há** é um método de acumulação de energia vital.

- A cada dia, por dez minutos, sente-se em um lugar calmo usando roupas confortáveis. Feche os olhos, relaxe e respire. Concentre-se na sua respiração. Inspire (contando mentalmente até sete) energizando, levando ar para cada parte do seu corpo. Enquanto se concentra na inspiração, você leva ar e energia vital para os órgãos, os ossos, os tecidos, as moléculas, as células e os átomos. Inspire contando até sete e entre em ponto zero.
- Segure o ar, mantendo os pulmões cheios (conte mentalmente até sete) e permita ao corpo descansar, desacelerar o

metabolismo e a química corporal regenerar todas as células. Perceba a energia percorrendo seu corpo. Segure o ar e entre em ponto zero.

- Expire o ar totalmente (contando mentalmente até sete). Silencie totalmente em Matriz de Ponto Zero®, liberando todas as impurezas, energias tóxicas e bloqueios do seu sistema.
- Mantenha os pulmões vazios (contando mentalmente até sete). Silencie em Matriz de Ponto Zero®, permitindo ao corpo ir se ajustando à serenidade e à paz.
- Mantenha-se em Matriz de Ponto Zero®, quando um pensamento entrar, agradeça e volte ao ponto zero.

FREQUÊNCIA DA DOAÇÃO

Você pode conseguir qualquer coisa se ajudar o suficiente outras pessoas a conquistarem o que elas querem. Esse é um princípio universal para ativar o poder inato da consciência para manifestar riqueza, prosperidade ou qualquer desejo na vida física. A força da intenção, sustentada por sentimentos de gratidão, aceitação, amor, paz e harmonia, vai fazer o ajuste necessário no seu holochacra (nome criado para se referir aos chacras cósmicos), restabelecendo o fluxo de energia, o giro positivo do *spin* dos seus átomos, regulando a vibração do seu campo vibracional e mantendo o alinhamento pleno das três mentes (inconsciente, consciente e superior). Esse equilíbrio vai potencializar o seu poder de cocriar seus desejos, especialmente de abundância e prosperidade. Intencione o bem para receber o melhor da vida.

Exercício para ativar o poder superior da intenção

Foque os pensamentos no seu desejo e na intenção de abundância. Você é o ímã mais poderoso desse planeta, atraindo para si uma frequência predominante daquilo que você é, com os seus pensamentos e sentimentos. Para conquistar os desejos de prosperidade que intenciona, esteja a todo tempo centrado no que quer, e isso demanda tempo, paciência e atenção à maneira como está vivendo. Afirme para si mesmo este decreto quântico: "Consciência Divina de luz, a mente de Deus está em minha mente, eu sou amado, sou digno do amor, de amar e ser amado, eu sou o Eu Sou, eu sou filho do Criador, sou o cocriador dos meus sonhos e metas. Sou o cocriador da minha realidade a partir de agora. Eu sou riqueza, eu sou abundância, eu sou próspero, eu sou milionário. Eu posso, eu consigo, eu sou, está feito, está feito, está feito, está feito".

FREQUÊNCIA DA HARMONIA

A sintonia do Universo é a harmonia e o equilíbrio entre todas as coisas, fusão total com o Todo, frequência que vibra em 800 hertz, pois é a base de todo soltar. É entrar em fase harmônica com sua frequência de origem. Se você quiser materializar os próprios sonhos, deve buscar essa harmonia entre os pilares da cocriação da realidade, de uma vida sistêmica e coerente com as leis do cosmos. Essa harmonia começa pelo alinhamento das três mentes: inconsciente, consciente e superior (mente de Deus) e reflete, diretamente, na paz interior ao equilibrar todas as áreas da vida, porque somos o próprio Universo e estamos integrados a esse tecido cósmico e quântico, desde a origem de todas as coisas criadas e irradiadas por Deus.

Exercício para o alinhamento harmônico

A minha dica de ouro é que você procure se alinhar neste exato momento. Para isso, eleve os pensamentos para o bem e para o amor. Depois, deseje sempre o melhor para todas as pessoas, sejam aquelas com maior afinidade vibracional, sejam aquelas que você considera como inimigos potenciais. Lembre-se de que não há dissociação de nada. Todos somos um, e todos pertencem à mesma plataforma existencial. Você sou eu, e eu sou você. Juntos somos um, e o Todo existe a partir da nossa existência em fase harmônica com todas as coisas do céu e da terra.

Eu me aceito

Comece de maneira simples e pragmática para provocar toda a mudança e estabelecer tudo que você tanto sonha. Para isso, acrescente ao seu dia a dia, especialmente ao acordar e ao se preparar para dormir, as seguintes palavras do Ho'oponopono quântico criado por mim: "Eu te amo, sinto muito, me perdoe, sou grato. Eu me amo, eu me aceito, eu me perdoo. Eu me acolho, eu me aprovo, eu me apoio".

> Comece de maneira simples e pragmática para provocar toda a mudança e estabelecer tudo que você tanto sonha.

Essas palavras têm significado de alta relevância existencial e um poder fantástico de criação da realidade. Elas vibram, juntas, acima de 900 hertz, duplicam o poder do Ho'oponopono kahuna em sua versão original e podem atingir potencialidades superiores no caminho de iluminação do ser. Nessa emanação, você une a força vibracional do sentimento de gratidão, harmonia, aceitação e da conexão infinita com o Todo.

FREQUÊNCIA DO MERECIMENTO

Você não precisa querer algo, você, simplesmente, já tem e já conquistou, inclusive dinheiro, riqueza, prosperidade, abundância ou sabedoria. Para acessar toda essa fonte, é preciso apenas sentir e "viver como se o fruto já fosse verdadeiro". A prosperidade está incutida no seu DNA e impregnada nas suas células. Você precisa apenas relembrar e reposicionar as energias novamente para Deus, para o vácuo quântico da criação.

Exercícios para reprogramar sua mente para o merecimento

Repetições, afirmações, decretos, comandos ou declarações positivas são ordens no Universo, e nosso DNA obedece a eles. Faça isso até que sua mente seja reprogramada e essa realidade exista em sua vida. Escolha sua música preferida, grave um áudio com sua própria voz pronunciando seu nome e frases de reprogramação. O DNA obedece a sua voz de comando. Sua mente reconhece sua voz, e nada melhor do que reafirmar todos os dias para o seu inconsciente que aquilo agora é real.

Exemplo: "Presença Divina de luz, eu (diga o seu nome) decreto que mereço viver com plenitude e felicidade em minha vida agora! Eu sou a fonte divina de riqueza que habita em cada célula do meu corpo. Sou merecedor de sucesso e reconhecimento. Eu sou merecedor de riqueza e prosperidade. AGORA! Presença Divina de luz, eu (diga seu nome) sou merecedor de tudo aquilo que desejo conquistar, sou digno de amar e ser amado, porque eu sou amor de Deus através da centelha que habita em mim. Eu sou a fonte divina, alinhada à divindade da minha divina alma e consciência de luz, eu estou em alinhamento vibracional com a minha consciência que é abundância e riqueza. Eu sou prosperidade e riqueza AGORA. Eu sou Deus. Sou Deus em ação, sou o Eu Sou. Eu sou a perfeição. Eu sou amor. Eu (diga seu nome) sou amado. Eu sou um filho de Deus puro, divino e perfeito, porque fui criado à sua imagem e semelhança. Eu mereço viver uma vida incrível, eu sou rico. Eu (diga seu nome) decreto o merecimento de viver uma vida de abundância, eu sou o amor divino, eu sou merecedor de tudo, eu sou seguro das minhas qualidades e talentos, eu sou sucesso, eu sou merecedor de prosperidade."

É incrível a diferença que você vai perceber com o passar dos dias. Já falamos sobre os novos caminhos neurais que precisamos criar, e essa é uma forma de recriá-los.

FREQUÊNCIA DE AMOR E COMPAIXÃO

Para cocriar qualquer realidade e manifestar prosperidade em harmonia com a energia primordial (Deus), você deve, antes de tudo, entrar na frequência. Essa frequência vibra acima de 500 hertz, por isso quando você emana amor e alegria, tudo parece fluir de maneira mais suave e tranquila em todas as áreas da vida. É necessário vibrar amor-próprio e amor ao próximo, na prática, para acessar o campo natural e quântico do Universo para criar e magnetizar situações positivas, como a casa dos sonhos, o carro desejado ou o sucesso profissional. Nessa frequência, você pode materializar todos os sonhos e os desejos mais intensos da alma. Para você conquistar uma vida próspera e rica, em todos os sentidos, não basta entender o conceito. É preciso mudar de atitude e de postura diante da vida. Essa postura começa, passa e transita pela frequência e energia do amor. Na lei da atração, o filósofo Charles Haanel fala do amor incondicional e o considera como a maior das emoções para a transformação do mundo.

Dica para liberar o amor

Respire profundamente algumas vezes para limpar e dissipar a tensão que possa estar sentindo. Silenciosamente, repita a palavra amor. A cada inspiração e expiração, repita a palavra amor, permitindo que ele entre e irradie. Basta respirar a palavra; sinta o amor. Experimente uma sensação de leveza, de felicidade, que vai aumentando a cada respiração. Repita o mesmo exercício com alegria. Inspire amor, expire amor!

Prática para viver a frequência do amor

Visualize o seu sonho indo para o Universo em uma bolha cor-de-rosa.

Crie sua Visualização Holográfica® e imagine seu Unoholograma®. Em detalhes, envolva-o em uma bolha de luz cor-de-rosa, como uma bolha de sabão. E solte, deixe flutuar Universo e multiverso afora. Sim! Isso mesmo! O cor-de-rosa simboliza o amor incondicional alinhado ao amor-próprio e à autoestima, então basta colocar a vibração do amor dentro dessa bolha cor-de-rosa (de preferência, rosa bebê) e liberá-la para o Universo.

Para dimensionar ainda mais, segure essa bolha em suas mãos e assopre para que ela flutue Universo afora, atraindo energia necessária para que sua realização entre em ressonância vibracional com pessoas, fatos, atos e acontecimentos, a fim de que o seu desejo se materialize. Assim, você está atribuindo ao seu Unoholograma® a frequência do amor. Veja sua bolha de luz cor-de-rosa se distanciando e diminuindo até sumir, ela vai vibrar sintonizando frequências semelhantes no Universo das possibilidades. "Deus é puro amor."

FREQUÊNCIA DO PERDÃO

O perdão surge como o principal fator para materializar a vida dos sonhos. Primeiro, é fundamental perdoar a si mesmo, depois os outros, os familiares, amigos, o mundo e Deus. Ao permanecer no estágio negativo da falta de perdão, você entra em sintonia com o sentimento da autoculpa. A culpa vibra muito baixo na Escala Hawkins, em apenas 30 hertz. Nessa vibração você não cocria, tudo fica no caos, e os problemas aumentam. Esse sentimento densifica a frequência e paralisa a força do átomo. Por isso, quando você não perdoa e passa a se sentir vítima, vibra abaixo da culpa e permanece estagnado.

A vida não avança em nenhuma área, seja pessoal, profissional, familiar ou afetiva. Ao perdoar, a luz invade o espaço escuro que havia em você, e isso opera milagres em sua frequência. Somos todos seres em processo de expansão de consciência, reconexão, estamos todos em constante aprendizado, sem exceção.

Ninguém tem o direito de julgar a vida de quem quer que seja. Para o Universo, não existe passado ou futuro. Existe apenas o presente, pois o Universo é atemporal. Então, o que você sente e emite de energia, independentemente de lembranças do passado ou ansiedade com relação ao futuro, será interpretado pelo Universo como uma manifestação do agora, do seu momento presente. Por isso, preste atenção aos sentimentos e aos pensamentos transferidos para o cosmos, neste exato momento, porque ele responderá, certamente, na frequência de mesma proporção. Então, perdoe, perdoe, perdoe e abra a vida para o campo das infinitas possibilidades e para materializar dinheiro e abundância ao seu redor.

Técnica para limpar o coração e perdoar

Essa técnica vai fazê-lo se perdoar e ser perdoado pelas pessoas que o magoaram e que você magoou de alguma forma.

PASSO 1 Mentalmente, coloque todas as pessoas na sua frente. Todas que lhe devem perdão, que o magoaram e aquelas a quem você deseja pedir perdão.

Repita o Código Grabovoi do perdão: 706 (sete, zero, seis).

Depois, use o comando quântico do perdão: "Consciência divina, consciência de luz. Eu o perdoo. Você me perdoa. E, diante do Criador, nós dois estamos perdoados". "Consciência divina, consciência de luz, limpe em mim memórias compartilhadas com (diga o nome da pessoa) que nos unem vibracionalmente a este conflito. Limpe, cancele e anule qualquer energia que ainda esteja vibrando em qualquer local do espaço-tempo."

PASSO 2 Olhe diretamente para cada uma dessas pessoas. Uma a uma, peça perdão, incondicionalmente. Depois de pedir perdão, use o Código 706 (sete, zero, seis).

Repita o comando, olhando para cada uma das pessoas: "Consciência divina, consciência de luz. Eu o perdoo. Você me perdoa. E, diante do Criador, nós dois estamos perdoados".

Quando você conversar, sintonize o coração de cada uma delas, até daquelas que você não considera que deve pedir perdão.

Observação: sinta-se livre e à vontade se quiser abraçar ou apenas olhar. Faça o que o seu coração mandar.

PASSO 3 Quando você sentir que perdoou e foi perdoado, cada pessoa vai saindo do seu campo de visão, e você corta o cordão de prata que os uniu a essa energia densa.

Use novamente o Código Grabovoi 706 (sete, zero, seis) para ativar a força libertadora do perdão.

FREQUÊNCIA DA ALEGRIA E DO ENTUSIASMO

Bem-vindo à frequência que cria nossa realidade. Ela contém os mais altos níveis de consciência humana, como você já aprendeu. Com imensa sabedoria, o mitologista Joseph Campbell disse: "aceitar a vida como ela é". Entusiasmo, sorrisos, felicidade e alegria são os segredos mais valiosos do Universo para criarmos e atrairmos uma realidade próspera, rica, com muito dinheiro e abundante em todos os sentidos. E isso não quer dizer que algo na sua vida precisa mudar. Você deve vibrar alegria hoje para mudar a realidade. Qual o caminho da abundância? Ser abundante! Qual o caminho da felicidade? Ser feliz! Qual o caminho da alegria e da plenitude? É ser alegre agora, onde está, na condição do presente.

Qual o caminho da alegria e da plenitude? É ser alegre agora, onde está, na condição do presente.

A grande descoberta é que nós somos os responsáveis pelo direcionamento da espiral desses tijolinhos da vida, os átomos, para os hemisférios positivo ou negativo, por meio dos pensamentos, sentimentos e da energia emitida. A alegria libera hormônios fundamentais no processo de cocriação da realidade, como dopamina, serotonina e ocitocina. Esses agentes são como propulsores vibracionais. Elevam a sua vibração no nível do Universo e no fluxo do Todo. A ativação desses hormônios desencadeia a sensação libertadora de felicidade e plenitude. E você pode acionar esses recursos a partir de várias técnicas e exercícios relacionados à Visualização Holográfica®, sem nenhuma contraindicação. A seguir, apresento uma técnica capaz de ativar a vibração da alegria, numa frequência posicionada acima de 540 hertz, de acordo com a Escala Hawkins da Consciência, na mesma vibração do Todo.

Revertendo um sentimento negativo em positivo – Técnica do Timo DNA Healing®

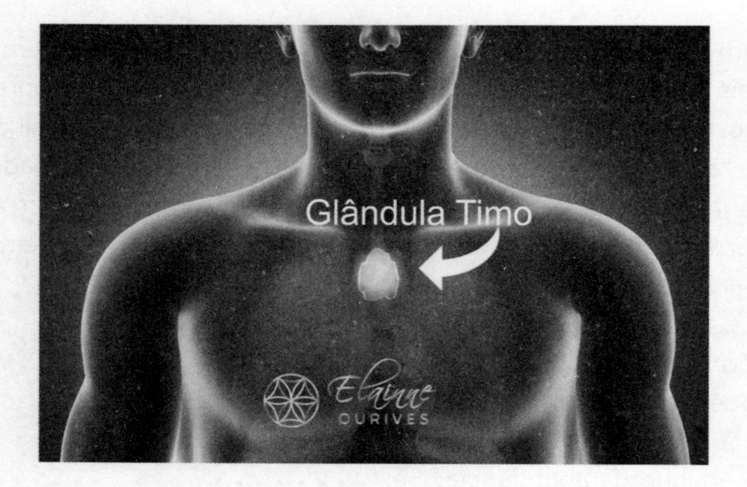

O timo é a glândula responsável pela imunidade; é a chave da nossa energia vital. Está localizado logo atrás do ponto em que começa o osso esterno, no peito.

Ele cresce quando estamos contentes, encolhe pela metade quando nos estressamos e mais ainda quando adoecemos. É um dos pilares do sistema imunológico, junto das glândulas suprarrenais e da espinha dorsal, e está diretamente ligado aos sentidos, à consciência e à linguagem. Como uma central telefônica por onde passam todas as ligações, faz conexões para fora e para dentro. Se somos invadidos por micróbios ou toxinas, ele reage produzindo células de defesa na mesma hora.

Então, a técnica é a seguinte: estimule sua glândula com batidinhas, com punho fechado, como se estivesse batendo em uma porta, e repetindo uma afirmação positiva do que mais precisa no momento. A cada batidinha, repita uma afirmação: "Eu sou alegria, Eu sou alegria, Eu sou alegria". Isso acorda os genes da alegria que estão esperando para ser ativados. Perceba a sensação de empoderamento tomar conta do seu corpo em segundos.

CAPÍTULO X

Milagres existem

Celebração, mensagem de despedida

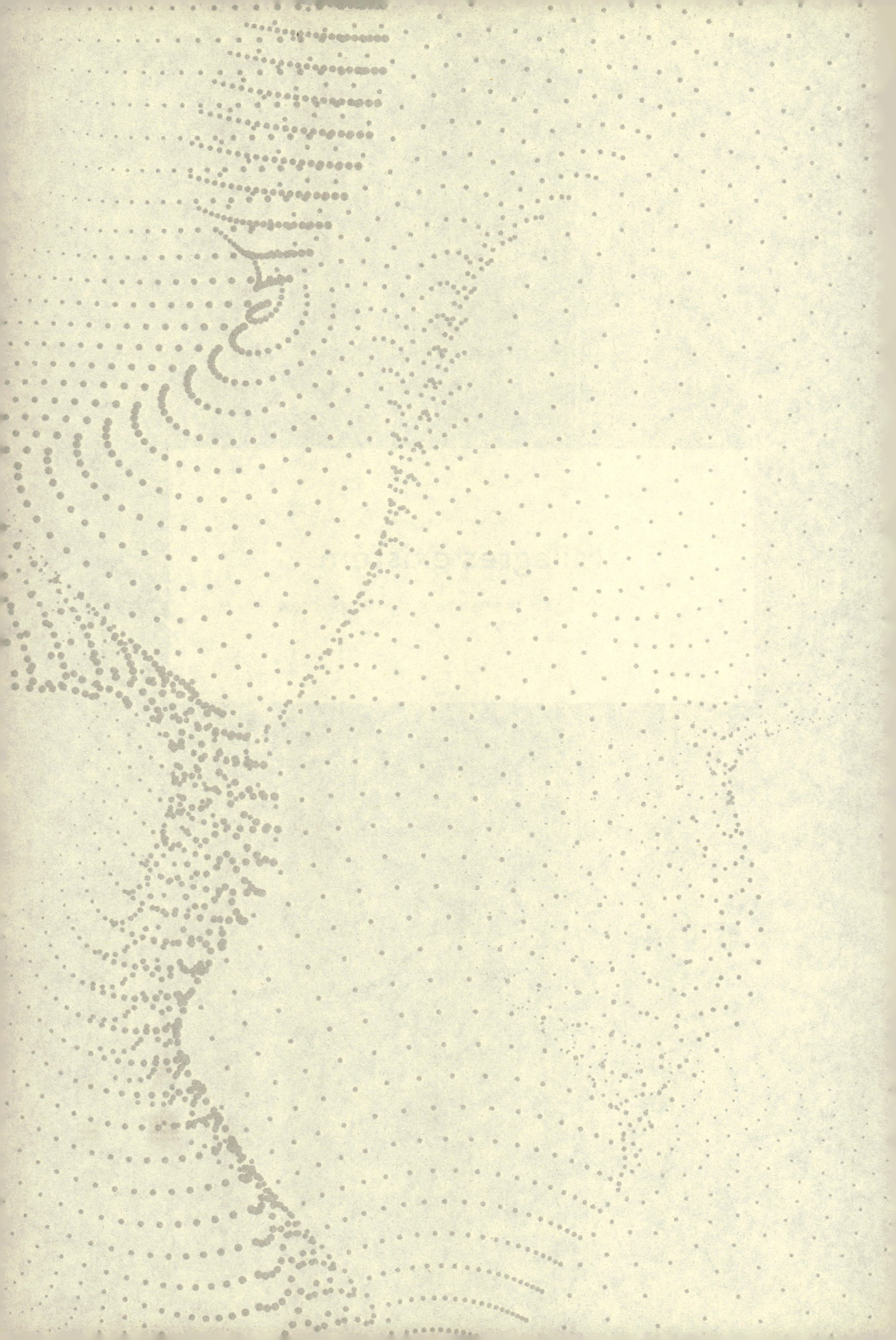

A essência da cocriação da realidade está no amor, na compaixão. Não o sentimento carnal, mas o amor em sua manifestação de ajuda ao próximo, que deve ser praticado com você mesmo, o amor-próprio.

Quando nos amamos, podemos oferecer amor ao próximo e, o principal, acessar e sintonizar o amor do Todo, porque Ele nos codifica vibracionalmente à sua imagem e semelhança por meio dessa frequência. Somente quando nos amamos entramos em ressonância com o amor de Deus. Cria-se, então, o campo eletromagnético para magnetizar a vida que tanto buscamos, pois esse amor nos leva à gratidão e à liberdade de existir.

Você cocria o que quiser, inclusive prosperidade, quando essas emoções estão plasmadas em você. Por quê? Porque a energia desses sentimentos é a mesma do Universo, carrega a mesma vibração das estrelas, do cosmos e de Deus. Portanto, para cocriar sua realidade e viver a abundância de ser pleno em todos os pilares, você precisa desprender-se, liberar, soltar, abandonar todas as correntes do passado que permanecem presas aos seus tornozelos. O Criador é o arquiteto, o dono de tudo que existe, e tudo funciona perfeitamente em todas as dimensões da existência.

Você deve liberar as mágoas, as crenças limitantes, o sentimento de posse, inclusive sobre si e as demais pessoas. É um caminho teoricamente difícil, mas recompensador. Você, ao longo de todo esse processo de limpeza interior e tendo iniciado a prática da Técnica Hertz®, após a leitura deste livro, poderá passar por catarses emocionais e pela limpeza de todo lixo emocional.

É quando você consegue externar todos aqueles sentimentos há tempos guardados e impregnados na mente e no coração. É um processo lindo, pois seu corpo está se adaptando à nova vibração. Simplesmente deixe acontecer. Receba esse processo, permita-se liberar toda a dor e solte-a ao Universo.

Ao liberar toda a energia acumulada na mente inferior, liberte tudo o que não precisa mais guardar no porão do inconsciente e que está travando sua caminhada evolutiva de reconexão com a fonte. É exatamente disso que você precisa para se libertar de sentimentos, emoções, pensamentos arbitrários e todas as verdades absolutas que absorveu ao longo da vida e que, hoje, agridem sua essência, deturpam sua iluminação e bloqueiam a passagem do amor, da felicidade, da fartura, da fortuna, do sucesso e de todas as realizações que lhe pertencem. Quando você soltar essas amarras, esses "pregos energéticos" fincados no interior da sua consciência, uma nova realidade vai emergir à sua frente, um novo horizonte que permitirá a você manifestar e cocriar qualquer coisa na vida, desde o carro que você sempre quis até o sucesso profissional, o reconhecimento e a alegria de viver.

Tudo começa e termina com você. Você é o protagonista do seu filme e o diretor do seu destino. O projetor é a própria projeção. Quando essa consciência despertar, nada poderá impedir a concretização de seus desejos, pois você vai determinar a frequência para esse valor de troca imprescindível para sua felicidade. Se pensa que dinheiro não traz felicidade, sinto muito, mas ainda existem limpezas a fazer em seu processo e no seu sistema de crenças. Você, provavelmente, ainda tem muitas crenças equivocadas sobre dinheiro, prosperidade e riqueza. Por isso ainda não prosperou, nem vive a vida que tanto deseja. O dinheiro traz felicidade, sim. E é um recurso maravilhoso, que lhe permite realizar muitos dos seus sonhos. Cabe a você saber lidar com esse recurso e decidir como usá-lo. Você deve ter uma consciência de prosperidade para prosperar, o que significa se sentir próspero, viver como se tudo o que você deseja já existisse.

O MEU LUGAR NO MUNDO

Passei por esse mesmo processo. Limpezas profundas, crenças que me eram desconhecidas e estavam impregnadas em minha mente inconsciente. Mágoas, ódio, rancor, insegurança, vitimização, dor. Hoje sou extremamente grata, pois tudo que conquistei foi possível apenas quando compreendi meu lugar no mundo. Entendi que tinha direito à felicidade, que merecia toda a abundância do Universo. Foi, então, que o milagre encontrou uma porta para entrar em minha vida.

Vivenciei tantos milagres que aprendi como eles funcionam, como operam as leis do Universo e como o Todo, Deus, age em nossa vida quando aceitamos nossa essência próspera, milionária, perfeita e sublime. Afinal, somos a imagem e semelhança do Criador e, assim como ele, também somos plenos em todos os campos e sentidos da existência. Tive essa comprovação pela ciência e a física quântica. Temos dentro do nosso corpo a essência do Criador, a energia primordial da vida, a centelha vibracional do Universo. Baseado em tudo que aprendi, apresento a seguir os dez passos mais efetivos para cocriar riqueza e prosperidade.

OS DEZ PASSOS PARA A COCRIAÇÃO DA RIQUEZA

Aqui estão compilados, estrategicamente, os dez passos definitivos para a cocriação da riqueza. Cada passo está ancorado nas ferramentas, comandos e decretos que transmiti ao longo dos capítulos anteriores.

1. Campo Vibracional

Você tem uma assinatura vibracional. Ela é formada por suas emoções, seus pensamentos e sentimentos. A soma desses três elementos forma o seu campo vibracional. E esse campo contém uma frequência específica. Por isso, para cocriar seus desejos, sejam de riqueza ou prosperidade, você precisa SER exatamente o que deseja viver. Quer amor, seja e sinta amor. Quer prosperidade, sinta-se próspero. Pense como se já fosse rico. Além disso, tenha congruência em suas ações. Não adianta desejar riqueza, mas ter medo de pagar as contas. O primeiro passo é desejar e intencionar, pensando e vibrando em congruência com o que busca. Isso vai formar um campo vibracional propício para o colapso da função de onda do seu desejo.

2. Onda de infinitas possibilidades

Existe uma única onda de energia no Universo. Ela é o vácuo quântico. Nela, tudo está em superposição quântica. Ou seja, sem forma ou composição material. Então, para realizar seus desejos, como no caso da riqueza ou prosperidade, você deve criar o holograma através do pensamento e de seu olhar como observador da realidade. Isso porque a substância original, que é a Matriz Holográfica®, move-se de acordo com seus pensamentos. Cada uma das formas que se processa na natureza é a expressão visível de um pensamento da substância original. O Universo precisa da imagem do seu sonho. Ou seja, você precisa criar o holograma do seu desejo na Matriz Holográfica®. O pensamento dá forma, mas não se comunica com o Universo. Por isso, transforme seu desejo em uma imagem, utilizando todos os sentidos (visão, audição, olfato, tato, paladar); visualize seu sonho com todos os detalhes, ouça o que acontece em torno dele, sinta, toque, cheire, experimente todas as sensações do seu sonho, para que ele se torne, de fato, real. Viva tudo isso no presente. Agora.

> "O pensamento é a única força que pode produzir riquezas tangíveis, originárias da substância amorfa. A matéria de que todas as coisas são feitas é uma substância que pensa, e, pensando

nas formas, essa substância as produz." Wallace D. Wattles, em *A ciência de ficar rico.**

3. Frequência Vibracional® da alegria

A alegria gera felicidade plena e contagia todos os que estão ao seu redor. É a própria energia do Universo e da criação. Um estado inabalável do ser. Ao vibrar na alegria, você já subiu vários degraus importantes na escala vibracional das emoções. A alegria é o maior estado de consciência que o ego pode atingir. É o nível onde estão situados os mais avançados seres na espiritualidade, por ser um nível de expansão de consciência.

Use a frequência do sentimento da alegria para cocriar e colapsar seu desejo de prosperidade. A alegria vibra em 540 hertz, na sintonia e no mesmo fluxo da abundância no Universo. Para potencializar esse recurso, imagine que tudo o que você mais deseja e ainda não está realizado, como em um passe de mágica, agora estivesse. Sabe quando acontece algo que você esperou por muito tempo, que inunda seu coração de alegria? Esse é o sentimento que vai acelerar o processo de cocriação. É nessa frequência que os milagres acontecem! Sabe por quê? Porque tudo já é real! Já existe, você precisa apenas sintonizar a frequência correta. Junto dessa emoção, é preciso vibrar no Eu Sou, Eu Tenho, Eu Sou grato por isso! Amor, alegria, gratidão, apreciação, entusiasmo. Nessa etapa, você está colocando energia e vibração acima de 500 hertz para dar forma à matriz divina dos seus sonhos.

4. Colapso de onda

O meu desejo, aliado a um forte sentimento, colapsa a função de onda. Puro, simples, mas nem por isso fácil! Pensamento

---

* WATTLES, Wallace D. *A ciência de ficar rico*. São Paulo: Best Seller, 2007.

associado a um sentimento = colapso da função de onda. Se você tem um forte desejo, associado a alegria, gratidão e amor, e vive em congruência, como se tudo já fosse real em sua vida, acredita e tem fé, você solta! Entregue ao Universo e viva como se tudo já estivesse realizado. No mundo de infinitas possibilidades, você precisa acreditar que é real. Isso é soltar, é ter fé e viver no agora.

O colapso da função de onda é a escolha que você faz! Escolha seus pensamentos. Se um pensamento negativo lhe ocorrer, substitua, imediatamente, pelo contrário, pelo que você gostaria que fosse. Pense, sinta, vibre na mesma intensidade de seu desejo.

5. Não duvide

Para não duvidar, tenha fé, convicção e acredite na supremacia do Todo. Não hesite e seja grato, sempre. Assim, você mantém a decaída atômica para cocriar a realidade. A vida é um presente. Esse é o primeiro motivo para sermos gratos ao Criador todos os dias. A gratidão aumenta sua Frequência Vibracional® e faz com que você viva em um Universo praticamente novo, especialmente no campo da riqueza.

Não pode haver dúvidas em seus sonhos. Você precisa saber o que quer e acreditar ser merecedor de toda a felicidade que esse sonho pode lhe proporcionar. A dúvida gera efeito contrário e não materializa sonhos. Portanto, acredite primeiro em si mesmo, em suas potencialidades. Acredite em Deus, no Universo, no poder superior, ou como preferir chamar, com toda sua onipotência, onisciência e onipresença. Você é a imagem e semelhança do Criador. Seja grato pela vida abundante que já possui!

6. Gratidão

Quanto mais agradece, mais motivos tem para agradecer. É uma reação em cadeia. Gratidão é uma atitude diante da vida que nos torna seres humanos melhores, mais felizes e dignos de viver o presente que o Criador nos deu. Não duvide nenhum minuto sequer. Exercite o poder da gratidão e verá que não existem barreiras para seus sonhos.

Essa energia existe e está dentro de nós. Muitas vezes, o que nos afasta do real entendimento do que é a gratidão é a tendência à reclamação. A gratidão é muito mais do que a atitude de agradecer a algo, gratidão é sentir, em seu coração, a paz de ser grato. Sem julgamentos. Ser grato pelo que já tem, pelo que já é. Mesmo em momentos difíceis, ser grato pelo aprendizado que aquela situação lhe proporcionou, porque tudo sempre acontece por um bem maior.

A gratidão está ligada à abertura do coração e da alma, tem a ver com você olhar para a vida, para si mesmo, para o mundo e para Deus com olhos positivos, com a Frequência Vibracional® elevada, podendo então experienciar e compartilhar a gratidão de forma única e especial. Permita-se sentir verdadeiramente grato e veja sua vida alavancar e prosperar em todos os sentidos.

7. Por que não materializa?

Você quer tanto, mas não consegue! O que faz de errado? O que tem de errado? Simplesmente, você ainda não aprendeu a soltar seu desejo ao Universo e liberar qualquer vínculo com o próprio ego. Ainda há memórias para liberar. Ainda há lixo emocional impregnado em seu inconsciente. O perdão que você concedeu não foi realmente concretizado. Seja sincero consigo mesmo. Essa sinceridade é fundamental para que se processe de fato a limpeza de tudo que ainda impede seu caminho até o sucesso.

Desapegue. Limpe suas memórias. Perdoe seus atores com o coração. Livre-se de tudo que é tóxico. E solte! Depois de desprogramar suas crenças, sua mente fica livre para criar. Visualize tudo o que deseja e lance ao Universo. Se você passar todos os dias de sua vida pensando no sonho, a única informação que o

Universo vai receber é de falta. Para materializar, você precisa verdadeiramente acreditar que tudo já é seu.

Sinta, coloque seu pensamento em ação, atraindo a emoção que fabrica sonhos. Vibre na alegria da conquista, da vitória. Quando você fica tenso, ansioso, concentrado no desespero de não ter o que quer, o processo de materialização trava. Treine sua mente, persiga seus objetivos, cultive bons pensamentos e seja grato pelo dom da vida. Faça um teste. Comece agradecendo por dez coisas que estão em sua vida hoje, todos os dias. Agradeça com a mesma emoção e certeza de seus sonhos realizados.

8. De 500 a 700 hertz

A partir de agora, você vai simplesmente viver! Viver a vida dos seus sonhos, que já é real! Agora você só precisa rir, amar e se divertir. Vibrar na frequência de 500 a 700 hertz, entre amor, alegria e paz, através da gratidão e do silêncio. Aqui tudo que você sonha se materializa. Essa é a Frequência Vibracional® dos seus sonhos.

9. Ação e reação

Para cada ação, há uma reação. Vá em busca dos seus sonhos. Suas ações, obrigatoriamente, terão ações contrárias vindo até você. Isso é lei. Estamos falando de ciência, de física, e não de motivação. Avalie cada uma de suas ações, individualmente. Tudo o que você faz, inevitavelmente, retorna para você com a mesma intensidade. O Universo nos responde exatamente com o que enviamos para ele. É troca, é entrega, ação e reação.

10. Silencie a mente

Quando reza, você fala com Deus. Quando você medita, Deus fala com você! Silencie a mente e sinta o Criador dentro de você!

Permita-se dar ouvidos à sua voz interna. Silencie. Conecte-se com a fonte superior de energia e infinitas possibilidades. É ela que pode indicar o caminho, recarregar suas energias e aumentar sua sensação de felicidade e bem-estar. Quando na descrição de minhas técnicas menciono entrar em campo de ponto zero, refiro-me à ausência de qualquer pensamento ativado pela consciência. A mente precisa ser treinada a silenciar. Não se preocupe quando os pensamentos surgirem. Simplesmente agradeça a cada um e libere. Quanto mais vezes repetir esse processo, mais energia irá direcionar ao seu sonho, ao inimaginável rumo da cocriação de riquezas e abundância em todos os níveis de sua vida.

ONDE ENCONTRAR DEUS?

Agora acredito que você já saiba onde encontrar Deus, de que modo manifestar seus poderes inatos para materializar a realidade e alcançar a riqueza infinita, abundante e inesgotável do próprio Universo. Tenho certeza disso. A fonte da vida e de recursos fantásticos para projetar uma história de muita felicidade, amor, prosperidade, fartura e fortuna irrestrita está dentro de você, antes mesmo de nascer e aportar no planeta Terra, ainda no estágio de pré-consciência, para passar por suas experiências evolutivas, no caminho de reconexão com a fonte criadora. Ou seja, tudo está gravado nas suas células e no seu **DNA Milionário, Quântico e Magnético**.

Deepak Chopra também acredita na essência desse pensamento e condiciona a nossa origem às propriedades e aos atributos do nosso DNA.

Durante os nove meses necessários para criar um ser humano, o corpo humano passa por todas as etapas da evolução biológica. Em outras palavras, seu DNA, seu material genético não apenas tem a memória da evolução cósmica, da evolução do Universo, mas também tem a memória de toda a evolução biológica, porque à medida que você evolui no útero da sua mãe, você passa por todos os estágios da evolução.

REGISTROS DA VIDA

De fato, todos os registros akáshicos da existência estão inseridos no núcleo do DNA de cada pessoa. Ali, estão as crenças, a energia condensada de pensamentos conflitantes e todos os condicionamentos e cargas emocionais que você absorveu durante a vida. Por isso, conforme você aprendeu nesse manual para a prosperidade, se deseja mudar os fatores da sua vida e dirigi-los para um caminho brilhante de luz, riqueza, fortuna e muito dinheiro, a primeira mudança deverá ser no conteúdo armazenado no seu DNA e em todos os registros emocionais das suas células.

Você deverá agir como eu agi. Obviamente, dentro das suas particularidades existenciais. Vai precisar alterar a vibração do interior das moléculas, limpar todas as crenças sobre a vida e promover a reprogramação da mente. Ao longo do livro, mostrei que isso é perfeitamente possível. É possível alcançar tudo isso porque vivemos em um Universo vibracional e estamos todos interligados pela mesma mente superior, do Todo-poderoso, a Matriz Holográfica®, o éter, a substância amorfa, a fé que une todos nós, o vácuo quântico. “Eu disse: vós sois deuses, e todos vós filhos do Altíssimo”, Salmos 82:6.

O CÓDIGO DO MILAGRE

Vamos recapitular agora todo esse conhecimento que transmiti, ao longo do livro, sobre o poder extraordinário que reside em você, no núcleo de suas células e no interior do seu DNA. Você aprendeu que é possível reprogramar as informações moleculares ao limpar todo o lixo emocional e inserir novas informações positivas, como se implantasse novos programas operacionais dentro de si. Com o verbo, palavras, som e luz, você pode reprogramar tudo. Elaborei a apresentação desse conteúdo baseada na andragogia, um método de educação para adultos que compreende fundamentos de ensino e aprendizagem práticos, baseados em experiências, motivadores e a repetição frequente de termos e conteúdos para fixar na mente o que é necessário para alterar as informações contidas no DNA, alterar a vibração das células, do campo eletromagnético e, consequentemente, todos os resultados da sua vida.

Você constatou que o DNA pode ser reprogramado por palavras e frequências/som (verbo), sem remover e substituir um único gene.

> **O DNA muda a informação das células, muda a química do cérebro e promove profundas mudanças biológicas. Tudo isso pela simples reprogramação da frequência, o que chamo de alinhamento vibracional.**

Ainda, pode ser alterado com a mudança de sons que emite vibração (sentimentos e emoções), como frequências hertz, música, solfejos, áudios de reprogramação para ouvir dormindo, que são os binaurais criados para reprogramar a mente por meio das palavras e da linguagem (palavras faladas e pensadas – o que eu falo, reclamo, julgo, penso e me angustio em relação a dinheiro).

O DNA também é reprogramado pela luz. Quando aumentamos nossa frequência, somos luz cristalina, somos fótons, vibramos em uma frequência mais alta. Por meio do amor nos tornamos luz. E, como luz e amor, não podemos sofrer a interferência de seres vibracionais inferiores. A manifestação disso em nossa realidade pode ser alcançada ao desejarmos, verbalmente, que se concretize o amor em nossa realidade. Criamos na Matriz Holográfica® a intenção de ser prósperos, por meio do verbo (palavra). A luz, aqui, é introduzida por terapias como cromoterapia e a influência vibracional dos chacras.

Somos deuses, somos o Criador e a criatura. Então, ao conseguir validar cientificamente tudo isso, através da minha história, comprovo que podemos alterar nossa realidade e cocriar a vida dos sonhos. Que podemos ter uma vida milionária em todos os pilares e, para isso, a ciência e a espiritualidade estão ao nosso lado, provando que o DNA é influenciado e reprogramado por sons, palavras e luz, e, diante de novas decisões, intenções conscientes claras e firmes, ele pode assumir novos padrões, bem como as células vão obedecer a esse comando.

Essa é a lei da cocriação da realidade, sendo aplicada em níveis moleculares. É como se o nosso DNA tivesse ouvidos e uma imensa vontade de nos obedecer.

TUDO TEM UMA FREQUÊNCIA. QUAL É A SUA?

Toda a sua existência. Toda a matéria, toda a vida, todas as experiências, tudo deve sua existência no mundo físico à Frequência Vibracional®. Absolutamente tudo é frequência. Você não pode ter uma experiência neste planeta sem atraí-la por meio da frequência. Toda emoção, inclusive amor e ódio, sintoniza em uma frequência específica. Tanto a saúde quanto a doença têm uma frequência. Cada um dos órgãos está sintonizado em uma frequência específica, como está todo o seu corpo, que ressoa em sua própria frequência. Você é uma sinfonia de frequências, enquanto se projeta através do Universo e cria a sua realidade física.

Você é um mestre da sua energia e, portanto, é capaz de controlar tudo o que você é, o que faz, o que experimenta. Desde o dia em que você nasceu até o dia de sua morte, nada vai mudar o fato de que você é, ao mesmo tempo, um emissor e um receptor de frequência em fluxo com seu ambiente interno e externo.

O DNA possui características estruturais de antena fractal, condução elétrica e autossimetria. A condução elétrica permite a circulação de partículas eletricamente carregadas dentro do corpo, cujo fluxo produz a nossa força vital. A própria vida, como a conhecemos, está incrivelmente entrelaçada com formas geométricas, a partir dos ângulos de ligações atômicas nas moléculas dos aminoácidos, nas espirais do DNA, no protótipo esférico da célula, nas primeiras células de um organismo que assume as formas vesical, tetraédrica e estrela antes da diversificação dos tecidos para diferentes funções fisiológicas.*

As moléculas do nosso DNA, a córnea do olho, os flocos de neve, as pinhas, as pétalas das flores, os cristais de diamante, a ramificação das árvores, um escudo do nautilus, a estrela que gira em torno de si, a espiral de galáxia dentro de nós, o ar que respiramos e todas as formas de vida como as conhecemos emergem de códigos geométricos intemporais. Nosso corpo humano neste planeta é todo desenvolvido com uma progressão geométrica comum de um para dois, para quatro, para oito células primitivas e mais além.

A CURA NA ERA DE AQUÁRIO

O mundo passa por uma profunda mudança que acontece em termos vibracionais e de expansão da consciência. Chegamos à Era de Aquário. Toda essa transformação representa ainda a mudança da configuração do nosso DNA e da potência do nosso campo eletromagnético. Passaremos, em breve, por profundas mudanças na nossa frequência e também na vibração do planeta.

---

* RICHARDSON, Josh. Frequência, DNA e o corpo humano. *O Blog da Bê*, 9 jun. 2017. Disponível em: <https://silencioegratidao.wordpress.com/2017/06/09/frequencia-dna-e-o-corpo-humano/>. Acesso em: 11 mar. 2019.

________. Frequência, DNA e o corpo humano. *Oculto Revelado*, 20 maio 2015. Disponível em: <http://ocultoreveladoaverdade.blogspot.com/2015/05/frequencia-dna-e-o-corpo-humano.html>. Acesso em: 11 mar. 2019.

Seremos mais cristalinos, leves, inteligentes, integrados, plenos, saudáveis, com poderes extrassensoriais aguçados. O tempo e o espaço não mais serão barreiras para nos comunicarmos com seres em outros estados vibracionais, de outras dimensões. O nosso DNA terá quase sua totalidade de programação ativada, o que nos trará benefícios fantásticos. Este, portanto, é o exato momento da transição da terceira para a quinta dimensão, quando compreenderemos a nossa mudança física, mental, espiritual e energética.

Vamos também compreender que nada está separado, que a sua cura é a cura do outro, que estamos mergulhados em um único campo vibracional, um oceano infinito de inteligência e potencialidade pura. Por isso, desde já, o que ressoa em seu campo eletromagnético afeta o outro, seus entes queridos, familiares, amigos, colegas de trabalho, relacionamentos, vizinhos e todas as pessoas desse planeta. Tudo afeta tudo, e, quando você se cura, se liberta, se livra de todas as amarras e correntes, sejam emocionais ou vibracionais, desprende e desconecta os fios invisíveis de uma teia quântica formada pela energia densa e espessa dos outros. Isso é expansão da consciência, a cura verdadeira que começa a se manifestar dentro de você, no seu DNA, quando modifica as informações, limpa o lixo emocional registrado em cada molécula e passa a manifestar o amor essencial de Deus nas suas células brilhantes.

JOGUE LUZ NA MATRIZ HOLOGRÁFICA®

O que você gera internamente, em termos de emoções e pensamentos, é compartilhado para o mundo. Nada está dissociado, tudo está emaranhado. Há um entrelaçamento quântico na Matriz Holográfica®. Como citei anteriormente, compartilhamos tudo energeticamente. Memórias, dores, angústias, sofrimentos, negatividade. Todas as nossas alegrias, entusiasmo e conquistas.

O amor, acima de tudo, chega e ultrapassa todas as barreiras dimensionais do multiverso. Sua frequência é poderosa e cativante. Tudo contém energia, frequência e vibração. E tudo afeta tudo. Por meio das suas emoções, pensamentos e ações, você pode interferir na composição nuclear no vácuo quântico.

As frequências das pessoas são particulares e individuais, porém a vibração do planeta onde vivemos é uma só. Por isso, depende da ação e do comportamento de cada ser humano para se manter estabilizada. Hawkins avalia essa frequência planetária na faixa crítica de apenas 200 hertz, posicionada na transição entre as emoções de orgulho e coragem. Só para reforçar, não podemos esquecer da importância vibracional de cada ser humano no planeta. Assim, o seu padrão vibracional afeta tudo. Perceba que essa é uma grande quebra de paradigma. Saímos do mundo sólido e de separações para compreender que nada está isolado.

UNICIDADE EXISTENCIAL

Tudo se conecta a partir da energia essencial de Deus, gravada no núcleo do DNA e em cada célula que vibra em nosso corpo. Mas a experiência humana, ou melhor, a existência, é nula e não tem conteúdo até injetarmos um sentimento, uma emoção, alguma ação, postura ou comportamento direto na fonte, na matriz da cocriação da realidade. E isso afeta tudo. É como atirar uma pedra no lago. Você provoca ondas, ondulações e interferências construtivas, como menciona Amit Goswami. Os sentimentos afetam e modificam as estruturas. Sejam, internamente, suas moléculas, células e o seu DNA, seja a própria realidade. O medo, sobretudo, interfere negativamente nesse cobertor quântico do Universo. O medo, o ódio, a apatia, a vergonha e a timidez. Todas as suas memórias, as dores da sua alma, a tristeza, a depressão, o ciúme e a raiva. Tudo se entrelaça e é compartilhado. Você não está dissociado nem distante de ninguém. Agora mesmo, pense em alguém. Pensou? Então, a sua onda de vibração chegará a essa pessoa, a essa consciência, pois o seu campo ressonante afeta e interfere na realidade, seja de modo positivo ou negativo. Isso é um princípio da física quântica, conhecido como emaranhamento quântico. O princípio da não complementaridade também explica isso. Os átomos se comunicam através do hiperespaço, o seu DNA consegue atravessar dimensões.

O PODER DO NOVO HOMEM HOLOGRÁFICO

Você pode tramar a melhor versão do seu Eu do Futuro. Basta sentir e vibrar na frequência correta. As possibilidades são infinitas e intermitentes. Tudo está ao seu alcance. A riqueza, o dinheiro, o sucesso, o amor, a abundância já lhes pertencem, estão integrados ao seu ser e à sua existência. Basta viver como se já tivesse realizado. Esse é o segredo universal da cocriação. Você pode controlar o *spin* ou a rotação do átomo para a positividade da vida.

Quando você se cura, você cura o outro – já disse isso, mas vale ressaltar. Esse é o princípio elementar da prática do Ho'oponopono, difundido tanto pela versão sagrada do povo havaiano, como pelo modelo quântico, desenvolvido por mim. Para se curar, você precisa se libertar de crenças, julgamentos, medos, autossabotagem, da falta de perdão, da letargia da sua vibração instalada e impregnada no seu campo eletromagnético. Você se cura, elimina esses sentimentos negativos e, assim, eleva a frequência na Escala Hawkins para acima de 500 hertz. Com isso, consegue colapsar tudo que quiser, produzir ouro para a sua vida se assim desejar.

Ao se libertar de todas essas emoções e crenças, você poderá experimentar toda a abundância do Universo. Passará a cocriar através da meditação quântica, da gratidão e do amor universal, encontrando a paz interna que sempre buscou. Mais do que isso, vai ajudar o mundo, a existência e a própria evolução da humanidade, colaborando para elevar a vibração planetária nessa transição da terceira para a quinta dimensão, como mencionei, ativando todas as propriedades quânticas do DNA de prosperidade, amor e de riqueza, com os poderes adicionais armazenados em todos os seus doze filetes de códigos genéticos.

Ao reforçar novamente essa perspectiva, você vai contribuir para o mundo alcançar a Era de Aquário, em que os humanos holográficos serão ativos, mais belos, perfeitos, com corpos de luz brilhante, sem sofrer mais com doenças, enfermidades, com uma grande capacidade de autorregeneração celular, de cura instantânea, impulsionados apenas pelo amor do Todo e por uma intelectualidade avançada. Com a sua ajuda, o homem estabilizará um novo campo de luz cristal, transparente e propenso a solidariedade universal a todos os seres. Você muda internamente, muda a polaridade dos sentimentos e dos pensamentos e passa a agir com congruência. Então, o seu campo vibracional e atrator passa a emitir a luz de que o mundo precisa nesse momento de transição vibracional, para alcançar a esfera do amor, do perdão, da paz, da harmonia e de unificação com o Todo. Assim seja, eternamente!

MUDANÇA QUÍMICA E MOLECULAR

A atividade do gene pode mudar em uma base diária. Isso pode acontecer, segundo o biólogo Bruce Lipton, caso a percepção em sua mente se reflita na química do seu corpo. A mudança também ocorre quando o seu sistema nervoso consegue ler e interpretar o meio ambiente. No decorrer do processo, o seu organismo passa a controlar a química sanguínea. E o que isso significa? A mudança vibracional das suas células. Tudo, portanto, começa quando você altera o conteúdo dos pensamentos e a percepção das emoções.

Isso se reflete na mente, no sistema nervoso, na química do seu organismo e, consequentemente, na alteração vibracional e informacional do seu gene, do seu DNA e também do campo eletromagnético gerado por você. Perceberam como existe uma cadeia de eventos dentro de você e como tudo está interligado? A realidade começa com reações químicas e morfogenéticas dentro de você, para depois alcançar os resultados eminentes do lado externo. Diante disso, posso afirmar também que a prática meditativa holográfica, apresentada ao longo deste livro, pode afetar todo o organismo, as vias regulatórias do corpo e modificar toda a composição celular, vibratória e energética.

HARMONIA AFETIVA

A verdadeira cura – a nossa cura, a cura das dívidas, do desamor, das doenças emocionais – está na alegria e no equilíbrio. Isso porque, o Universo funciona em harmonia e em equilíbrio. A harmonia que começa em você entra em ressonância com o Universo. Por isso, você é responsável por si, pelos outros e também pelo Universo. Os seus atos afetam tudo e todos. Não existe dissociação. Todos estão mergulhados no mesmo oceano de energia. É o chamado "efeito borboleta" ou a pedra lançada no lago. As ondas e frequências do seu campo eletromagnético se expandem, sem parar, por todo o horizonte, no domínio da potencialidade pura.

UM MODELO "PERDIDO" DE ORAÇÃO, QUE É QUÂNTICO!

Os manuscritos achados no Mar Morto são de importância considerável para a humanidade dormente. Eles explicam como podemos escolher qual futuro desejamos experimentar, em sã consciência, revelando as chaves sobre o nosso papel como projetistas da realidade, como afirma Fred Alan Wolf: "Você cria a sua realidade". Em física, há infinitas possibilidades. A ciência quântica moderna revela o poder do ser humano de curar o corpo, realizar seus sonhos e trazer a paz duradoura para o mundo.

Mas em que consiste essa tecnologia da oração e em que bases se apoia para que seja eficiente?

Existe um campo de energia quântico e holográfico por meio do qual o DNA se comunica com os fótons, a chave para alterar os eventos e modificar a realidade. Está, essencialmente, na consciência, na certeza íntima de que o seu sonho já foi criado e está já acontecendo. Pois, quando você vibra na frequência da confiança, passa a ressoar nesse campo moldando sua realidade.

Então, quando você faz a Projeção Holográfica®, você ativa a tríade atômica: pensar criando a imagem, sentir essa imagem em todos os detalhes, como se estivesse agindo dentro dela, e agir como se essa imagem fosse real, sentir como se estivesse acontecendo agora. Sentimento significa colocar a imagem e a emoção em ação. Sentimento em ação = sonho realizado = Frequência Vibracional®. Então, o que é a escolha consciente dessa imagem? O pensamento e a emoção que produzem tal sentimento, que é o que você vai experienciar. Eis o segredo e a resposta para cocriar a realidade: "Viver como se o fruto de nossa prece já estivesse a caminho".

Portanto, quando desalinhados, os pensamentos podem transportar certas expectativas, permanecendo potenciais desejos, se não forem acompanhados pelo poder da sua frequência. Muitas vezes, porém, a emoção que acompanha um desejo caminha na direção oposta, mas não somos conscientes. Por exemplo, alguém que quer ser rico, pensa em riqueza, mas sente escassez e falta.

ORAÇÃO EMOCIONAL

A partir dessa perspectiva, nossa oração, ancorada nos sentimentos, deixa de ser "algo por obter", "pedir aquilo que quero", e se converte em "acessar", "sintonizar" algo que já está criado, porque todos os pedidos já foram atendidos. A Frequência Vibracional® soma pensamento, sentimento, emoção, ação e consciência. Ela "é a chave da cocriação e reprogramação do DNA, porque a criação responde ao mundo da Frequência Vibracional®".

CONHECIMENTO E PODER

Por que só agora tomamos conhecimento desse poder? Porque a humanidade desenvolveu uma nova consciência planetária, graças à força da tecnologia de oração em massa. Como diz Gregg Braden, "Deus é puro amor, é energia e por ser energia, não morre, não desaparece, é imortal e está em todos os lugares". E como somos a imagem e semelhança de Deus, sabemos que somos energia e, hoje, podemos provar isso. Somos seres espirituais e não seres feitos de matéria.

Vimos que, geneticamente, o DNA muda com as frequências que produzem nossos sentimentos e que as frequências energéticas mais altas, como o amor, impactam o ambiente, de forma material, produzindo transformações, não só em nosso DNA, mas em todo o ambiente. Quanto mais amor deixarmos fluir por nossos corpos, mais adaptados estaremos para enfrentar o que possa acontecer em nossa vida. E podemos conduzir todo o nosso planeta, conforme nossos pensamentos positivos em conjunto, para o melhor futuro possível.

EU TE AMO, EU TE AMO, EU TE AMO!

Quando você está integrado à existência divina em si, o medo não impera, sob nenhuma hipótese, porque não existe dissociação entre você e o Todo. Você se torna um ser universal apenas, regido por amor, fé, intuição e criatividade. Você é luz, você é o Universo, tem toda a informação dentro de si, a partir do seu DNA quântico e milionário. Viva como alguém que carrega o segredo da vida nas células, na alma e no coração. Minha dica: convide, neste momento, suas células a fazerem parte do seu sonho! Porque, assim, terá tudo o que é seu por direito. Todas as riquezas, prosperidade e abundância infinita do Criador ao seu dispor.

Esse é o meu decreto a você, eu te amo.

O MUNDO HERTZ DE NANI

Você pode se perguntar agora: quem sou eu hoje para falar de DNA Milionário? Hoje, eu, Elainne Ourives, realizei meus sonhos financeiros. Considero-me uma pessoa extremamente próspera, tenho 200 mil alunos, mais de 1 milhão de seguidores, vivo uma vida milionária, como tanto sonhei. Saí dos R$ 700 mil em dívidas em poucos meses, após ter me alinhado vibracionalmente com todos os meus sonhos, e passei a vibrar em ressonância com a abundância, criando meu *mindset* milionário. E, por isso, escrevi esse livro.

Vivo a prosperidade em total plenitude. Sou uma palestrante reconhecida internacionalmente. Uma das minhas principais conquistas, que esteve entre minhas maiores cocriações, foi o meu treinamento Holococriação de Objetivos, Sonhos e Metas. O curso atingiu 10 milhões de reais em faturamento, algo que também foi cocriado após a mudança do meu DNA. Um dos meus sonhos era subir ao palco com Deepak Chopra, ser treinada por Amit Goswami, fazer o treinamento em desdobramento quântico do tempo com Jean Pierre Garnier. Ser treinada por Joe Vitale, Bob Proctor, Gregg Braden, Joe Dipenza, Tony Robbins, e todos esses sonhos foram realizados. Ter os carros dos sonhos, a mansão dos sonhos, uma casa na praia, uma chácara, a qual carinhosamente chamo de o mundo de Nani, onde concluí a escrita deste livro.

Também sonhei com a escola dos meus filhos, em ajudar as pessoas. Tive o privilégio de reformar a casa da babá que me ajuda com meus filhos, reformar a casa da minha mãe, pagar cursos e faculdade para algumas pessoas, dar um apartamento para a Jaque, que esteve comigo quando passei por muita dificuldade e, mesmo sem receber seu salário, sempre esteve ao meu lado. Quando a presenteei com o apartamento dos sonhos dela, todos me julgaram e ninguém imaginou que esse era meu sonho também. Eu entendi as leis do dinheiro, e, quando colocadas em prática, criamos fortunas em dinheiro e felicidade extrema. Tudo isso hoje representa a vida que eu tenho, por isso me sinto uma autoridade para falar sobre esse tema. Percebeu que não comentei ao longo do livro? Estrategicamente, eu queria que somente as pessoas que chegassem ao final, lendo até a última linha, tivessem esse conhecimento de quem eu era e de quem sou hoje. Que essa fosse uma informação dada apenas às pessoas comprometidas com seu DNA Milionário. Os fracassados param no meio do caminho, e você?

Você já é um vencedor, tem DNA de vencedor, pois chegou até aqui. Isso é o que faz a diferença. Eu fracassei 1 milhão de vezes. Até me emociono escrevendo isso. Fracassei durante cinco anos, mas venci, consegui, e a única coisa que me diferencia, a que me separa dos fracassados, é o fato de não ter desistido! Por isso quero deixar esta mensagem. Não importa o que aconteça, continue correndo, andando. Se não conseguir caminhar, ajoelhe-se. Se não tiver mais forças para nada, vá rastejando, mas não desista. Imagine neste instante como se pudesse ver o último degrau. Estique o pé e veja o que tem do outro lado. Sim! A vida dos seus sonhos está logo ali. Então, continue, continue!

Você não pode parar agora. Eu conheço o caminho. Passei por ele, criei o mapa, codifiquei o GPS do seu mapa quântico. Você chegou até aqui. Não existe nenhuma possibilidade de que este conteúdo, quando seguido, não aconteça. Não existe! Porque, em algum aspecto, sua vida vai mudar. Não estou dando conselhos motivacionais. Estou falando de matemática, de ciência, contando minha história, o que já me dá autoridade máxima para ser a autora deste livro. Você praticou, passou pelas Meditações e Visualizações Holográficas®, inseriu a prática da Técnica Hertz® em sua rotina. Isso comprova que, sim, você está pronto, você merece, pois está empenhado, dedicado, comprometido com seu sucesso. E se você está comprometido até o final, lendo, buscando realmente essa transformação, está pronto para passar ao próximo nível, que é experienciar tudo aquilo que, durante o livro, foi aprendendo.

> Conquistei abundância, a plenitude de acordar e gritar com todas as minhas forças: "A VIDA É INCRÍVEEEEEL".

Bem-vindos ao mundo hertz quântico. O meu mundo. O mundo encantado de Nani. Eu sou a Nani. Quem eu sou? Sou a mãe da Julia Libardi, do Arthur e da Laura Lazzaroto. Sou filha do Erevaldo e da Juraci, a quem sou grata por aceitar ser minha mãe, com tudo que precisava curar nesta vida. Sou grata por todos os meus atores, que me roubaram, engaram, feriram, traíram, rejeitaram, desequilibraram e abandonaram. Meu Deus, eu não sabia que vocês estavam ali só para me curar. Então, queria agradecer por me tornarem quem sou. Quando assumi 100% da responsabilidade sobre minha vida, entendi que o sucesso dependia apenas de mim. Então, pensei: saiam da frente que eu vou passar! E passei por cima de todos, com amor, maturidade, perdão, gratidão e paz. Eu perdoei com meu amor meus atores, percebi quanto os cocriei perfeitamente para me auxiliarem no que precisava curar. E sou grata por eles existirem na minha vida. Hoje, sou milionária, mas também sou plenamente rica de amor, de paz, de alegria de viver. Conquistei abundância, a plenitude de acordar e gritar com todas as minhas forças: *"A VIDA É INCRÍVEEEEEL"*.

Sou muito, mas muito feliz, abundante, conectada com a fonte, conectada com Deus, com minha espiritualidade, meus filhos e minha família, além de transformar o mundo, mudar a vida das pessoas, fazer a diferença no planeta. Sou grata pelos meus pais, por aceitarem a missão de me dar a vida. Sou grata por meus filhos, por terem escolhido a mãe, o pai, os avós perfeitos, para curar o que vieram transcender neste planeta. Sou grata por ser atriz na vida deles, ser escolhida para o papel de mãe. Sou grata por tudo que conquistei, grata ao amor da minha vida, por tudo que passei. Sou grata pelo caminho que fiz para chegar até aqui, pois não poderia ter sido mais perfeito. Hoje, transformo milhões de pessoas com esse conhecimento. Então, seja bem-vindo. Esse é o nosso Universo paralelo. O nosso multiverso. Nossa não localidade onde criamos nossa realidade, podemos ser felizes, alegres, prósperos, harmônicos e ter uma vida de total plenitude. Por quê? Porque os princípios foram aprendidos. A conexão com a fonte, a gratidão, o amor, a alegria.

Eu quero agradecer a você, porque um dia pratiquei todas essas técnicas para conquistar meu sonho. Fechava os olhos e me via escrevendo este livro, me via em um palco com meus mestres, impactando milhões de pessoas. Hoje, absolutamente tudo se tornou real. Por isso, lhe agradeço! Porque você é a materialização, a prova do meu sonho real. Obrigada por tornar meu sonho realidade. Eu amo você!

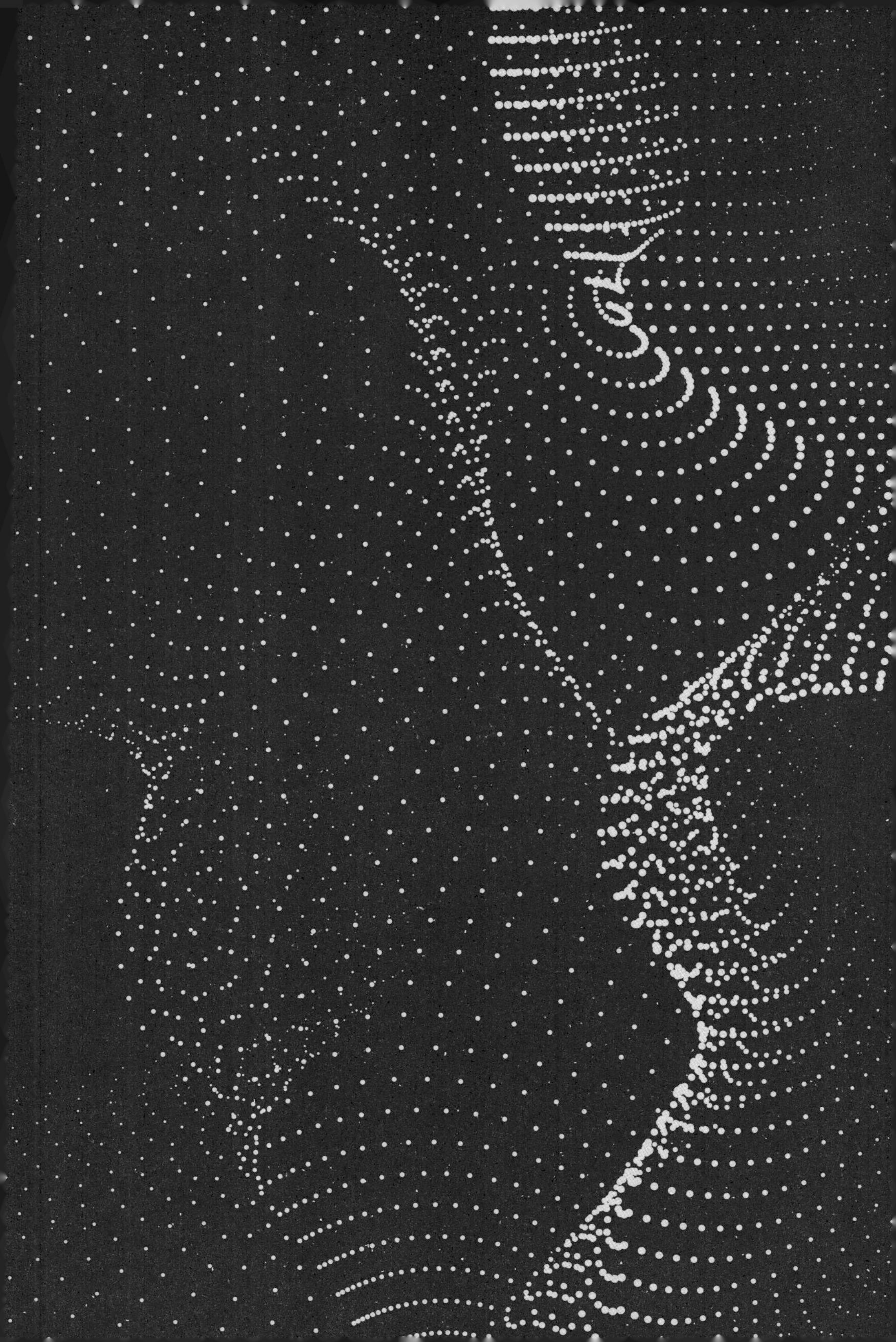

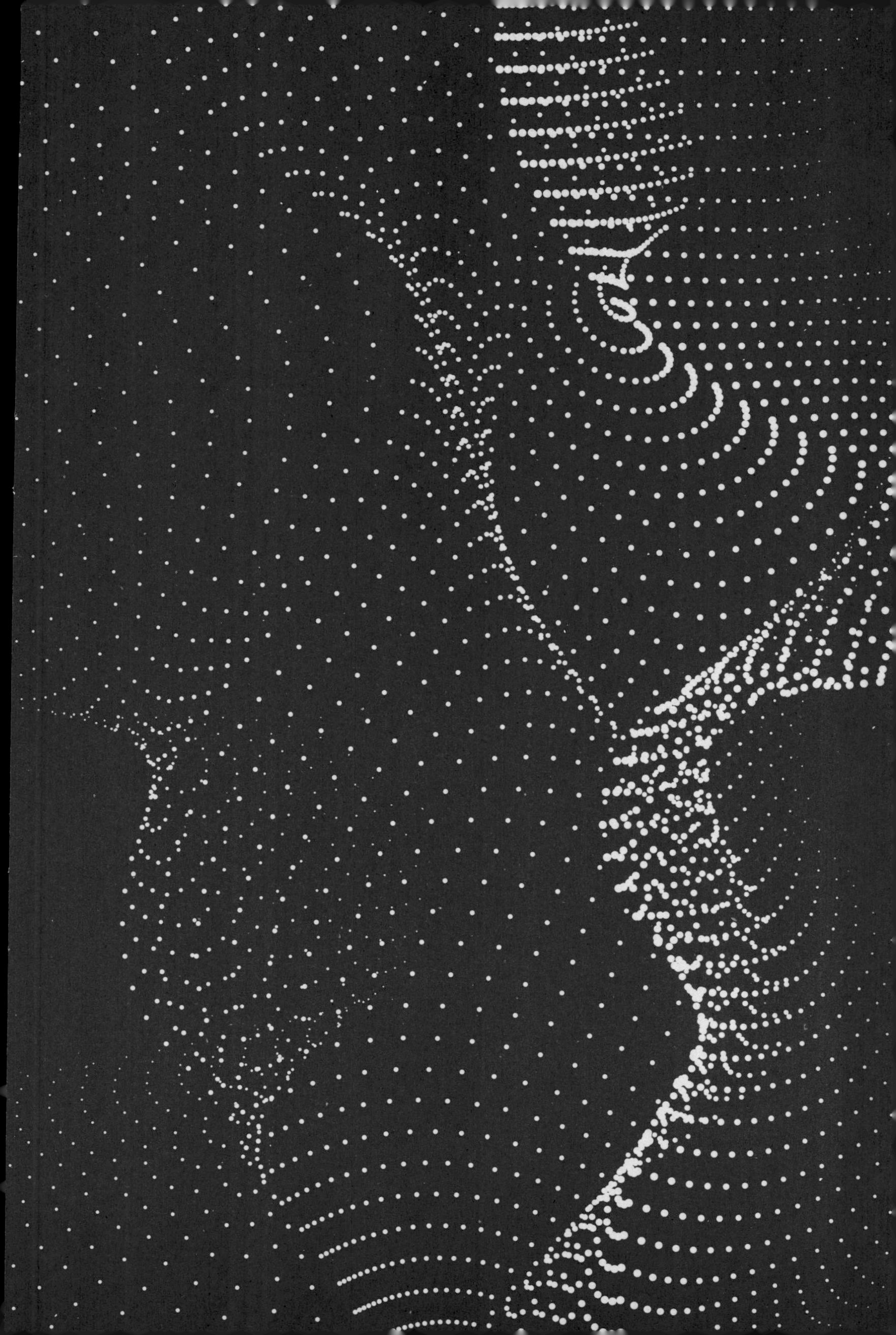

Este livro foi impresso pela gráfica Assahi em papel pólen bold 70 g/m² em outubro de 2022.